新編 怪奇幻想の文学

2 吸血鬼

Tales of Horror and Supernatural 2

Vampires

【監修】紀田順一郎・荒俣宏
【編】牧原勝志（『幻想と怪奇』編集室）

新紀元社

新編 怪奇幻想の文学 2 吸血鬼

Tales of Horror and Supernatural
2
Vampires

スラヴの伝説に語られた、餓えに駆られる不死者は、いつしか城に住まい血を欲する夜の貴族となり、恐怖と憧憬と、ときには揶揄を浴びた。かれらについて、あなたは何を知っていますか——吸血鬼という呼び名のほかに。

目次

新編 怪奇幻想の文学 2

吸血鬼

編者序文

牧原勝志

文学の世界を旅するとき、アンソロジーは良き案内書となる。一九七八年に完結した『怪奇幻想の文学』（新人物往来社）は、まさに怪奇幻想文学への最良の道案内の一つだ。が、刊行からの四十余年は長い。書店の棚を占めていた全七巻には古書価がつき、本邦初訳を誇った多くの収録作品は他書でも読めるようになり、さらには後を追って新たなアンソロジーが数多く出版された。

こと吸血鬼テーマのアンソロジーは、他のテーマのものと比べて実に多く出版されている。第一巻『真紅の法悦』の初刊年である一九六九年以降、現在までに出版された吸血鬼ものアンソロジーを数えると、名著『吸血鬼幻想』の種村季弘が編んだ『ドラキュラ・ドラキュラ』（薔薇十字社　一九七三）から、ブラム・ストーカーの『吸血鬼ドラキュラ』以前の作品を集めた夏来健次・平戸懐古編訳『吸血鬼ラスヴァン　英米古典吸血鬼小説傑作集』（東京創元社　二〇一二）までに、十指を超える。編者も、日本では矢野浩三郎、仁賀克雄、須永朝彦、山口雅也、東雅夫など、海外ではピーター・ヘイニング、バイロン・プライス、エレン・ダトロウなどと、錚々たるものだ。

この数と多彩さはドラキュラ伯の威光ゆえでもあろうし、吸血鬼なるものが映画などを通して知れ渡っているからでもあるのだろう。どのアンソロジーも、それぞれ編者の姿勢が明確で面白いが、吸血鬼世界への案内書として好適なものはと問われると、その多彩さゆえに、どれを挙げればいいのか迷わずにはいられない。

本シリーズは『怪奇幻想の文学』のテーマを活かし、新編することで、読者を幻想と怪奇の世界に案内することを企図している。が、吸血鬼小説を集めたこの巻を読みすすめるにつれて、編者が密かに仕掛けた案内書とは別の企図に、読者は気づくことだろう。そして、伝説の「吸血鬼」がレ・ファニュからストーカーを経て、リチャード・マシスン、スティーヴン・キング、アン・ライス、さらにはキム・ニューマンやステファニー・メイヤーらの小説として、あるいは映像作品など多様な創作物として、世界中で語り継がれているのはなぜなのか、その理由を見つけられるかもしれない。

ここに集められた古典・準古典の数々を通し、怪奇幻想の真髄に触れていただきたい。本シリーズは、自由な想像力が創りだす豊かな世界への、恰好の道案内となることだろう。

謎の男

K・A・フォン・ヴァクスマン
垂野創一郎訳

Der Fremde

Karl Adolf von Wachsmann

死は……ねむり……眠る！　ああ、おそらくは夢を見よう！……そこに障魔《さわり》があるわ。

——シェイクスピア「ハムレット」＊

かの凄まじい北西風ボラは、春と秋の盛りともなれば、さなきだに荒いアドリアの海を奥底まで引《ひき》掻《か》き、水夫《かこ》らの命を脅《おびや》かし、また石灰岩台地《カルスト》にも襲い来て、カルニオラ＊の山の節くれだつ楢《なら》の老樹を揺するのであったが、そんな最中《さなか》を馬で進む五人《ごたり》の一行が、二頭の騾馬《らば》が運ぶ輿《こし》を囲んで森の小径に分け入ると、ようやく四月の荒天もいくぶんは遮《さえぎ》られ、皆は安堵の吐息をついた。すでに日は傾き、寒さが身に沁み、吹雪の薄片《うすひら》さえちらほら見えている。一行を率いるのは威厳ある長身の老紳士、オーバーエースターライヒ＊のファーネンベルク男爵であった。跡取《あととり》なく身罷《みまか》った兄よりカルニオラの山中《やまなか》の広大な領地を継いだがゆえ、そこに一時《ひととき》滞在しようと、娘のフランツィスカと、家に引き取った私財を持たぬ二十《はたち》の姪とを伴って、遠路遥々《はるばる》やって来たのだった。だがどうやら時節を気にせず、当地の有様《ありさま》にも不案内のまま出立《しゅったつ》したらしい。男爵は今に至るまでこの界隈《あたり》を目にしていなかった。兄弟の仲はよろしからず、兄が領地を弟から奪わなかったというのも、ひとえに古い親族の遺言《いごん》が邪魔を

したからにすぎない。

老男爵と轡《くつわ》を並べて進む二十ほどの美しい若者はクロンシュタイン男爵フランツであった。傍《かたえ》の老男爵と同じく鍔広《つばひろ》の帽子に羽根飾りを垂らし、革の上衣にぶかついた旅長靴《たびながぐつ》という、十七世紀初めに流行《はや》った服装《なり》をしていて、ただ老男爵のほうは毛皮の裏地と縁飾りのあるマントを肩からかけていた。若者の大らかで人好きのする顔つきには、才知の閃《ひらめ》きがうかがえた。そこに若さのみが持つ美があるのは誰しも認めようが、勇気や進取の気性よりむしろ、感じやすく夢見がちな柔々《やわやわ》しさが勝っていた。

道を曲がって楢の森へ入ったところで、フランツは輿の扉に馬を寄せ、この古めかしい乗り物に座る淑女二人と、熱心に会話をはじめた。若者がもっぱら話しかけている女性は輝くばかりに美しかった。自然な巻き毛が貴《あて》やかに整った顔を包み、きらめく両の眼からは才気と活発な空想力、さらには物事《ものごと》に熱狂する性質《たち》さえ少しばかりうかがわれた。その令嬢、フランツィスカ・フォン・ファーネンベルクは、フランツが辛い旅中の体調を気遣って親身な言葉をいろいろかけるのを、あらかた聞き流し、馬鹿にしたような短い返答《いらえ》しかせず、果てにはこう言ってのけた。もし作法に適《かな》ってさえいれば、

「ハムレット」　三幕一場より。引用は坪内逍遥訳による。（訳者）

カルニオラ　現スロヴェニアの中部地方。当時はオーストリア（ハプスブルク帝国）領。

オーバーエースターライヒ　オーストリアの中部地方。

そしてお父さまが反対さえなさらなければ、このお天気にたいそう参ってそうな言葉を吐くあなたに、わたしの代わりをしたらいかがと、とうの昔にお願いしていたところよ。なぜって、淡黄色《うすきいろ》の荒馬に乗って北西風に逆らって突っ走るほうが、輿とかいう狭苦しい籠《かご》で暇を持て余しているより、どれくらい気が晴れるかわからないもの――。不機嫌と侮蔑が相半《あいなか》ばするその口吻《くちぶり》に若者は苦しげな顔つきになった。何も口には出さなかったが、輿に乗るもう一人の女性が友の無礼をとりつくろおうと優しく話しかけても頓珍漢《とんちんかん》な受け答えするところからも、心がどんなに傷ついたかがうかがい知れた。

「でもね、フランツィスカ」やがて若者は気づかわしそうに言った。「君は口で言う以上に旅の辛さに参っているようだ。いつもなら誰にでも愛想がいいのに、今度の旅では始終つんけんしてるじゃないか。とりわけ君の僕《しもべ》である従兄《いとこ》にね。君が気持ちよく過ごせるなら、今の二倍や三倍の苦難にさえ喜んで耐えしのぼうとしているのに」

フランツィスカがその言葉に、その顔つきからうかがわれるに毒のある戯言《からかい》で報いようとしたとき、老男爵が甥を呼ぶ大きな声が響き、若者は一行の先頭に急ぎ走った。

「あなたを怒鳴りつけてやろうかと思ったわ、フランツィスカ」少し機嫌をそこねたベルタが言った。

「可哀そうなフランツ。あれほどあなたが好きで、それにあなたは何と言うか知らないけれど、いつかはお婿《むこ》さんになる人じゃないの。それなのにあなたったらしょっちゅういたぶって、何かとけちをつけるのね」

「お婿さんですって」フランツィスカは気色ばんだ。「それにはまず、わたしの心がすっかり変わるか、あの人の中身がすっかり変わるかしなきゃね。ねえベルタ、それがお父さまの願いってことは知って

るし、フランツもまんざら悪い人じゃないかもしれないし――そんな顔しないでよ――本当に悪い人ではないの。でも、あんななよなよした男と結婚なんて――ありえない」

「なよなよ？　そりゃあんまりよ」ベルタはむきになって抗弁した。「そりゃあの人はトルコへ出征はしなかった。でもあんなとこに行っても昔も今もろくな名誉にならないし、あの人はあなたのお父さまの言うことを聞いて、荒れに荒れてた世襲領をなんとかしようと故郷にとどまって、細かく気を配ってやりとげたじゃないの。ふだんは理性的な人でも、いったん妄想にとりつかれると、ハギア・ソフィア*にまた十字架が立つのを何がなんでも見たいって思うみたいだけれど、誰もがそう思うわけじゃないのよ。ごうごういってるボラを、静かなそよ風と言わなかったから、あなたはあの人がなよなよしてるって言うの」

「何とでも言ってらっしゃい。なよなよはなよなよ」フランツィスカは譲らなかった。「男なら大胆で、積極的で、荒っぽくて、尊大でさえあってほしいの。わたしが好きなのはそんな人。あんな穏やかで、子羊みたいに温順《おとな》しくて、辛抱強い性格は気に食わないわ。良いものであれ悪いものでもあれ、フランツに情熱はあるの？　いつも地味で、いつも変わらず静かで、穏やかで――そして退屈な人」

「あの人は真心《まごころ》の人よ。才気だってなくはないわ」ベルタが言った。

「真心の人？　それはそうかもしれない。でも将来の夫には少しくらい横暴に抑えつけられてるほう

ハギア・ソフィア　コンスタンティノープル（イスタンブール）の教会。もとはキリスト教正教会の大聖堂だったが、オスマン帝国によりモスクに改築された。

が、生温《なまぬる》く愛されてるよりはいいの。それから才気ですって？　無作法になるから反論はしないけど、とりたてて言うほどあるのかしら。まあ、あなたが言うことがどちらも正しいとしても、行動が伴わないなら、情けないに変わりはないわ。男というのは馬鹿ないたずらもするし、悪ささえするかもしれないけれど、不名誉なことさえしなければ許されるものよ。何らかの理念、確たる思いで行動さえすれば――。あなたを崇拝してるグヴォグフ*の城代、騎士ヴォイスワフさんを見てごらんなさいな。心からあなたを愛していて、しようと思えばいつでもあなたに満足のいく暮らしをさせられる。あの勇ましい人は右手を失くしたから、古城の暖炉の前か、かわいいベルタの糸巻き棒の傍らに座ってても文句は言われないでしょうに、何をやるかと思えば、シレジアの対トルコ戦援軍について東に行ったじゃないの。理想のために戦って、最愛の人もかえりみず――」

「もう一方の手も切り落とされて、顔にもう一つ傷をつけられるかも」友が口をはさんだ。

「そして愛する人を少し泣かせてすねさせる」フランツィスカが続けた。「誉《ほま》れとともに帰ってきて、結婚して、いやが上にも敬《うやま》われ愛される。そんなことを四十の、騎士のマントと剣しか持たない、宮廷の作法も知らない荒くれ兵士がやってのけたのに、あのフランツときたら――後生だからそのことには二度と触れないでちょうだい」

　フランツィスカはむくれて、輿の隅に体をもたせかけると目を閉じた。疲れが来て眠りたくなったみたいに――。

「この嵐はまったく悪魔のようだな」毛皮の帽子をかぶり、ふかふかした羊毛のマントを肌理《きめ》の粗いほうを表にして着た、案内人とおぼしい老爺《ろうや》に向かって男爵が言った。「ひどく吹くところは避けて、

遠回りだが森の道を行くしかあるまい」

「セッサーノ*の台地越《ご》しにトリエステのほうに吹く頃のボラを身に沁みて味わっていない方には、どんなものか見当もつかないでしょうね」案内人が言った。「こいつが起こると、雪が長い帯みたいになって、地面のすぐ上を掃くように流れるんです。でもそのあと起こることにくらべれば、そんなのは物の数でもありませんや。風が強くなるにつれ、その帯はだんだん上にあがって来ます。それがどんどんひどくなると、雪の他は何も見えなくなります。さほど雪が積もってないときでも、風が雪と砂だらけになって、とても目を開けちゃおれません。失明覚悟で目を開けても何もなりゃしません。なにせ三歩先さえ見えないんですから。頭もぼうっとなりますからマントにしっかり包《くる》まって、地面に身を投げて、雪に埋もれるにまかせるんです。あんまり愉快な方法じゃありませんが、仮に旦那がこの辺をよく知っていて、百歩も歩けば家に帰れるとしても、そうしないと命を落としかねません。なにしろ嵐で気を失いますからね」

「そうか、それならお前にたいそう感謝せずばなるまい」ファーネンベルク男爵はにこやかに言ったが、その声はかろうじて聞きとれた。嵐が信じられぬほどの激しさで、頭上に繁る楢の老樹をぎしぎし鳴らしながら荒れ狂っていたからだ。「一時間ほどの遠回りで、命を落とさずに目的地にまで着ける

グウォグフ　シレジア西部の町。現ポーランド領。
セッサーノ　イタリア中部の地

ようにしてくれたのだからな」

「もちろんですとも、男爵さま」老人は言った。「真夜中になる前に無事にお館に着けましょう、もっとも――」

不意に老爺は話を止め、無意識のように馬の手綱を引き、聞き耳をたてるしぐさをした。

「どうやら」フランツ・フォン・クロンシュタインが言った。「どこかの村の近くまで来たようだな。嵐にまぎれて遠くで犬が吠えるのが聞こえる」

「犬どころじゃありませんや」老人は度を失って馬の歩を速めた。「人里から何マイルも離れたこんな森の山奥に、人が住めるところなぞ、クラッカ城の他にはございません。その城にしても百年以上も荒れたままで、あるいは、神さまがこの世をお作りになってこのかた、誰も住む者はなかったのかもしれません。――ああ、また」老爺はふたたび話を止めて聞き耳をたてた。「やはりあれでございます」

「野良犬にびくついているのか」男爵はそう言い、長く尾をひく皺枯《しわが》れた吠え声に耳を澄ませた。それに応えるような別の吠え声が離れたところから、先のものよりもはっきり響いた。「犬じゃございません」そわそわして老爺は言った。「蘆辺狼《ロールヴォルフ》でございます。悪くすると命を取られます。銃を撃てるようにしておいたほうがよろしいでしょう」

「蘆辺狼。いったい何のことだ」フランツが怪訝《けげん》そうに聞いた。

「この森を出たところに、一マイルほどにわたって湖が広がっていて、水辺に蘆《あし》が生えています。一群れの狼がそこに棲みついて、野鳥とか魚とかをつかまえて餌にしているんです。人見知りをする奴

らで、夏のあいだなら十二歳ほどの子供を見ても逃げちまいます。でも鳥が旅立って湖が凍るころになると、夜分あちこちうろついて人の命を狙います。なかでも恐ろしいのはボラが吹くときで、悪魔に憑《つ》かれたみたいに狂って、人や家畜にいきなり襲いかかるんです。群れをなして襲ってきますから、ここらの山の熊を相手にしても負けやしません。実際に目にした者もおります」

先の咆哮は今は聞き違えようもなくはっきりとしてきて、それどころか二手《ふたて》から聞こえてきた。あわてて男爵とフランツは銃に手を伸ばし、老爺は鞍に縛りつけてあった槍を握り、そしてささやいた。

「輿にぴったりついていましょう。狼どもはすぐ近くにおります」皆は馬の向きを変えて輿を囲み、男爵は落ち着かせるような声で二言三言、女たちに何が起きたのかを知らせた。

「すると絶体絶命ってわけね。風向きが変わったわ」フランツィスカが嬉しそうに言った。

「何て罰当たりなことを」ベルタが不安げに声をかけた。

「ちゃんと殿方たちが護ってくれてるでしょ。わたしたちにはフランツがいるんじゃなかったの」フランツィスカはからかうように言った。

「樹の隙間から何か光ってる。ほら、あそこにも」ベルタが元気づいて言った。「すぐ近くに誰かいるんだわ」

「とんでもございません」老爺があわてて声をかけた。「お嬢さまがた、輿の戸をお閉めなされ。旦那さまがたは撃鉄を起こしてくだされ。そして体を寄せ合いましょう。あそこに光るのは、狼どもの眼玉ですわい」

みっしり繁った藪に目をやると、あちらこちらに光の点が瞬《またた》いている。今が夏なら蛍と思うところ

だが、色は同じ黄緑でも、ふわふわしておらず、必ず二つ対になっている。馬たちは目に見えて落ち着きを失い、狂ったように騒いで手綱を引っぱった。一番静かなのは騾馬たちだった。

「一発撃てば尻尾を巻いて逃げるだろう」フランツはそう言って、光が一番凝《かた》まって、繁みがぎしぎしと音を立てているほうに銃を向けた。

「おやめください、若さま」あわてて老爺が叫び、若者の武器を摑んだ。「かえって大勢おびき寄せてしまいます。きっと衆を恃《たの》んで飛びかかってくるでしょう。いつでも撃てるように構えておいて、老いぼれの雌狼が飛びかかってきたら――先陣を切るのはいつも其奴《そやつ》です――よく狙って頭を吹っ飛ばしてやんなさい。そのときは躊躇《ためら》ってはなりません」

馬たちはこのうえなく慌《あわ》てふためき、とりわけ従者の馬は止《とど》めようもなく暴れ狂った。ついには騾馬までが怯えだしたので、フランツが輿に寄ろうしたちょうどそのとき、屈強な猟犬ほどにも大きな獣が藪から躍り出て、輿の前の騾馬に飛びかかった。

「撃ちなされ、若さま！――狼ですぞ」老爺が大声で叫んだ。

獣はフランツの近くに迫った。反射的に引き金を引くと獣は崩れ落ちた。恐ろしい咆哮があたりの藪に響いた――。

「今です！　ぐずぐずせず進みましょう」老爺が呼びかけた。「力のかぎり突っ走りましょう。五分ほど余裕があります。奴らはひどく腹ぺこだと、手負いの仲間を引き裂いて身を貪《むさぼ》るんです。畜生はそうしたものです。その隙にうまく逃げれば、一時間もせず森の外れまでたどり着けます。クラッカ城の望楼が樹々のあいだに聳《そび》えるのが見えるでしょう――今宵は月が出ていますから――そこに着けば

樹もだいぶまばらになります」

一行はひたすら先を急いだ。馬たちの脚はそれでなくとも恐れのために軽やかだったが、輿がその足を引っぱった。ベルタは怖さで泣きだし、フランツィスカも肝を冷やし、無駄口を叩かなくなった。フランツは二人をなだめようと努めた。そんなこんなで行軍が数分も進んだころ、先の咆哮がまたもや聞こえ、そのままどんどんと近づいてきた。

「また来やがった。さっきよりたくさんになって、苛《いら》立《だ》ってもいるようです」老爺が恐ろしげに言った。

なるほどあたりの繁みには小さな炎がふたたびちらつき、数も先ほどより多いようだ。月が上り吹雪もおさまって森はほのかに明らみ、おかげで楢の繁みの間から獣が何頭となく暗く蠢《うごめ》くのが見えた。それはどんどん近づき、猟犬のように一かたまりになって、ついには一行の進む小径の、二十歩ばかり背後まで迫った。間をおいてその中央から皺枯れた吠え声が聞え、それに応ずるように別の合唱が遠くから響き、やがて一匹一匹の声までが聞き分けられるようになった。

一行は先ほど老爺が口にした荒城《こうじょう》から千歩ばかりのところにいた。月の光で見るかぎりでは城はたいそう立派に見えた。まばらな楡と木苺の藪が繁る丘を見上げると、今でもまずまず保たれている本館の傍らに、かつての壮麗さを偲《しの》ばせる教会の跡があった。城と教会の一部にはまだ屋根が残っている。城門から丘を下る道はふもとで一本の楢の老樹にいたり、そこで皆が今辿《たど》っている小径と交叉していた。

老いた案内人はたいそう気を揉《も》んでいるようだった。

「ただならぬ場合です、旦那さま。狼どもは今にも一斉に襲いかかって来るでしょう。助かる手立てが一つあります。お嬢さま方を馬に乗せて、騾馬は狼どもに屠《ほふ》らせましょう」

「他に手がないならやむをえまい」男爵は答えた。「丘の上に城址《しろあと》がある。あそこに入ろう。門扉を塞《ふさ》いで、馬も中に入れて、朝を待つのだ」

「あの——クラッカ城の中にですかい。世界中の狼が襲ってきてもごめんです」老爺が叫んだ。「昼日中でさえあそこに寄りたがる者はいません。まして夜には——旦那さま、あの城にはたいそう恐ろしい噂がたっております」

「追い剥ぎでもいるのか」フランツがたずねた。

「いえ、怪しいものが出るのです」

「むだ話はそれまでだ」男爵が呼びかけた。「城へ向かえ。事は一刻を争う」

　まさにそのとおり、一行を追う獣どもはあと数歩まで迫っていた。ときおり歩を止めたかと思うと、怒気をはらむ声で吠えたてる。一行が楢の老樹のところまで来て、城址に通じる道に曲がろうとしたそのとき、獲物を逃がしそうなのに気づいたか、獣たちは槍を投げれば刺さるくらいにまでに近寄ってきた。男爵とフランツがすばやく馬の向きを変えて群れに銃口を向けたとき、不意に男が一人、老樹の陰から現われて、二歩で一行と獣らの間に割って入った。誰とも知れぬこの男は、薄闇で見わけられるかぎりでは、背が高く強健そうで、腰に剣を佩《は》き、鍔広《つばひろ》の帽子をかぶっていた。このだしぬけの出現に一行は驚いたが、次に起きたことにはさらに驚かされた。狼は見知らぬ男を認めるとぴたりと追跡をやめ、てんでばらばらに哀れっぽい声をあげた。亡霊めいた男が片手をあげ、合図とも見え

るしぐさをすると、狼たちは――獲物の跡を見失った猟犬が追い立てられるように――森へ舞い戻った。

　驚きのあまり言葉を失った一同に目もくれず、謎の男は城へ通ずる丘道《おかみち》を上り、たちまち門扉の内に消えた。

「主よ、われらのもとにあらせられたまえ」老爺がもごもごと呟《つぶ》やいて十字を切った。

「あの男は誰なんだね」あっけにとられた男爵がそう聞いたのは、男を一分ほども見送って、ふたたび行路を辿りだしてからだった。

　案内人は男爵の言葉がわからないふりをした。大急ぎで走らせたので馬具が乱れたと言って、騾馬のほうに馬を寄せて整備をはじめた。老爺が男爵たちのもとに戻ったのは十五分もたったあとのことだった。

「城のところで出会った男を知っているのかい。僕たちを見事に救ってくれたあの人だよ」フランツが案内人にたずねた。

「あの人を知っているかですって。とんでもありません。見たこともありませんや」カルニオラの老爺はしぶしぶ答えた。

「軍人のようだったな。剣も佩いていたし」フランツは言った。「あの城に住んでいるのかな」

「あそこは百年も前からもぬけの空です」老爺が言った。「中は荒らされています。なにしろあの時分の城主は、このあたりまで伸《の》してきたスラヴォニア*のトルコ人と共謀《つる》んでましたから。いや、つまり」老爺はすぐ言い直した。「共謀んでたって噂なんです。もしかするとチーズをバターで炒めて食べるほ

ど（この地方の慣用句）真っ正直で立派な方だったのかもしれません」

「ところであの城とここいらの森は、今は誰のものなのかい」

「旦那さまにほかなりません」老爺が言った。「一時間も前から、わたしどもは旦那さまのご所領に足を踏み入れております。ほどなく森の外れに出ることでしょう」

「もう狼の声も聞こえないし、姿も見えない」やや長い沈黙のあと、フランツは言った。「遠吠えもやんだ――あの男はどうも不可解だな。猟師だったとしても――」

「ええ、ええ、そうでもありましょう」案内人は口早に言って、不安げにあたりを見回した。「勇ましくて実直で、あわやというとき助けにきてくれたあの男は猟師だったのかもしれません。このあたりには腕のたつ狩人がかなりいます。多くの者が暮らしの方便《たずき》以上のことを心得ています――主は褒むべきかな！」そして大きな溜息をついてから言い添えた。「そこが森の外れです。ほら、お月さまの光がもう、樹のあいだから斜めに射し込んでいるでしょう。すぐに目的地です」

　それは本当だった。一時間もたたぬうちに皆はまずまずの人家が打ちならぶ村落、すなわち男爵の所領の中心地を抜けて、古風な城館の前まで来た。館の窓は明るく灯り、扉門の前で執事や他の従僕が新しい主人を厳《おごそ》かに迎え、祝宴の設《しつら》えをした広間に案内した。

　先ほど述べた事件がふたたび話題にのぼったのは、それから一月《ひとつき》も過ぎたころだった。男爵とフランツは広々とした領地の細かな検分や、男爵がドイツ風であることを望んだ諸々《もろもろ》の施設の整備に忙しく、あらかた城を留守にしていた。フランツィスカは最初のうちは、何もかもが目新しく映る未知の環境に有頂天になっていた。何を見ても故郷のドイツ流とは一味違うロマンティックなものに見えて、

たいそう強く興味を惹かれ、しばしば故郷と比較するのだが、結果はいつもドイツの負けになった。ベルタは多くの場合反対の意見を述べた。そして夢見がちな友の見解をからかって、あなたみたいに珍しいものや変わったものが好きな人は、煙突ではなく窓や玄関から煙の出る家や、煤で黒ずんだ壁や、棲家に劣らず不潔で粗野な癖《くせ》を持つ村人のほうが、ドイツの農民や住み心地のいい小屋よりいいんでしょうねと言った。それでもフランツィスカは意見を曲げなかった。だってドイツは何もかもありきたりで代わり映えがせず、単調で味気なくて、早い話が退屈なんですもの。羊毛のマントを着て粗野で反抗的なカルニオラの人や、フェルトのマントを着るモルラッハの人のほうが、温順《おとな》しくてのっそりしたオーバーエースターライヒの人より十倍も魅力があるわ。あの人たちの晴れ着を見るだけで死ぬほどうんざりするもの――。

　男爵の手で城館の設えが一通り終わると、一同はそれまでより共に過ごす機会が多くなった。フランツは静かながら熱烈な思いを寄せているフランツィスカの世話を、ふたたび何くれとなく焼きだした。ただ報いられることは少なく、滞在が長引きこの地での生活に慣れてくるにつれて、それは前と同じく令嬢の不機嫌の種になった。あちこちへの遠出が試みられたが、そんな娯《たの》しみの手段はほどなく尽きた。なにしろこのだだ広い所領は、そのころは領主が訪れるのさえ稀《まれ》な、まったくの田舎だったから。

　ある日一同は古風な広間に集まって昼食を終え、さて午後はどこに行こうかと相談をしていた。

スラヴォニア　クロアチアの北部地方。

「いい考えがある！」だしぬけにフランツィスカが叫んだ。「どうして誰も思いつかなかったのかわからないけど、この前の夜、不思議な人と狼の一件があったところに、昼間に行ってみるのはどうかしら」

「あの廃墟へ行こうというのか――何という名だったかな」男爵が言った。

「クラツカ城」フランツィスカが力をこめて言った。そして微笑んで言い添えた。「絶対行かなくちゃ。夜はすごく物騒だったけれど、昼間にゆっくり見物したら面白いんじゃないの」

「馬に鞍を置け」男爵が従者の一人に命じた。「それから執事にすぐ来るよう伝えてくれ」待つほどもなく老いた執事が部屋に入ってきた。

「クラツカ城まで馬で行こうと思う」男爵が言った。「ここに来る途中で、あの城の近くで恐ろしいことがあった――」

「ええ。ヤンコの爺さんから聞きました」

「お前はどう思う」男爵がたずねた。

「何とお答えしてよいものやら」執事は頭を振った。「わたくしは二十の若造のころからこの屋敷にお仕えしていますが、今はすっかり老いぼれました。その五十年ほどのあいだ、用事があってあの廃墟の傍まで行ったことは百回ほどもあります。でも一度もクラツカの悪霊と顔をあわせてはおりません」

「今何て言ったの。悪霊って何？」フランツィスカがたずねた。浪曼好き、冒険好きの気性がむくむくと頭をもたげたのだった。

「ええ、ここらの者は妖怪変化とか城の亡霊とか呼んでおります。あの古い瓦礫《がれき》の山にしきりに出る

そうでございます」執事が答えた。「なんでも月の夜にかぎって姿を見せるとか」

「そりゃそうともさ」フランツがにやにやしながら口をはさんだ。「妖怪は太陽が苦手だって言うじゃないか。だから月の光がなければ姿は見えない。あの廃墟を訪れる者が物見高く松明《たいまつ》を手にしているとはかぎらないから」

「しかしながら幽霊を見たと言う者の中には、嘘をつきそうもない者もおります」執事が言った。「猟師や木こりが、道の交叉するところに生えた例の楢の大木のもとで見たと申しております。若さまもご承知のこととは存じますが、あの場所はひどく忌み嫌われております。というのはあの楢の樹は、そこで殺された者を記念して植えられたものでして、その亡霊が今もうろついていると言われておるのです」

「殺されたのはどんな人だったの」ますます好奇心を唆《そそ》られたフランツィスカが聞いた。

「あの古城の最後の住人でございます。昔あの城は一種の巣窟で、そこを根城《ねじろ》に賊がここらを荒らしまわっておりました」老執事は答えた。「噂では人間離れした力を持っておりまして、神をも恐れぬ所業はもとより、トルコの辺境軍とも通じているというので恐れられておりました。とりわけ村の娘たちに目をつけていて、気に入ったものがいると城に攫《さら》い、すると娘の消息はぷっつりと絶えるのです。ついにはこうした非道の所業が目に余るようになって、辺り一帯の男たちが決起して城の周りを取り囲み、男は楢の樹が今あるところで剣の一撃を受けて息絶えたということです」

「なぜ城に火をつけて跡形もなくしなかったのだろう」男爵がいぶかしげにたずねた。

「もとは教会の土地でしたので、はばかられたのでございます。のちにお城はあなた様の曽祖父にあ

たるお方に領有権が移りました。すばらしい地所も込みでございます。――クラツカの騎士は立派な家柄でしたし、一族の方々の口添えもあって、見事な墓碑がお城の傍に建った教会に置かれました。今はそれも崩れかけておりますが」

「何がなんでも行かなくちゃ」フランツィスカが勢いづいて言った。「人目に触れない囚われの美女、城への蜂起、騎士の死、楢の木蔭に夜うろつく亡霊、おまけにこの前わたしたちに起きた出来事。とても温順《おとな》しくはしていられないわ」

「そうね」ベルタも笑って言った。「今日ばかりはあなたの冒険好きがこちらにも伝染《うつ》ったみたい。外はぽかぽかしてお日さまは高く照っているし、春ももう来かけているから、狼だって岸辺の蘆や藪の間でのんびり寝ていることでしょう。わたしも冒険したくてうずうずしてきた」

従者が馬の用意ができたことを告げると、令嬢たちは廃墟の中で起こりそうなことについて笑って冗談を交わしながら、中庭に通ずる狭い石段を急ぎ足で降りていった。この地のことには詳しいと申し出る従者を連れてフランツと男爵もあとを追った。十五分ほどで一行は森のとば口まで来た。

陽がまだかなり高いうちに、樹々の上に高く聳えるクラツカの望楼が見えてきた。森の中ではすべてが穏やかで平和だった。ただ春鳴き鳥が今しも芽吹いた楢や橅《ぶな》の若葉の間を元気に遊び跳ね、喉も裂けよと歌を響かせるばかりだ。

城がだんだんと近づいてきて、一行はとうとう丘のふもとに生えた、執事の言っていた楢の記念樹のところまで来た。見上げると廃墟ながらなお厳《いか》めしい城址《しろあと》が丘の上に君臨している。往時はさぞ威容を誇っていたことだろう。左右二基の円塔《ロンデル》が城の正面を護り、玄関扉の上方にも重々しい塔が聳え

ていたが、中央の塔はそれよりもはるかに高く立派なものだった。銃眼を備えたかなり高い牆壁《しょうへき》は蔦《つた》や木苺《きいちご》の蔓《つる》に覆われ、その根は深く廃墟に食い入り、壁の一部を壊していた。塔の高所にはかなり大きな、若木さえ伸びている七竈《ななかまど》の樹がそよ風に揺れている。

一同は鞍から降り、従者を馬の見張りに残し、城をめざして丘を上りはじめた。今は跡さえろくに残っていない道は雑草の蔓に覆われ、訪れる者も稀《まれ》なことを語っていた。この前見たあの不思議な人は、どうして足も取られずにすいすい丘を登れたのかしら、とベルタはつぶやいた。一行は城の中庭まで来たが、そこはたいそう広々としていた。周りに見える棟々《むねむね》はかなり高くはあったが、屋根がまともなものは少なかった。だがどうやらこの古城にはかなりの人数を泊めるに十分な広さがあったようだ。いつ崩れるかもわからない罅《ひび》割れた壁や傾《かし》いだ梁《はり》に用心しながら、一同は開け放されたあちこちの入口から足を踏み入れた。どこを見ても代わり映えのしない瓦礫ばかりだったが、一つの棟《むね》だけは、いくぶん安全に中を見て回れそうだった。天井がかなり頑丈で、雨風の浸蝕による崩壊から建物を護っていたからだ。とはいえここもさして見るものはなかった。床に煉瓦を敷き詰めた広間の窓の上方や穹窿《きゅうりゅう》の中央に、以前の城主が紋章にした飛鴉《ひあ》が石に刻まれていた。だが装飾やそれに類するもので今に残るのはそれきりだった。家具はどこにも見えなかった。

かつては住居用だった一棟を、あの謎の男のいた跡がどこかにあるはずだと言い張るフランツィスカのたっての願いでかなり長く滞在したあと、やがて皆は隣にある教会の廃墟へ向かった。古いゴシック様式の堅牢な造りは、時間と風雨の影響に城よりもよく耐えていた。柱廊玄関と身廊は一部が瓦礫と塵芥に塗《まみ》れていたものの、内陣はその全体がまだ屋根の下にあり、保存の程度もよかった。正面の

主祭壇も、それに向かい合って教会後方にある一種の二階席《エンポーレ》——どうやら城主一族用の特等席だったらしい——ともども、きわめて良好な状態にあった。身廊からこの二階席に昇る石段は回廊にも通じており、その欄干は石細工であったことが残骸からうかがえた。回廊は同じ高さを保ったまま内陣まで延び、そこにも別の特別席があったのかもしれないが、すでに崩落《ほうらく》し、今はそれを下支《したざさ》えしていた石材が壁から突き出ているばかりだ。以前は神の家を飾ったステンドグラスも、葉形模様の装飾がある石造の窓枠にわずかに破片が残るばかりで、風がひゅうひゅうと自在に通り抜けていた。

しばらく皆はいくつとなくある石碑の銘を読み解くのに熱中した。石碑は教会の壁に、しかもその大部分は内陣に嵌《は》めこまれていた。どれもが歴代の城主のもので、その表面には甲冑姿の、頭上あるいは足元に兜が描かれた男たちや、あらゆる齢の女性や小児の肖像が刻まれていた。石碑の隅には飛鴉や他のさまざまな紋もあった。だが内陣入口のすぐ近くにある石碑だけは他のものとかなり異なっていた。表面に肖像が刻まれておらず、他の石碑では故人を長々と讃えていた銘も、ここではごくあっさりとしていて、クラツカのエツェリンなるものがかくかくの年月日に城を護り騎士にふさわしく死すと記されているばかりだった。

「この石碑の騎士が、亡霊になって廃墟に住んでるのね」フランツィスカが嬉しそうに言った。「他の石みたいに肖像が彫られていなくて残念。どんな感じの人か知りたかったのに」

「向こうに地下納骨堂への入口が開いていて下に降りられる。夕日が中まで射している」内陣に隣接した聖具室から出てきたフランツが言った。

皆は若者のあとに続き、狭い階段を十段ばかり降りて、かなり風通しのよい納骨堂に入った。そこ

には大小さまざまの柩が、ときに重ねられたり触れ合ったりしながら、ずらりと並んで据えられ、中にはすでに壊れているものもあった。ここでも扉の間近の「騎士エツェリヌス・デ・クラッカ」と銘がある、他のものより新しげな柩が目についた。

　腐敗の臭いは少しもしなかったので、皆はしばらく納骨堂にとどまり、階段をふたたび上って教会に戻ったあとも、かつての城主一族を話題にのぼせた。その一族については子供のころ両親がよく話していたのを男爵は不意に思い出した。一同が教会を去ろうとしたときには陽はすでに沈み、満月が上っていた。柱廊玄関に足を踏み入れかけたベルタは、恐怖からか驚きからか、短く叫び声を発した。その目にとまったのは、羽根の垂れる帽子をかぶり、剣を佩き、相当に時代遅れの仕立ての短いマントを肩にかけた男だった。その他の服――チョッキか胴衣《ヴァムス》のようなもの――もこの衣装に似つかわしいものだ。謎の男は一同のことを気にしない様子で、扉のすぐ近くに立つ柱にだらしなく靠《もた》れ、その血の気のない顔を月光が照らしていた。

　一同は謎の男を取り囲んだ。

「わたしの間違いでなければ」男爵が言った。「以前にお目にかかった方ですね」

　男は何とも答えなかった。

「あなたは」フランツィスカが言った。「奇跡に近いやり方で、わたしたちを恐ろしい狼から救ってくださったじゃありませんか。何はともあれそのことに感謝せねばなりません」

「獣らはわたしを忌むのです」今度は男も低くかすれた声で口をきき、窪んだ目を令嬢に据えたが、他の者には注意を払っていないようだった。

「するとあなたは猟師なのですね」フランツが言った。「獣たちの敵というわけでしょう」

「猟師でも獲物でもない人などいるでしょうか。誰にせよ狩るか狩られるかのいずれかで、そして運命はあらゆる者を狩りたてるのです」男はフランツのほうを見もせずに言った。

「この廃墟にお住まいなのですか」躊躇《ためら》いながらも男爵はたずねた。

「ええ。しかしあなたの猟区を荒らしたりはしません。心配は無用です、ファーネンベルク男爵」その口調には嘲《あざけ》りともいえるものがあった。「ご安心ください。あなたのものには指一本触れません」

「父はそんなことは申していません」この男に興味を惹かれたらしいフランツィスカが口をはさんだ。

「きっと何かの不運が、悲しい出来事があなたをこのような淋しい場所に籠らせたのでしょう。何があろうとあなたを追い払うなどいたしませんとも」

「もし父上の言葉の意味がそうであるなら、たいへん有難いことと思います」男は先ほどと同じ口調で答え、その暗い表情は笑みで歪んだように見えた。「わたしのような者は、どのみち追い払うのが厄介なのです」

「こんなところではさぞ不便でしょう」フランツィスカがとまどって言った。自分の親切な言葉には何か別の答えようもあると思ったからだ。

「不便なんてとんでもない。わたしの住処《すみか》は少々手狭ですが、静けさを愛するものにはうってつけの場所です」その返事にひそむ嘲りは隠れようもなくなった。「もっともわたしはあまり静かには暮らしていません。しばしば狭い独居から外に出たくなって、森や河辺、山や谷、耕地や荒れ地をうろつきます。狭い家に戻らねばならない頃おいになると、いつも名残惜しく感じます」

「あなたがときどき外に出られるというのであれば」男爵が言った。「わたしどものところにもお出でください。もしあなたの――」

「わたしの身分が、あなたがたとの交際にふさわしいなら」と謎の男は言葉を継ぎ、男爵を少し驚かせた。言おうとしたことが正確に言い当てられたからだ。――「遺憾ながら」男は冷ややかに続けた。

「その点については今のところは詳しくお話できません。いくつか不都合があるのです――しかしこれだけはうけあいましょう。わたしは騎士階級のもので、少なくともあなたがたと同じくらいには先祖を遠くまで遡《さかのぼ》れます」

「それならあなたは招待を断れはしませんよ」フランツィスカが声をあげた。どうやら意固地で薄気味の悪い男に興味を惹かれたらしい。「何があろうとお出でくださらなくては」

「なにぶんにも如才ない社交家ではありませんので、近ごろはほとんど誰からも招かれません」奇妙な笑みを浮かべて男は答えた。

「おまけに日中はたいてい住処《すみか》に籠もっています。そのときに休息するのです。ご承知いただきたいのですが、わたしは昼を夜に、夜を昼にするのを望む族《うから》の一人で、非凡なもの、異常なものをことさら愛します」

「まあ本当ですの――わたしも同じですわ――それならなおさら来ていただかないと」フランツィスカが声を大きくして言った。そして微笑んで言い添えた。「どうやら今があなたの目覚めの時間ですわね。朝の散歩をなさっていらしたのでしょう。もしお月さまがあなたの太陽なら、月の光のもとでわたしどもの城にお出でくださいませ。お知り合いになれれば嬉しいですわ」

「あなたはそれを望まれるのですか。本当に来いというのですか」男は念を押した。

「もちろんですとも。でないと来ていただけませんから」フランツィスカは挑むように答えた。

「よろしい。それではお邪魔いたしましょう」男は令嬢を見据えて言った。「わたしとの交際が愉快なものにならなくとも、それはあなたがたの撒《ま》いた種です。訪問を請われることはわたしには稀です。しかしいったん訪れたなら、たやすくは追い払えませんよ」

　男はそう言いながら、一同に別れを告げるように微かに手を振り、早足で教会の正面扉から外に出て、廃墟の間に姿を消した。

　ほどなく城の外から従者の声が響いてきた。一同は呼ばれたと思って城門に急いだ。だがその声はいきなり暴れだした馬たちに向けてのものだった。一頭などは手綱を引きちぎっている。従者の言によれば、あの男は急ぎ足で丘を下ってきたが、馬はその姿を見て怯えだし、言うことを聞かなくなり、たいそう苦労して宥《なだ》めたという。あん畜生め、問詰《とっち》めてやる、と思ったときにはもう森の中に消えていたそうだ。――ほどなく一同は馬に乗り家路をめざした――。

　次の日の夕方、一同は城の広間に集まっていた。ベルタはとても幸せそうな顔をしていた。騎士ヴォイスワフがハンガリーから手紙をよこし、トルコ出征が今年になって終わりを告げ、シレジアへの帰還が許されたと知らせてきたからだ。騎士はファーネンベルク男爵が今はカルニオラの所領にいると聞き、とすればベルタも一緒だろうから、こちらに来ることにしたという。また手紙には自慢そうでなくもなく、こう仄《ほの》めかされていた。すなわち、自分は主君の覚えめでたく、新たな特権も得て、勢力の及ぶ範囲もますます広くなった。だが何はともあれ、ベルタを花嫁として連れ帰り、そして二度

と——少なくともトルコのためには——置き去りにはしまいと思っている。トルコから略奪した貴重品と主君から賜《たまわ》った恩顧は、さらに一風変わったものを自分にもたらした。自分は前の戦で右手を失くし、左手で剣を操ろうしてもうまくいかぬので、器用な細工師に鉄の義手を作ってもらっていて、それはどうにか元の腕の代わりにはなったが、いまだに不便なところがあった。だがこのたび主君より賜った黄金の腕は、恐ろしく腕のたつイタリア人の手になる類《たぐい》稀なる品であった。それはまさに奇跡であり、とりわけ槍を投げたり剣を扱うときに、中に仕込まれた機械仕掛で、まともなほうの腕をも凌ぐ、いわば巨人のような力を与えてくれる——。

許婚《いいなずけ》から便りを久しく受け取っていなかったベルタの幸福を、フランツィスカも我がことのように喜んだ。そして騎士の勇敢さと進取の気性を褒めそやし、そのすばらしさを言葉を尽して持ち上げた。それは本心からではあったが、同時にフランツへの当てつけでもあった。顔のひどい刀傷や隻腕《せきわん》さえも美点とされ、しまいには男は美しいより少し不細工なくらいが魅力があるとまで言ってのけた。世間で美男と呼ばれる者はたいてい型にはまっていて、男らしさに欠け、しばしば少し間が抜けていると言うのだ。そして昨夜知り合った人は美男とは呼べないだろうけど、ふつうでない魅力がある、と言い添えた。フランツとベルタは口を揃えて反対した。あの人の陰気さや死人めいた顔色や声音は気味が悪くて尻込みしそうになる、とベルタは言った。フランツは男の言葉にあった突っかかってくるような嘲りを咎《とが》めた。男爵はどちらの肩も持たず、あの男は礼儀知らずで無愛想ともいえようけれど、物腰にはそれなりの出自や身分をうかがわせるものがある、きっといろいろ辛い目にあってきたのだろうから、そのことも斟酌《しんしゃく》してやらねばと言った。

一同がそんなふうに話し合っていると、いきなり扉が開いて、話題になっていた当の人物が入ってきた。

「お許しください、男爵」男は丁重に、だが冷ややかな口調で言った。「招待をいただかなかったわけではないものの、前触れをせずに来てしまいました。案内を請える者が玄関にいなかったもので」

広間の照明のおかげで、男がよく観察できた。年は四十ほどで背が高く、痩せ細った体つきをしている。興味を惹かないでもない容貌には、不敵さと押しの強さがうかがえる。全体の印象に心地よいところはまったくなかった。そこには冷たい嘲笑と愚弄が混じり、耐えがたいほど人を刺す灰色の目の独特な表情がそれをいやが上にも引き立てていた。皮膚は容貌よりもさらに変梃《へんてこ》で、羊皮紙と見紛うばかりに干からびた肌は、骨に直《じか》に張りついているかと思われた。顔色は黄土色とも蒼白ともつかず、むしろ熱病を長く患《わずら》った東洋人に見られる灰色に薄汚れた白だった。のみならず漆黒の八字髭《はちのじひげ》と縮れた頭髪がますます変梃な感じを強めていた。服装は騎士にふさわしいものだったが、年齢と不釣り合いな古色を帯び、手入れもされておらず、革の上衣の下からのぞく薄い胸当てに大きな錆の染みが浮き、短剣や長剣の柄《つか》は上質の金属製で細工も精妙だったが、随所に緑青《ろくしょう》が吹いていた。おりしも一同は晩餐の席につくところだったので、当然ながらこの男も招待された。男はそれには応じたものの、ただ同席するだけで、食べ物は少しも口にしなかった。怪訝《けげん》に感じた男爵が訳《わけ》をたずねた。

「わたしは以前から、はるか以前から、夜分には食事をしない習慣なのです」奇妙な笑みを浮かべて男は言った。「そもそも胃が固形物にあまり慣れておらず、消化が困難なのです。そこでもっぱら液体によって生きています」

「なるほど。それではラインの古ワインのジョッキを一緒に干しましょう」主人が呼びかけた。

「ありがとうございます。しかしワインもいけません。冷えたものは何にせよいけないのです」そう答えた男の口調にはいくぶん嘲弄の気があった。まるで自分の体調を愉快がっているようだった。

「それではヒポクラス（薬味を入れて温めたワインの一種）を用意させましょう。すぐできますわ」フランツィスカは言った。

「ありがとうございます。美しいお嬢さま。しかし今日のところは遠慮しておきましょう」男は答えた。「今おっしゃった飲み物はお断りせざるをえないとしても、ご安心ください。いつか必ずその飲み物を――あるいは別の飲み物を――そのうちに、おそらくはごく近いうちに、わたしが必要とするとき、あなたにお願いすることにいたしましょう」

フランツには、またベルタにも、この謎の男の人柄や、それにもましてその口調が、なんともいえず嫌らしくて反感を起こさせた。絶えず浮かべている皮肉な笑みには前もたじろいだが、いざ会話をはじめてみると、男の眼差《まなざし》がそれ以上に二人を怯えさせた。瘧《おこり》にかかったように輝く眼で刺されると、わずかな時間であっても耐えがたく感じた。だが会話に加わらなければ無作法になると思い、また男を詳しく知ることに興味もあったので、フランツは愛想のいい口調で話しかけた。

「あなたとは一か月ほど前に知り合いましたが、そのときなさってくださったことに、わたしたちは感謝せねばなりません――」

「ところでわたしはまだ名乗っていません。あなたがたもお知りになりたいことでしょう」男はフランツをさえぎってそっけなく言った。「わたしはアッツォといいます。そして――」そこで例の笑みを

浮かべ、「ファーネンベルク男爵の許しを得てクラッカ城に住んでおります。ですから、よろしければ今後はアッツォ・フォン・クラッカと呼んでいただきましょう」

「あんな廃墟に独りでいらして怖かったり淋しかったりしませんの」ベルタが言った。「わたしにわからないのは――」

「あんな場所に何の用があるかでしょう。ああ、それなら、よろこんで教えてさしあげましょう。なにしろあなたとそこの若い方は、有難くもわたしに興味を持ってくださいましたから」この嘲り混じりの返事はフランツとベルタをびくりとさせた。心を読んだかのように考えをぴたりと当てたからだ。

「いいですか、お嬢さん。世の中にはとてつもない変り者がいます。先ほどお話ししたように、わたしは異常なもの、特殊なもの、あなたがたの常識を超えるものを愛します。そもそも何であれ不思議に思うのは誤りです。仔細に見さえすれば、すべては同じであることがわかりますから。生と死さえ例外ではありません。彼岸と此岸の間にも、あなたがたが考えている以上の行き来があります。古い瓦礫の中に梟《ふくろう》や木菟《みみずく》と一緒に棲まうわたしを変だとあなたがたは思っているでしょうが、それならなぜ砂漠や森の隠者を変と思わないのですか。そんな人は敬虔な聖者だとあなたがたは言うかもしれません。もちろんわたしはその類《たぐい》ではありません。聖者が祈禱や詩篇詠唱に見出す慰みを、わたしは狩りに見出します。淡黄色の月光のもとで、疲れ知らずの馬に跨《またが》り、森や林を抜け、山や谷間を巡る楽しみは、あなたがたには想像もできますまい。吼え狂う狼も、あなたがたもご覧になったように、わたしの一声で尻尾を巻いて逃げます。狆《ちん》が貴婦人の鞭を恐れるように」

「それでもあなたのお住まいは淋しすぎはありませんこと」ベルタが言った。

「ええ、おそらく日中は。しかし昼は寝ていますから」騎士はそっけなく答えた。「その分夜には元気になります」

「夜に狩猟とは変わったご趣味ですね」フランツがおずおずと言った。

「ええ。あなたは盗賊のことを考えているのでしょうが、あいにくそういう者とは縁がありません」アッツォは冷たく答えた。

　フランツは驚いてのけぞった。まさに今その考えが頭をよぎったからだ。

「それは失礼しました。なにぶん――」そこで彼は口ごもった。

「わたしのことをどう解していいかわからないから、と言うのでしょう」アッツォがあとを引き取った。「ですから、わたしが申したことをそのまま受け取り、それ以外の無益な考えを捨ててくださればよろしいのです」

「わかりますわ。他の人はどうだか知りませんが、わたしはあなたのその気持ちを尊重したく思います」フランツィスカが熱をこめて言った。「ありきたりの生活や、周囲の人のあくせくした様子がお嫌いなのですね。世間の人が言うところの生の喜びを味わったあげく、それが味気なく虚《むな》しいものと知ったのでしょう。いつも目の前にあるものは何とすぐ退屈になることでしょう。変化こそが人生です。新しいもの、平凡でないもの、見慣れないものの中にこそ精神の花は香るのです。苦痛さえ、もし味気ない日常からの救いになるなら、快楽にもなりえます。わたしは日常が死ぬほど嫌なんですの」

「そうですとも、美しいお嬢さん。まさにそのとおりです。どうかその考えを持ち続けてくださいますように。わたしも同じように考えて、そこからこの上もない報いを得たのです」そのときアッツォ

の瞳は先ほどと同じ輝きを見せた。「あなたのような方と同じ気質と知って、わたしの喜びも一入《ひとしお》です。あなたが男性であったら、気の合った相棒ともなることでしょう。しかしご婦人でも、そのような見解が心に根づいてだんだんと行動にも移ってくるなら、すばらしい体験をすることができましょう」

その言葉にこもる皮肉はあからさまだったので、さすがのフランツィスカもそれに気づいた。そこで真っ赤になって、少し恥ずかしげにこう言った。

「お見受けするところ、あなたも他の殿方と同じですわね。自分らはあらゆる人生の問題に特別な権利を持つと信じていて、女がその千分の一でも要求しようとすると、断乎としてはねつけるのね」

「それはまったくの誤解です」騎士は冷ややかに言った。「掛け値なく申しますが、生とその快楽に関するわたしの見解をあなたに分かち合ってもらえて、一通りでない嬉しさを感じています。その上で、わたしの行為がもたらす楽しみについて、実地に体験した上で判断していただきたいのです。わたしの願いはこれより他にありません」

騎士は冷ややかな礼儀でそう述べると、話を切り上げ、あとは男爵だけを相手に、すこぶる簡潔な言葉で、彼らのこの地に滞在にかかわることだけを話題にしたあげく、晩餐が終わる前に席を立ったのだが、そのときも男爵とフランツィスカには丁重で懇《ねんご》ろな別れを告げたものの、他の二人にはそっけないお辞儀をしたばかりであった。男爵がまたお出でくださいと言い、フランツィスカもより一層の熱心さでそれに唱和すると、彼は必ず、あなたがたの善意が前提とする以上にたびたび伺《うかが》いましょうと答えた。

騎士が去ると、その一風変わった人となりについて、残った者の間でいろいろと意見が交わされた。

風采はお世辞にも見事とはいいがたいが、そこには氏《うじ》と育ちが表れていると男爵は言い、冒険を愛し、人生の享楽に飽きたあげく、あらゆる日常的なものを一途《いちず》に遠ざける場所と生活様式を選ぶまでになったのかもしれないと付け加えた。ベルタはそれに対し、あの人を憐れんでいるのか嫌っているのか自分でもわからない、あの人がいると、常になく不安になってその目をまともに見られない、というのも、自分が何か思ったらすかさずそれを読み取られるような気がするから、と言った。フランツは男への反感をもっともはっきりと口にした。辛辣な口ぶりも、嘲り混じりの笑みも、早く言えばあれもこれもが死ぬほど嫌だ、あいつは胡乱《うろん》な奴で、クラッカの廃墟に潜んでいるのも、きっとそれなりの訳があるに違いない――。そしてフランツィスカは、例によってただ従兄に盾突《たてつ》くためか、あるいは騎士の人となりに本当に感銘したのか、ひたすらアッツォの肩を持ってこう言い募った。数奇な運命の定めであんな淋しいところに引き籠っているに違いない人のことを、それほど悪く言うのは、心無い仕打ちよ。辛辣な口調とあなたは言ったけど、それは長い間にいろいろ人生経験を積んだあげくの洞察であって、それがただちに確固とした言葉で表わされるだけなのだから、不遜なんて言っちゃいけないわ。正直に言うけど、今まであの人ほど強い印象を、しかも一目見ただけでわたしに与えた人はいないの。美しいとは言いかねる風采からわたしがそう判断したことは、きっとあなたには思いがけないことでしょうけど――。それにフランツがいつもより強い言葉で反駁すると、フランツィスカは勢い込んで、なおも熱心にアッツォを語り、おそらくはいっそう辛辣な言葉を従兄に投げつけようとしたところに、召使が部屋に入って来て、奇妙なことを告げた。

　その報告によれば、あの男はここに来るとき乗っていた黒馬を城の厩舎に繋がせたのだが、馬たち

がたいそう騒ぎだし、暴れてあちこちぶつかるので、客人の馬を外に連れ出さざるをえなかったという。あとで調べると、男爵の愛馬が騒動の最中に受けた打撃で肩に脱臼を起こしていた。馬に跨って去りかけた男にそれを告げると、男はにやりと笑い、鞍に狼の毛皮を張ったばかりなので、きっとそれで馬が暴れたのだろう、次からは徒歩で来る、と答えたという。

　翌日フランツィスカはいつもの時間になっても起きてこなかった。何かあったかと心配になったベルタが部屋に入ると、友は血の気が失せた顔でぐったりとしていた。そして夜中にだいぶ魘《うな》されたと嘆いた。さらに言うには、あの男のことでのフランツとの言い争いで気が昂《たかぶ》りすぎて、恐ろしいくらいに疲れて、脈が瘧にかかったように乱れたという。口論でせいで見たに違いない夢にひどく苦しめられたとも言った。ベルタは今度もまたフランツの肩を持った。そしてこう付け加えた。仮にどんなものであろうと、たかが会話にすぎないし、知らない人への意見が分かれるのはあたり前なのだから、そのせいで今のあなたみたいな変な状態になるなんておかしいわ。それはそうとどんな夢を見たの、聞かせてちょうだい。だがフランツィスカはなかなか打ち明けようとせず、それがベルタを驚かせた。

「ねえあなた、たんに夢を見たってだけでしょ。どうしてそんなに話し渋るの。あの痩せて干からびた、骸骨みたいで古ぼけた服を着た人に、あなたは思っている以上に惹かれているみたいだってフランツは言ってたわ。不躾《ぶしつけ》なことを言うようだけれど、わたしもそれは間違いではないと思う」

「フランツったらそんなことを」フランツィスカは気色《けしき》ばんだ。「そんならそのとおりだって言ってやって。あの骸骨みたいに痩せて干からびて偏屈な人は、薔薇色の頬をしてお粧《めか》しして忠実な僕《しもべ》だけど退屈な従兄殿よりずっと魅力があるって」

「何を言うの」ベルタはあっけにとられた。「いったいどんな魔法をかけられたの。あんな嫌らしそうな男に惹きつけられるなんて」

「どうしてわたしがあの人の肩を持つかっていうと、それはたぶん、あなたたちが揃いも揃って意味もなくあの人を嫌うからよ」フランツィスカが不貞腐《ふてくさ》れて言った。「わたしがあの人の風采が気に入ったなんて、まともな人なら絶対誰も信じないでしょうよ——でも」ここでいきなり笑いだし、ベルタに手を伸ばして、「あの人のことであなたと——フランツとならともかく——喧嘩するなんて、悲しいことよね。あの人のことで朝の気分をだいなしにしようなんて。だって昨日の夜中も同じようにだいなしになったんだから」

「もしかして夢のこと？」たちまち機嫌を直したベルタは、寝台に腰を下しながら、友の頬にキスをした。「聞かせて、どんな夢だったか。どれほどわたしが夢の話に目がないか、あなたも知ってるでしょ」

「そうねえ、まあいいわ。さっきちょっと意地悪したから、そのお詫《わ》びに」フランツィスカは友の手を握った。「じゃ聞いてちょうだい。前の晩はあのあとしばらく部屋をあちこち歩き回ってたの。気が昂ったのか、腹立たしかったのか、自分でもわからないけど。そのうち真夜中が近くなって、横になったんだけど、眠れなくてもぞもぞしているうちに、疲れがきてとうとう寝てしまったの。でもその眠りときたら！　絶えず胸騒ぎがして、いろんなことがぱっぱっと頭に浮かぶことといったら、ちょうど子供のころ病に臥《ふ》せってたときみたいだった。眠れたのか半分起きてたのか、いまだによくわからないくらい。そして夢を見たんだけど、それがまた、ぱっちり目を覚ましてたみたいに生き生きとし

てるの――。いきなり部屋が霧に覆われて、その霧からアッツォさんが出てきて、しげしげこっちを眺めていると思ったら、ゆっくり膝をついて、首にキスしてくるの。唇がしばらくそのままとどまって、はじめは僅《わず》かだった痛みがだんだん強《きつ》くなって、我慢できないくらいになった。この化物を力づくで押しのけようとして、かなり時間がかかったけれど、ついにはなんとかなったの。たぶん眠りながら悲鳴をあげたんでしょうね。それで目が覚めた気がしたから。頭がはっきりしてくると、言いようもなく怖くなって気が昂って、それがどんなにひどかったかは、こう言ったらわかってもらえるかもしれない。つまり、もう目は開いていて、意識も戻ってきたというのに、アッツォさんがまだ寝床の傍にいるのを見たような気がした。やがてその姿が霧に溶け込んで、扉のほうに漂っていったの」

「可哀そうに。とんでもない夢を見たのね」ベルタはそう言いかけたが、いきなり口ごもった。驚いたことにフランツィスカの首筋に――「これは何なの?」いきなりベルタは叫んだ。「見てごらんなさいな。あなたの首に赤い筋が」

　フランツィスカは起きあがり、窓辺に掛けてある小さな金属枠付きの鏡に歩み寄った。友の言うとおり、長さ一ツォル*で幅一リーニエ*ほどの筋が首にあった。指で触ると痛みだした。

「きっと眠っているあいだに、何かのはずみで傷がついたのね」令嬢は少し考えてから言った。「それにしても変ね。どうやってできたのかしら。でもこれで、あんな夢を見たわけが、少しは説明がつくわね」

　二人はしばらくの間この不思議な偶然や、昨日の男や、夢のことを話した。しまいには夢のことはベルタの冗談とからかいの種になった――。

何週間かが過ぎた。領地が思ったより管理が行き届いておらず荒れ放題なのを知った男爵は、当初四週間を見込んでいた滞在を延ばし、帰る日は成り行きにまかせることにした。そこにはフランツィスカの調子がずっと思わしくないという理由もあった。ひところは若さと美しさで薔薇のように咲き華やいでいた令嬢は、日を追うにつれ病み衰えて痩せ細り、血の気も失せて、一月《ひとつき》もたつと、前はつややかに輝いていた頬に一滴の血も通わぬかのようになった。男爵の心配は一通りではなく、あれこれ手立てを――多くはいかさま師の行う療法で、文明から隔《へだ》たった僻地でのみ許されたものであったが――試みてみたものの、効を奏したものは絶えてなかった。始終寝たきりではなかったにせよ、一日のおおよそは寝床で過ごし、かつては毎日でも行くくらいに好んでいた散歩や遠出はもはや論外であった。もの静かで青ざめ力なくふらつく今の姿に、かつての生意気で薔薇色の頬をして疲れ知らずに近辺に足を運ぶ令嬢の影はすっかり失せていた。以前の魅力をうかがわせるものは美しい双眼だけだったが、その眼にしても、熱病で消耗した人にときおり見られるようにぎらぎらと輝いていた。

　男爵もたいそう憂慮はしていたものの、なすべき仕事が山をなしていて、娘には一日のわずかな時間しか割けなかった。それだけにベルタとフランツは甲斐甲斐《かいがい》しく傍についていた。一時的にであれ令嬢に気晴らしをさせようとあらゆる手を尽すフランツの弛《たゆ》まぬ努力、令嬢の願いに気を配るその入

ツォル　長さの単位。一ツォル（Zoll）は十二分の一フィート、約二・五センチメートル。

リーニエ　長さの単位。一リーニエ（Linie）は十二分の一インチ、約二ミリメートル。

念さ、健康状態への手がかりを知ろうと病人のあらゆる表情をうかがうときの不安げな様子、心配の種が増えたと思ったときの傍《はた》からもありありとわかる内心の苦しみ、あるいは希望の光が見えたと思ったときの喜び、すべてがあまりに明白に、ごく自然に現われるので、フランツィスカも深く心を動かさずにはおれなかった。だが友にはこの気持ちをなかなか打ち明けようとはせず、こう言ってのけた。あの人はやたらにやきもきしてるけど、それは深い気持ちからでも熱烈な愛からでもなく、もともとの性格が軟弱だからなの——。しかしフランツがいかに自分の病状に心を痛めているかを繰り返し目にし、また一度などは話ついでに漏らしたささやかな望みをかなえるために、恐ろしい嵐の中を何マイルも馬を走らせたのを知った友から、どうして意地ばかり張って、あの人の愛情を認めてあげないのと詰《なじ》られると、さすがのフランツィスカも我を折って、感極《かんきわ》まったような声で言った。

「あなたの言うとおりよ。いったん人に正しくない態度をとると、どんどんそれがひどくなって、自分自身を胡麻化《ごまか》して、これにはちゃんとした理由があるのよと自分を納得させようとするものなの。——今さら恥ずかしい思いをして、わたしが悪うございましたって頭を下げるのは真平《まっぴら》だけど、もしわたしが死んだら、ねえベルタ、もしわたしが死んだら、わたしがそう言ってたってあの人に教えてあげてもいいわ。わたしはあの人の愛情に値《あたい》しない女だとも言ってたって」

　そう言うとフランツィスカはわっと泣き伏した。そして何があってもこのことはフランツには言っちゃだめよとベルタに固く口止めをした。

　友のこの心変わりは、別な折であったらベルタを大いに喜ばせたであろうが、今はかえって大きな不安の種となった。友の性格にも似合わないこの気の弱りは、生命力の衰えと弱まりの明らかな徴《しるし》に

思えたからだ。さらに別の出来事が重なって、ベルタはますますそう感じるようになった。というのも友の奇妙な妄想が、錯乱とまでは言えないまでも、ときおり度を越しているように感じられてきたからだ。フランツィスカがしばしば嘆くには、この前話した夢をその後も何べんも見て、その翌日には何とも言いようがなく気怠《けだる》い感じがするという。最初ベルタはそれを熱に魘されたためと考えた。しかし健康なときでさえ奔放だった友の空想力に、熱病がそれほど影響を及ぼしているのを知って、ますますベルタは心配になった——。

　アッツォはときおり訪ねてきた。来るのはきまって日が沈んで月が天にかかったころだ。態度は前と変わらない。受け答えは短く、男爵には冷ややかな礼儀で、フランツとベルタ、とりわけフランツには嘲笑と反感を見せ、フランツィスカにはきわめて愛想よくふるまった。短い滞在のあと騎士が辞去すると、その変人ぶりがよく話の種になった。フランツィスカ一人を除いた全員への深い敵意と冷たい憤怒があの人の話しぶりにはあるとベルタは言ったが、その外にも二つばかり、皆の注意をひいたところがあった。その一つは、しばしば晩餐の時間を狙ったように来るくせに、どんなに勧められても料理の一口も、飲み物の一滴も口にしようとせず、その節制の理由も明らかにしないこと。そして二つ目は外見の明らかな変化だった。からからに萎《しな》びて羊皮紙のようだった土気色の肌が、今は生気を見せてしなやかになり、微かな赤味さえさした頬は丸く膨らみかけている。アッツォへの嫌悪を隠せなかったベルタもこう言うようになった。死人めいていた顔もずっと生きた人間に似てきたので、前ほど嫌ではなくなったけど、貫くような視線を向けられるとやはり身が震えるの——。それは騎士へ反感のせいかもしれないし、フランツに話すときの見下す態度と嘲りの口調のせいもあったかもし

れない。アッツォはフランツの返事が聞えないふりをしたり、そうでなくとも何かと軽蔑を露わにしたので、本来は穏やかで慎ましい人間だったフランツもだんだんと騎士への反感を募らせた。アッツォの前でフランツィスカに話しかけると、騎士は嘲りや悪意のこもる言葉を投げ、言うことを曲解したり、意味を反対にとったりする。フランツはそう零《こぼ》した。日を追うごとにそれがひどくなるので、とうとう彼はベルタに向けてきっぱりと言った。あの騎士の態度にはもう我慢ならない、これまで問い詰める機会があってもそうしなかったのは、ひとえにフランツィスカを慮《おもんぱか》ってのことだ――。

　そうこうするうち城の住人が一人増えることになった。ベルタが待ち侘《わ》びていた客が不意に姿を現わしたためだ。一同が晩餐の席についたちょうどそのとき、ベルタの許婚《いいなずけ》、騎士ヴォイスワフがつかつかと広間に入ってきた。皆は席を立ち、旧知の騎士を懇《ねんご》ろに迎えた。この男は、人と自然とに揉まれ、戦《いくさ》で鋼さながらに鍛えられた軍人の鑑《かがみ》ともいうべき者であった。アジアの陽に灼《や》かれた顔に偃月刀《シャムシール》が血色《ちいろ》の瘢痕《はんこん》を右目から左頬にかけて残しさえしなければ、美男とも称せただろう。このグウォグフの城代の体は巨人さながらでもあった。これほど重い甲冑を身に着けられる者は多くはいまいし、それを着たままでこれほど身軽に動けるものはさらに少なかろう。この武具は軍を退くときにハンガリーの副王《パラティヌス》から賜ったもので、戦に臨むには最上の身拵《みごしら》えであると、騎士は少なからず自慢していた。その焼入れされた鋼の随所には金で装飾が施されていたが、あたうかぎり立派な姿で婚約者の前に立とうと、今日はその甲冑ばかりか、主君から贈られた黄金の義手と、そしてそれに釣り合うようにと別の腕にも金箔張りの籠手をはめていた。

　ヴォイスワフは男爵やフランツから出征について質問攻めにあい、シレジアの援軍が参加したあら

ゆる戦いについて語るよう請われた。騎士は、とりわけ戦利品については今年の出征はきわめて運がついていたと語った。これで主君との絆は友愛のみとなり、俸給はもう当てにせずともよく、戦利品で己《おのれ》の地所を購《あがな》える。このことを騎士は一同にそれとなく、だがはっきりと理解させた。そしてこれで宿願が果たせたと言った。傭兵であるかぎり身分は安定せず、何時《いつ》なんどき主君の不興を蒙《こうむ》るかもわからないが、妻のベルタの将来をそんなものに委ねるつもりはないとも言い添えた。ヴォイスワフはまた白兵戦におけるトルコ人の胆力と剛腕を讃え、主君から賜った義手に一方ならず感謝しているとも語った。騎士の腕力はヘラクレスめいた体軀にふさわしいものであったが、失われた片手をニュルンベルクの細工師が作った鉄腕で補おうとしても、やはりどこかぎごちなかった。しかし主君が大金を積んでイタリアの名匠に作らせた黄金の腕の機械仕掛は予想をはるかに上回るものであった。物を摑み握る力は弾機《ばね》と発条《ぜんまい》のおかげで生身の腕の幾層倍も強まり、そこにトルコ人どもは人知を超えた魔力を感じたらしい——。

　病んだフランツィスカの顔の青白さ、その衰弱ぶりは、生を謳歌していたころの快活で物怖じのなかった令嬢を知っているだけに、一目見たときから不審に感じられて、騎士は事情を詳しく教えてくれとせがんだ。ベルタは今まで起こったことを洗いざらい話し、騎士はそれに一通りでない興味を惹かれたようだった。繰り返し訪れる夢のくだりでそれはいよいよ強まり、フランツィスカにごく細かいところまで話させた。その根掘り葉掘りたずねる様子を見るに、どうやら騎士自身も似たことを体験したか、あるいはそれについて聞いたことがあるらしい。さらにフランツィスカが語を継いで、ベルタも覚えているでしょうけれど、忌まわしい夢に最初におびやかされた翌朝にまず首筋の痕に気づ

き、その後も痛みが絶えないと話すにおよび、騎士は婚約者に一種独特の眼くばせをした。フランツィスカの病気の原因について、だんだん思い当たってきた疑いが、今の話でいっそう強まったと、婚約者に知らせるような眼くばせだった。

　そのあと自然に話題は騎士アッツォに移っていった。居合わせた誰もがこの騎士について盛んに意見を述べはじめた。

　フランツィスカの病状にまつわる状況についてと同じく、その騎士についても、初めて面識を得たときから昨日の晩のことまで、できるだけ詳しく話してくれるようにヴォイスワフは頼んだ。そして自分の意見は何事であれ言うのを控えたいと言った。そうして一同が賑やかに話し合っている最中に、扉が開いて当のアッツォが入ってきた。ヴォイスワフの眼はじっと彼を見据えていたが、アッツォは特に注意を払おうともせず腰を下すと、主に男爵とフランツィスカだけを相手に話をし、フランツが意見を言うと嘲りで応じた。ヴォイスワフとは無作法にならぬ程度にあたりさわりのない言葉を交わし、また話題がふたたびトルコ出征に及ぶと、ときたま口をはさむのだった。そのうち夜も更けてきたので、一同は席を立ち、フランツは微笑みながらヴォイスワフに言った。あなたの話を聞いているうちにいつのまにか夜が明けていたとしても不思議ではありませんね。なにしろあなたの話は興味が尽きないですから——。

「この若い方の言うとおりです」アッツォが嘲り気味に微笑んで言った。「嵐や遭難の話は安全な陸地で聞くにかぎりますし、戦争や死の話は食卓や炉端で聞くのが一番です。食卓や炉端では肌に傷一つつかず、心地いい気分でいられて、風邪をひく恐れさえもありませんからね」

そこで言葉を切ると皺枯《しわが》れた笑い声をあげ、フランツに背を向けて一同にお辞儀をし、扉のほうに向かった。

男爵はいつもどおり扉口までアッツォを見送り、それから疲れたとつぶやいて部屋を出ていった。

「ずうずうしいにもほどがある」男爵がいなくなるとベルタが言った。「あの風来坊ったら、日ごとに厚かましくて下品で無作法になるじゃない。あんなのがフランツィスカの夢に出てくるってだけで、あの人のせいってわけでもないのに、震えが来そう。さっきだって、フランツィスカ以外には、伯父さんにおざなりな言葉を少しかけただけで、わたしたちには何一つ言わなかったじゃない」

「あなたの言うことももっともね」フランツィスカが言った。「不幸な目に逢って人嫌いになったのかもしれないから、大目に見てあげなきゃとも思うけれど、礼儀作法には気をつけてもらわないと——それはそうとフランツはどうしたのかしら」フランツィスカは不意にあたりを見回して、心配げに言い添えた。

どうやら青年はベルタが話しているあいだに、こっそり部屋を出ていったらしい。

「まさかアッツォを追いかけて、事を構えるつもりじゃないでしょうね」恐れるようにベルタが言った。

「獅子の檻に入って鬣《たてがみ》を毟《むし》るほうがまだましだ」ヴォイスワフが声をあげた。そして「追いかけなくては」と言い残してあわてて出ていった。

騎士は部屋の外の廊下を急ぎ足で駆け、城館を出て中庭を横切った。城を囲む外濠《そとぼり》には、低い欄干のついた小橋が掛かっている。どうやらすでにフランツは、激しい口調でアッツォに詰め寄ったよう

だ。姿を見られないようヴォイスワフが塀の陰に走り寄ったそのとき、アッツォの低い声が聞えた。

「放せ、薄のろ小僧、あの太陽にかけて」と塔の真上にある満月を指して、「俺の行く手を一瞬でもさえぎるなら、あれが欠けるのを二度と見られないようにしてやる」

「それならば無礼の釈明をしてもらおう、さもなくばお前の命はない」そう言い放ちフランツは剣を抜いた。

アッツォはいきなり白刃《しらは》の中央を握り――萎《しお》れた蘆か何かのように真二つに折った。

「いいか、これが最後だ」アッツォは剣の破片を濠に投げ捨てて凄んだ。「そこを退《ど》け――さもないと、地下のものにかけてお前の命はない」

「お前か僕の命かだ」フランツは半狂乱で叫び、相手の剣を奪おうと詰め寄った。

アッツォは何とも答えず耳障りな笑い声をたてた。そしてフランツの胸倉を摑むと、無力な子供か何かのように高々と掲げ、欄干越しに濠に投げ込もうとした。ヴォイスワフは二人に迫った。弾機《ばね》と発条《ぜんまい》のおかげで人力の十倍になった義手でアッツォの腕を摑み、無理やり下に降ろし、犠牲者を解放した。アッツォは肝をつぶしたようだ。フランツを気にも留めず、驚きの眼《まなこ》でヴォイスワフを見やった。

「貴様は何者だ。この俺が獲物を奪われるとは」その声には躊躇《ためら》いが見られた。「何てこった。もしや貴様は――」

「黙れ、血に餓《かつ》えた者よ。とっとと獲物を探しにいけ。もう時間がないぞ」ヴォイスワフは落ち着いた静かな声で言った。

「ははあ、なるほど」間髪を入れずアッツォが叫んだ。「ようこそ血の兄弟。この蛆虫はくれてやる。踏み潰すのは貴様のために止めておこう——達者でな。また逢う折もあろうよ」

「お前も達者で——すぐまた逢うだろう」ヴォイスワフは叫び返し、フランツを手元に引き寄せた。

アッツォはたちまち夜の闇に消えた——。

フランツは少しのあいだ呆然としていたが、夢から覚めたようにいきなり飛び起きた。そして「僕は名誉を失った。永久に失った」と叫ぶと、拳を丸めて額に押しつけた。

「落ち着いてください。あなたが敵《かな》う相手ではありません」騎士が言った。

「でもやっつけてやる。さもなくば死んでやる」フランツが譫言《うわごと》のように口走った。「あの化物の巣窟に踏み込んでやる。奴が僕の手で死ぬか、それとも僕が奴の手で死ぬか、二つに一つだ」

「第一の場合はありえません」ヴォイスワフが真面目な口調で言った。「どのみちあなたは餌食《えじき》になります」

「それなら、どうすれば奴と対決できるのか教えてもらえませんか」フランツが叫び、騎士の諸手《もろて》を取った。眼からは怒りの涙が溢れた。「あれほどの侮辱を受けては、もう生きていけません」

「目にものを見せてやりましょう。それもおそらく、わたしが思うには二十四時間以内に。しかし条件が二つあります」

「よろしいですとも。何であれ——」熱意をこめて若者は言いかけた。

「まずあなたは何もせず、すべてをわたしに任せてください」若者をさえぎって騎士が言った。「それから、フランツィスカを説き伏せて、あることを何がなんでもやってもらわねばならないのです。そ

れに加勢してください。フランツィスカの命はアッツォのおかげで、あなた以上に危うくなっています」

「何ですって」驚いてフランツが叫んだ。「フランツィスカの命が危いですって、それも彼奴《あいつ》のせいで——教えてください、あの気味悪い男は何者なのでしょう」

「今は何も言えません——あなたにも令嬢にも。危険が去るまでは」騎士は激しい口調で言った。「軽はずみなことをすれば何もかもだいなしになります。フランツィスカ自身が動かねばなりません。さもなくば命は助からないのです」

「教えてください。教えてさえくれれば手伝いましょう。あなたが望むことは、何であれやりましょう。しかしそれには——」

「だめです。絶対にだめです」騎士が言った。「あなたにも、そしてフランツィスカにも、無条件で従ってもらわねば——。それでは行きましょう、令嬢のところに。今起きたことは一言も口にせずに、わたしが言い出すことに令嬢が同意するよう勧めてください」

有無を言わせぬヴォイスワフの口調に気圧《けお》されて、フランツは逆らうのをやめた。なおいろいろ問うても答えてもらえないまま広間に戻ると、女たちが心配顔で二人の帰りを待っていた。

「とてつもなく怖かったわ」いつもよりさらに青ざめたフランツィスカがフランツに手を差し出した。「何事もなく済んだのならいいんだけど」

「何の問題もありません。二言三言話を交わすだけですべてうまく収まりました」ヴォイスワフが軽い調子で言った。「そもそもフランツさんより、お嬢さん、あなたのほうが心配なのです」

「わたしですって？　どういうこと？」不思議そうな顔でフランツィスカが聞いた。

「あなたの病のことです」

「アッツォとその話をしたの？　何かいい療法でも知ってた？　わたしには教えてくれなかったのに」

フランツィスカが苦しげに笑った。

「もちろんあの騎士はあなたの回復に寄与するでしょう。でも騎士からは話せないのです。話しても効き目がなくなるわけではありませんが」ヴォイスワフは静かに言った。

「名医《せんせい》の言う秘法《アルカヌム》ね。ずっと前にやってもらったことがあるけど、かえってひどくなっちゃった」うんざりした顔でフランツィスカが言った。

「もちろん秘法ですが必ず効きます」ヴォイスワフがうけあった。

「みんなそう言うけど効いたためしはないの」令嬢は傍目《はため》にもわかるほど不機嫌になった。

「でも試すだけは試してみたら――」ベルタが口をはさんだ。

「あなたの愛しい人が言ってるから？」フランツィスカが笑みを浮かべた。「あなたなら一も二もなく、ヴォイスワフさんを喜ばせようと飲み薬でも舐め薬でも、何であろうと試すでしょうよ。でもあたしにはそんな理由はないし、だから信じられもしない」

「薬ではありません――」ヴォイスワフが言った。

「じゃ魔法の類《たぐい》ね。この前来たあの藪医者が言ったみたいに、共感療法*によって――たしかそう言ってたけど、それで治るっていうんでしょ」

「あなたがそう呼びたいのならご自由に」騎士が微笑んだ。「しかしお嬢さん、よくわかっていただき

たいのですが、そうした療法は、時宜を違えず、処方に厳密にのっとって行わねばなりません」

「わたしには無理だって思ってるの？」令嬢がさえぎった。

「おそらく――」騎士は言いよどんだ。「しかし――」

「何が足りないって言うの。勇気が欠けているって言いたいのかしら」令嬢が問いただした。

「もちろん勇気も必要です」騎士が顔を引き締めて言った。「あなたに勇気があると思えばこそ、この療法をお勧めしているのです。危険のないこと、効き目が確かなことはわたしの命をかけて誓えます。わたしの指示に厳密に従ってさえいただければ」

「いいわ、じゃその療法の名を教えて。それから決めるわ」令嬢が言った。

「まずはじめましょう。その後でなら名指しもできます」ヴォイスワフが答えた。

「まるで子供扱いね。何をするかも知らせないで、勝手放題にお使いに行かせようっていうんだから」フランツィスカはいつもの短気ぶりを発揮した。

「どうしても必要なことと以外は無理にやっていただきはしません。もしわたしがそうするつもりだとお考えになっているなら、とんでもない誤解です」騎士が言った。「わたしとしては先ほどの言葉を繰り返すしかありません」

「それならやめとくわ」令嬢が声をあげた。「ただでさえ、いろいろ試しても全然効き目がなかったんだから」

「あなたを救うことに、わたしは騎士としての名誉をかけましょう。しかしそれには――無条件に、わたしがお勧めすることを行うと約束していただかなくてはなりません」ヴォイスワフは強く言った。

「やってちょうだい。この人が無駄なことを勧めるはずがないわ」ベルタがフランツィスカの両手を握りしめた。

「ベルタの願いは僕の願いでもある」フランツも言った。

「揃いも揃って変な人たちねえ」フランツィスカは頭を振った。「あなたがたが内緒にしているそのことは、わたしがやりさえすれば、何だかわかるっていうのね。そしてわたしがとっくに諦《あきら》めてる効果がきっと現われるっていうのね」

「何度でも言いましょう。必ずうまくいきますとも」騎士が言った。「ただしお願いがあります。あなたが無条件に同意してくださること。そして――これから言うことをやりとげる勇気を持つことです」

「ははあ、わかったわ。その最後のものをあなたは疑ってるのね。それなら、わたしたち女が、行動の力にも意志の力にも欠けてないって証立《あかしだ》ててあげましょう」そう言って令嬢は騎士に手を差し出した。そして言い添えた。

「これで協定締結ってわけ。だから騎士ヴォイスワフ、何をしたらいいのか教えて。その謎の治療のために」

「すでにはじまっています、あなたが合意してくださったときから」騎士は真剣な面持ちになった。

「第一のお願いは、とりあえずは何も質問をしないでください。ただ明日の日没の一時間前、わたしと

共感療法　パラケルススの医学書に記された療法。たとえば薬を傷にではなく、傷の元になった刀や銃に塗る。

一緒に遠乗りに出かける支度をしてください。ただし誰も連れてきてはいけません。もう一つお願いしたいのですが、このことはあなたのお父君には一言も言わないでください」

「何なのそれ」フランツィスカには訳がわからなかった。

「あなたは自分に勇気があるとおっしゃってくださった。責任は全部わたしが持ちます」騎士は語気を強めて言った。

「ええ、勇気ならもちろん。それじゃあなたの言うとおりにしましょう」そうは言ったものの、令嬢はまだ合点のいかぬ顔で騎士を見つめていた。

「遠出から戻ったあとで全部話してあげましょう。それより前には無理なのです。今夜はゆっくりお休みなさい。明日に備えて力を蓄えておかなくては」

　翌日の朝、陽はすでに一時間前に昇り、露が真珠のヴェールのように草むらを包み、朝の風に微かに揺れる葉先に滴るころ、騎士ヴォイスワフは野原を越えて森に急ぎ、暗い小径《こみち》に分け入った。行く手にクラツカの望楼が、節くれだつ楢の樹々の上に聳えるのが見えた。例の楢の記念樹のところまで来ると、騎士は鳩の糞で汚れた丘の坂道を入念に眺めた。どうやら人の足跡を探しているらしい。だがそこにあるのは鹿が道を横切って藪に入った跡と、草露と、いたるところに絡まる木苺の蔓があるばかりだ。騎士は見たものに納得したらしく、腰から下がる重々しい短剣を鞘《さや》から抜き、またもとに戻した。やがてそれが必要になろうことを見越しているようだった。

　ゆっくりした足どりで騎士は廃墟への道を上っていった。マントの下には小さな包みを下げている。中庭に着くと、廃墟を左手に見て教会へ向かった。中に入って内陣まで来ると、何かを探すように四

方を見回した。うららかな春の朝、開いた窓から陽光が注ぎ、石造りの葉形飾りは幾重にも重なりあった影を、床に敷かれた大きな石畳に投げている。見捨てられた聖域を領する静けさをたまに破るものは、中庭の塀沿いに植わった楓《かえで》の葉が朝風に揺れるざわめきばかりだ。長らく騎士はあちらこちらを見回していたが、やがて片方《かたえ》の扉と地下納骨堂に下る階段に目をとめた。急ぎ足でそこまで行き、階段を降りていった。太陽がまださほど上っていないため、通風用の小さな窓を通して光が射し込み、柩の頭や足のほうに貼られた錫《すず》や銅の碑板の銘を楽に読める程度に地下室を明るくしていた。

　騎士はそれまでマントの下に隠していた包みを床に置き、納骨堂を柩から柩へと見回り、やがて最も古い柩の前に立った。注意深く碑銘を読み、ゆっくりと短剣を抜くと、それを使って蓋の螺子釘《ねじくぎ》を外しだした。木材が朽ちて釘がぐらついていたため手間はかからなかった。騎士はそろそろと蓋を持ち上げた。中にあるのは灰の小さな堆積と、屍衣の切れ端と、それから頭蓋骨ばかりだった。すぐさま蓋を閉めて、その次の、碑銘から婦人のものとわかる柩と二体の子供用の柩に移った。ここでも結果はほぼ同じだったが、屍《しかばね》は、蓋を開けたときはまだ元の姿を保っていたのに、すぐにぐずぐずと崩れ、残るのは屍衣と骨格ばかりになった。その次と、それに続く半ダースほどの柩の中では屍はこれよりましだった。からからに乾いて黄褐色の木乃伊《みいら》になったものもあれば、天鵞絨《びろうど》や絹や朽ちた刺繍細工の掛布から黴《かび》の一面に生えた頭蓋骨が薄笑いをしているものもあった。どれもこれも身の毛のよだつ腐敗の跡をはっきりと表わしていた。

　とうとう開けていない柩は一つだけになった。ヴォイスワフはそれに近寄って碑銘を読んだ。それは男爵が前に目にとめたのと同じもの、すなわち最後の城主エツェリン・フォン・クラツカの眠る柩

であった。柩はこれまでのものより頑丈で、ひどく錆びついた螺子釘を外すのは一苦労だった。ようやくそれが済むと、騎士はそっと、眠る人を起こすのを恐れるように蓋を外し、中の屍に目をやった。そのとき我知らず「ほう」と声が出て、二歩ばかり後退《あとずさ》った。もし予期していなかったなら、衝撃はもっと激しい、肝をつぶすようなものだっただろう。柩の中には――アッツォその人が、昨夜男爵の食卓で見た姿そのままに横たわっていた。外見も服装も何もかもそのままだった。しかもその様子は死んでいるというより眠っているようで、腐敗の徴《しるし》は毛ほどもない。頬には赤味さえさしている。常人の眠りと異なるのは、胸が呼吸で動いていないことだけだ。騎士の凝視は一瞬で終わった。首を掠める偃月刀の閃きにも、トルコ人どものアラーの絶叫にも平然としていた武士《もののふ》も、今はひどく動揺しているかに見えた。強いて見たために濃い眉は顰《ひそ》められ、褐色の頬は色ざめ、血色《ちいろ》の瘢痕も常になく鮮やかになった。手から落ちて床に転がった蓋を騎士にも似合わぬ焦《あせ》りぶりで拾い上げると、急いで柩にかぶせ、螺子釘を穴に差し込み、短剣で元どおりに締めたが、短剣が大きすぎて手のひらの膨らみをしたたか傷つけた。作業が終わると前に床に置いた包みを拾い上げ、今度は柩の上に載せると、せかせかと階段を上り、長居は無用とばかりに教会を出て廃墟をあとにした――。

　同じ日の夕方、日の暮れる前に、フランツィスカは父親に、このあたりを騎士に案内したいと申し出て、二人で騎馬の散策をすることを許してもらった。騎士と令嬢は馬に跨り、従者を一人だけ連れて出発し、男爵はこれが娘の健康が回復した証《あかし》ならいいがと思いながら、表門まで出てそれを見送った。城の外に出ると二人は森の方角をめざした。ヴォイスワフは常になく寡黙で、その面持ちも真剣だった。令嬢がその物々しさをからかい、また共感療法でもするのかしらと言うと、騎士は、これは

冗談ごとではありません、成功は確実とはいえ、事はあなたのこれからの一生にもたいそう影響するのですと答えた。そうこうするうちに森に着いたので、二人は楢の記念樹のところで馬から降りた。ヴォイスワフがフランツィスカに手を貸し、どちらも無言でゆっくりと丘を上っていった。やがて半ば崩れた外堡《がいほう》の上に立つと、周囲が一望のもとに見渡せた。

「あと十五分で陽が沈んで、一時間後に月が上ります。それからが勝負です」騎士がまるで独り言のように言った。「もうすぐはじめます」

「そうすれば何もかもわかるのね」フランツィスカが騎士を見て言った。

「そうですね」と騎士も令嬢のほうを向き、やや厳《いかめ》しい声音で言った。「フランツィスカ・フォン・ファーネンベルク、あなた自身のためにも、そして一人娘を何より愛する父君のためにも、これからわたしの言うことによく耳を傾けてください。でも質問で話をさえぎらないでください。事が一段落するまで疑問には答えないほうがいいと思いますから。あなたが今患《わずら》っている病は命にかかわるものです。わたしが言うようにしないかぎり絶対に助かりません。率直にいいますと、もしあなたのこれまでの勇気を考慮に入れず、あなたの意志の固さを知っていなかったら、あなたを救うことはあきらめて、こんなお願いをすることもなかったでしょう。そこでこれから言うことに無条件に従うと約束してください。騎士の名誉にかけて誓いますが、それは神に背くものではなく、あなたの一家の名誉も損ないません。そしてあなたを救うただ一つの方法なのです」

　籠手をはめた右手を差し出し、左手を掲げて誓いのしぐさをした。

「約束します」令嬢はヴォイスワフの厳《おごそ》かな声に心を動かされたように答え、病で痩せ細った手を騎

士の手に重ねた。

「では行きましょう。そろそろ時間です」騎士はそう言い、令嬢を半ば崩れた教会へ誘った。おりしも太陽の名残りの光がステンドグラスの割れた窓から床に落ちていた。

　騎士が令嬢を連れていった内陣は、教会内でも壊れようの一番ましな箇所であった。壁に嵌め込まれた碑石の他にそこにあるものは、中央祭壇と同じくらいに古く黒ずんだ聖務共唱席の数脚ばかりだ。中央祭壇といっても今に残るのは石造りの壁と檀上にのぼる石段数段きりで、祭壇画や装飾物や化粧張りはすでに失われていた。「『アヴェ・マリア』を唱えてください。これからそれが役立ちます」騎士はそう言うと、自らも跪いた。

　フランツィスカもその傍で膝をつき、短く祈りを唱えた。そしてすぐ二人は立ち上がった。

「いよいよです。もうすぐ陽が沈みます。月が上る前にはすべては終わっているはずです」騎士が早口に言った。

「わたしは何をすればいいの」令嬢の口調には勇気が漲《みなぎ》っていた。

「あそこに納骨堂への扉が開いているでしょう」騎士は扉口とそこから下に降りていく階段を指した。

「あそこを降りていくのです。あなたが一人で行ってください。わたしが随いていくわけにはいきません。納骨所に着くと、真正面に柩が見えます。小さな包みが上に載っています。中を開けると釘が三本、それから鉄槌があります。そのまま待って、わたしが大きな声で『我ハ信ズ《クレド》*』を唱えはじめたら、力のかぎりをこめて、鉄槌で釘をまず一本、それから二本目と三本目を、蓋の上から柩の中に真直ぐに、頭まで打ち込んでください。

フランツィスカは電光に打たれたように総身を震わせ、言葉一つ出せなかった。ヴォイスワフはそれに気づいて、

「勇気を出してください。あなたは主の手の内にあります。主の御心あるかぎり、何物もあなたに手出しはできません」力強く、そして安心させるように言った。「いずれにせよ、前も言いましたが、危ないことは何もありません」

「それじゃやってみましょうか」自分を励ますようにフランツィスカが言った。

「どんな音がしようが、柩の中から何が聞えようが、あなたに害を及ぼすことはありません。そんなものは気にせずに、力のかぎりに釘を柩に打ち込んでください。わたしの祈りが終わる前に打ち終わっていなくてはなりません」

フランツィスカは怖気《おぞけ》を震った。だがすぐ気を取り直し、小声でつぶやいた。

「やってやろうじゃないの。神さまが力を貸してくれるでしょう」

「もう一つあります」躊躇《ためら》いながらヴォイスワフが言った。「あなたにお願いすることでは、これが一番難しいかもしれません。でもあなたが全快するにはやらねばならないのです。今わたしが言ったことをあなたが行うと――」ここで騎士は少し口ごもった。「柩から液が流れてきます。それに指を浸して首の傷に塗ってください。あなたの言によれば、いつまでも治らずに始終痛む傷口にです」

「まあ何てことを」フランツィスカが言った。「その液って血でしょう。誰かが柩の中にいるのね」

我ハ信ズ《クレド》 キリスト教の信仰宣言。

「中にいるのは化物です。その血はあなたの血です。しかし別の体を流れているのです」ヴォイスワフは低い声で言った。「これ以上聞かないでください。時間がありません」――フランツィスカは全身の力と気力を引き締めて、納骨所へ通ずる階段を降り、騎士は祭壇の前に跪いたまま無言で祈りを唱えた。下に着くと令嬢はすぐ、小包の目印がある入口近くの柩の前に立った。納骨所の中はまだ薄明るく、周りは平和に静まりかえっていたので、フランツィスカに勇気が湧いてきた。柩に近寄り、上に置かれた小包を開けた。一シュパネ*半ほどの尖った釘が三本、それに重たげな鉄槌が出てきた。そのとき突然、騎士の力強い声が教会から聞こえ、納骨堂に反響《こだま》した。フランツィスカは驚いて身を竦《すく》めた。だがそれは、たった今はじまった祈りの声で、それが下まで響いてきたのだった。フランツィスカは急いで釘の一本を取ると、鉄槌を振《ふる》って、柩の蓋に一ツォルほど打ち込んだ。あたりは森《しん》として、耳に入るのは槌の音の反響《こだま》ばかりだ。勇を鼓《こ》して両の手で鉄槌を摑み、なお二度、力のかぎりに打つと、釘は頭のところまで沈んだ。そのとき柩の中で音がした。何かがもぞもぞと必死に足掻《あが》いている。フランツィスカは驚いてのけぞった。

　鉄槌を投げだし、階段のほうに逃げかけたとき、騎士が一段と声を張り上げた。その神への懇願の力強い響きに励まされて、獅子の檻に飛び込み扉を閉めるような破《やぶ》れかぶれの気持ちで柩ににじり寄り、自分が何をしているかもほとんど意識せず、二本目の釘を左手で柩の中央に当てがい、何度となく、釘の頭が埋まるまで打ちつけた。――柩の音はますます高まり、身の毛もよだつものになった。何かが中で、全力を振り絞って蓋を抉《こ》じ開けようとしているらしい。その勢いは凄まじいかぎりで、今にも柩がばらばらになりそうだ。半狂乱でフランツィスカは三本目の釘を握った。もはや体調を気に

する余裕もなく、ただ自分が名づけようのない恐ろしい危険のうちに、正気を失うような恐怖の中にいるのを覚えるばかりだった。がたがた騒ぐ柩の蠢《うごめ》きに、今は鈍い呻《うめ》き声が混じる中、無我夢中で令嬢は三本目の釘を打ち込んだ――。すると気が遠くなりかけた。体をひねって階段のほうに急ごうとしたが、腰がふらついた。体を支えようと無意識のうちに柩の端を掴んだところで、そのまま失神して近くの床に倒れ込んだ。

ふたたび目覚めたのは十五分ほど後だったろうか。令嬢は周りを見回した。頭上に星を鏤《ちりば》めた空がある。月が冷え冷えとした光を廃墟と楢の樹々に注いでいる。今いるのは戸外だ。教会の壁の傍で、騎士が傍らに跪き、自分の右手を取っている。

「無事でしたか。神さまありがとうございます」騎士が安堵の叫びをあげた。「余計な指図をしたおかげで、あなたにもしものことがあったら、わたしはどうしていいかわかりません。でもあれが、あなたを救うただ一つの道だったのです」

令嬢の意識はだんだんはっきりしてきた。今しがた起きたことは悪い夢のように思えてきた。先ほどまでの恐ろしさとはうって変わって、いま周りにあるのは静けさと平和ばかりだ。おそるおそる目を見開くと、遠からぬところに、死ぬほどの恐怖に耐えた場所があるのがわかり、我知らず身が震えた。そのうちゆっくりと体力も戻ってきた。令嬢は半ば虚《うつ》けた状態で、自分を慰める騎士の声と、馬

シュパネ　長さの単位。人の手の親指の先から小指の先の長さに当たる。一シュパネ（Spanne）は九インチ、約二三センチメートル。

番をする従者の口笛に代わるがわるに耳を傾けた。従者は出遅れた鶫《つぐみ》の鳴き声の真似をして暇をつぶしていた。

「そろそろ行きましょうか」令嬢は小声で言って、身を起こそうとした。「あら。これは何？　肩が濡れてる。首も、手も――」

「草の露ですよ」落ち着かせるように騎士が言った。

「違う。これは血よ！」令嬢は驚きの叫びをあげて飛び起きた。「見て、ほら、手が血まみれ」

「きっと何かの間違いです」騎士は口ごもった。「それとも首の傷口が開いたのかもしれません。手で探って確かめてごらんなさい」騎士は急いで令嬢の手を取って、首筋に導いた。

「何ともなってないわ。全然痛くないもの」やがて令嬢はいぶかしげに言った。

「それなら、あなたが失神して倒れたときに、柩の留め金か飛び出た釘で傷ついたのでしょう」

「まあ、おかげでまた思い出しちゃった」フランツィスカは身震いした。「早く行きましょう。――お願い、今すぐ！　こんな怖いところ、もう一秒だってまっぴら」

　来たときよりもかなり急ぎ足で二人は丘を下りた。ヴォイスワフが令嬢を馬に乗せ、たちまち二人は帰路についた。

　我が家が近づいてくると、フランツィスカは先ほどの冒険に脈絡をつけようと、騎士に質問を浴びせかけた。しかし騎士はそれを遮《さえぎ》って、あなたの昂奮と体の状態から考えて、今そのことに触れるのは望ましくありません、明日になれば何もかも明らかになりましょうと宥《なだ》めた。城に着くと騎士は令嬢をすぐに自室に引き取らせ、男爵には、お嬢さんは遠出でたいそう疲れてしまって晩餐の席にはつ

けませんと伝えた。

次の日フランツィスカはいつもより早く床を出た。そしてベルタに向かって、こんなさわやかな気分で目覚めたのは久しぶり、あの変な夢に魘されもしなかったしと言った。うって変わって元気そうなその様子は友ばかりかフランツと男爵をも驚かせた。そこでフランツィスカは、ヴォイスワフの許しを得て、昨晩の冒険の一部始終を語った。すると皆は騎士を質問で責めたてた。

騎士は男爵のほうを向いてたずねた。「吸血鬼の話をお聞きになったことはありませんか」

「ときどき聞きますがね。本当にいるとは思えませんな」

「わたしもそう思っていました」騎士が言った。「でもあることがきっかけになって、その存在を信じるようになったのです」

「何ですって。どうか話してちょうだい」ベルタが何かに思い当たったように、勢い込んでたずねた。

「ハンガリーに初の出陣をしたとき」騎士が語りはじめた。「怖いもの知らずのヤニチャール*につけられたこの刀傷と、二度目の戦《いくさ》で受けた肩の傷のおかげで、しばらく戦えなくなったことがありました。そこである小都市の裕福な一家のもとに厄介になったのです。その家には父親と母親と二十くらいの娘がいました。一家はその地で産する極上のワインで暮らしを立てていて、その酒場はいつも客で賑わっていました。先に言ったようにこの家は裕福でありましたが、にもかかわらず大きな心配事がありました。美しくて信心深い一人娘がいつ治るとも知れない病に苦しめられていたのです。以前は薔

ヤニチャール　捕虜となったキリスト教徒で構成されたトルコの軍隊。

薇のように咲き誇っていた令嬢が、数か月ほどで骨と皮ばかりに痩せ細って、誰にもその原因がわかりません。治療にあらゆる手立てが尽されたのですが、ただの一つも功を奏しませんでした。連隊がすぐ近くに駐屯したため、その酒場にはさまざまな国から大勢の新顔がやってきていて、その中に、毎日のように来るひときわ目立つ男がいました。肌は土気色で干からび、ほとんど何も喋らないのに、いざ口をきくとなると辛辣で嘲弄的なのです。中でも皆の注意をひいたのは、きまって極上のワインを一杯注文して、ときどきそれに口をつけます——いつも月夜に来て一時間足らずで帰ります——しかし店を去ったあとで見ると、ワインは少しも減っていません」

「何から何まで、びっくりするくらいアッツォにそっくりね」興味を惹かれたようにベルタが言った。

「その家の娘は」ヴォイスワフが話を続けた。「何の病とも見立てのつかぬままに、日に日に弱っていきました。あらゆる手が尽され、キリスト教徒の医師ばかりか捕虜の異教徒にも相談がなされました。というのも、そういう者の中には、さまざまな黒魔術の実践や不思議な秘法にとりわけ詳しい者がいると知られていたからです。不思議なことには、その娘は始終あの素性の知れない客に悩まされて苦しめられる夢を見ると訴えるのです」

「あなたの夢と同じね、フランツィスカ」騎士の話の途中でベルタが呼びかけた。

「ある晩のこと、わたしはスラヴォニア出身の老人とワインを傾けていました。この老人は幾度となく海を渡り、ギリシアやトルコや、あるいは新大陸にさえ行っていました。そこにあの男が入ってきて、例によって黙って卓につきました。わたしとスラヴォニア人のあいだで盛んに盃が交わされ、ますますどっぷりと話し込むようになりました。ギリシア人を鶫《つぐみ》のように一まとめに串刺しにするトル

コ人の話、新大陸の原住民の話、そこではしばしば拳大《こぶしだい》の黄金が岸辺に転がっていると聞くのに、その老人は一度もそんなものを見なかったそうです。わたしは、自分たちがしばしば『ちっぽけな土地』と呼ぶ故郷シレジアの珍談をいくつか披露しました。ジャガン公ヤン*にまつわる古い話で、兄のバルタサールをプシェブス*で餓死させたとか、ミサを断った司教座教会参事会会員にグウォグフの橋の上で『閣下、歌うか跳ねるかしていただけませんか』と頼んだ話とか、そんな風な愉快で洒落《しゃれ》た話をいくつかしたのです。われわれはしばらく駄弁をふるい、ただならぬ数のジョッキを干しました。謎の男はいつものように押し黙り、ときたま嘲りの笑みを浮かべ、やがて勘定を済ませて戸口に向かいました。

その振舞の何もかもに、わたしは内心で気分を害し、頭に血が上っていたので――ワインのせいだったのかもしれません――男に声をかけました。『やい、お前は石ころか。さっきから聞いてばかりで一滴も飲みはしなかったな。余興の一つもして盃を干せ。俺たちが楽しく飲めるように』――『そうとも』スラヴォニア人も叫びました。『帰っちゃならん。喋《しゃべ》って飲め』そう言って、もう若くはないにせよ大柄で屈強な彼は、男の肩を摑んで椅子に座らせようとしました。ところが相手は骸骨みたいな痩せっぽちのくせに、腕の一振りでスラヴォニア人を部屋の中央の床に放り投げ、老人は一瞬起きる

ジャガン公ヤン　ヤン二世（一四三五―一五〇四）。一四八〇年にグウォグフ公国を統一。

プシェブス　シレジア北西部の町。現ポーランド領。

のも忘れて呆然としていました。そこで今度はわたしが男に近づいて、その腕を握りました。わたしの鉄腕の弾機《ばね》は今のものほどの威力はなかったのですが、きっと怒りにまかせて少し強く握ったのでしょう、相手は凄い目でこちらを睨《ね》めつけ、顔を寄せて耳打ちしました。「放しやがれ。それほどの馬鹿力を持ってるとは、お前も同類だな。だからといって俺が血の栄養を摂《と》る邪魔をしないでくれ。俺は飢えている」この言葉に驚いて思わず手を放し、気のついたとき奴は外に出たあとでした。――驚きからわれに返らぬうちに、今しがた聞いた謎の言葉をスラヴォニア人に伝えました。すると相手は一通りでない驚きを示しました。ははあ何か知っているなと感づいて、あの言葉を説明してくれるようせがみました。家への帰りがけに老人はようやく話してくれました。『あいつは吸血鬼だ』」

「ええっ」男爵とフランツィスカとベルタは驚いて声をあげた。「それじゃアッツォも――」

「まさに。奴もそうだったのです」騎士が答えた。「ともかくいつも地獄の渇きに苛《さいな》まされていたのです。でもこの家に来ることはもうないでしょう。――ところでまだ話は終わっていません。わたしの故郷では吸血鬼はまったく知られていませんので、わたしはこのスラヴォニア人に根掘り葉掘りたずねました。老人が言うには、ハンガリー、カルニオラ、ダルマチア、ボスニアといったところではああいう妖怪は珍しくはないそうです。他の吸血鬼の栄養になったか、劫罰を犯したか、あるいは破門を受けたかした死者は、月が中天に上ると墓から起きだして、夜分に人の血を吸うのです。その犠牲になり血を吸われた者は病み衰えて死に向かい、それを救うには吸血鬼を墓の中に閉じ込めるしかありません。そのためには昼と夜の境目に、『我ハ信ズ《クレド》』の朗誦が行われるうちに、鉄の釘で柩にしっかりと釘付けるのです」

「まあ怖い」フランツィスカが声をあげた。「あらかじめ知っていたらとてもできやしなかった」

「そうでしょうとも。でもそれは、犠牲になった者が自分の手で、別の誰かが祈りを唱えている中で行わなくてはなりません」ヴォイスワフが答えた。そして少し黙ったあとで続けた。「スラヴォニア人は他にもたくさんのことを教えてくれました。犠牲者が痩せ細っていくあいだに、吸血鬼のほうは目に見えて肥えてくるとか、人間離れした力を持っているとか――」

「ああ、それで勘違いしたんですね。あなたの義手が――」フランツが口を出した。

「そうです。アッツォもあいつも、わたしの腕力を自然のものと信じて、仲間だと思ったのです。あなたもこれで」とフランツィスカのほうを向いて、「ここに来たときあなたを見て、わたしがどんなに驚いたかわかったでしょう。あなたやベルタが話してくれたことから若《も》しやと思いましたが、アッツォを仔細に見ているうちに、こいつは吸血鬼に違いないと思うようになりました。外見も振舞もあなたがたに今話した謎の男とそっくりですから。そしてフランツとの諍《いさか》いを見るにおよび、確信にいたったのです。廃墟近くであなたがたが見聞きしたことから、アッツォの墓をどこに探せばいいかわかったので、あとはあなたの協力さえとりつけられれば、あなたを必ず救えるはずでした。事前に洗いざらい打ち明けることは賢明でないと考えました。あなたはすでに相当衰弱しているようでしたから、これから起こることを説明すれば、なすべきことをなす前にきっと勇気が挫《くじ》けてしまうでしょう。ですから先ほどのように取り計らったのです」

「おかげで助かったわ」フランツィスカが身震いして言った。「あらかじめそうと知ってたら、とてもやる気になれなかったもの」

「わたしもそれを懸念していました」ヴォイスワフもうなずいた。「それに幸運も味方をしてくれました。たとえばあなたが意識を失っているとき、柩から流れる吸血鬼の血を浴びなければ、あなたの傷はいつまでも塞がらないままだったでしょう。あのスラヴォニア人がそう言ってました」

「それでハンガリーの可哀そうなお嬢さんはどうなったの」心配そうにベルタが聞いた。

「わかりません。その夜トルコ軍急襲の報があって、そこを去らねばなりませんでした。そのあとは何も聞いていないのです」

そのあともこの件を巡る話は尽きなかった。アッツォが臥していた納骨堂は壁で塞がせて二度と開《ひら》けないようにしようと男爵は心を決めた。そして早くも翌日、余所者《よそもの》の手で死者の安眠が妨げられないようにとの口実で実行に移した。

フランツィスカの回復は捗々《はかばか》しくはなかった。健康がひどく損なわれていたため、これで大丈夫、危険は去ったと見極められるまでにはかなりの日数《ひかず》を要した。令嬢の人柄はその間にがらりと変わったように見えた。これまでの気の強さは影を潜め、それに代わって人当たりのよい柔らかさ、すなわち以前はごく親しい者しか与《あずか》れなかった美質がすべて表に出てきた。

フランツはあいかわらずフランツィスカに何くれとなく気を配っていたが、以前ほど令嬢につきまとうことはなくなった。城主の代理人として広大な領地にまつわる仕事に携わったためで、その功績は誰の目にも明らかであった。フランツの性《しょう》は他の若者とは違って争いごとや戦《いくさ》や名誉の獲得には向いておらず、むしろ領民を豊かで幸福にするほうを好み、身を削って自分の時間をそこに捧げた。その穏やかな効果はフランツィスカの眼にも否応なく映り、その気高い奮闘にいつとはなしに抱くよう

になった敬意はやがて愛情へ変わっていった。最初の芽生えがゆるやかだっただけに、それはなおさらしっかりと根を下ろした。騎士ヴォイスワフはベルタを花嫁としてシレジアに連れていくことに固執し、祝言《しゅうげん》は一家が今いる領地で日取りを決めて挙げることになった。フランツとフランツィスカも結婚の許しを乞い、婚礼も同日に行いたいと聞いたときの男爵の喜びはいかばかりであったろう。ほどなく到来したその日、二組の幸福な夫婦が誕生したのだった。

吸血鬼《ウプイリ》

A・K・トルストイ

植草昌実 訳

Упырь

Алексей Константинович Толстой

舞踏場は混雑をきわめていた。騒々しいワルツのあと、ルネフスキイは相手の婦人を席に送ると、あちこちに集まっている客たちに目をやりながら、部屋から部屋へと渡り歩いた。目を惹いたのは、若いが髪がほとんど白髪の、青白い顔をした男だった。男は暖炉に寄りかかったまま舞踏場の一隅を凝視し、タキシードの上着の裾に火が移って煙をあげているのにも気づかずにいた。その奇妙なさまに興味を抱いた彼は、男に話しかけてみることにした。

「どなたかお捜しの御様子ですが」ルネフスキイは言った。「上着が燃えだしていますよ」

見知らぬ男は暖炉から離れ、あたりを見まわすと、ルネフスキイに目を向けて答えた。

「いや、誰かを捜しているわけではないのです。ただ、この舞踏会に何人もの吸血鬼《ウプイリ》がいるのに気づいただけで」

「ウプイリ？」ルネフスキイはおうむ返しに言った。「ウプイリというのは？」

「吸血鬼《ウプイリ》は」男は淡々と答えた。「なぜヴァンピールと呼ばれているのかわかりませんが、ロシア語での正確な名は『ウプイリ』です。ウプイリはヨーロッパ全土はおろかアジアにもいますが、その名の語源はまぎれもなくスラヴ語にあり、なんでもラテン語で言いたがるハンガリーの修道士どもに置き

換えられた『ヴァンピール』という名で呼んでは、筋が通りません。ヴァンピール、ヴァンピールか！」彼は見下すように繰り返した。「もっともこれは、私たちロシア人が、幽霊《プリジェーニエ》を『ファントム』とか『レヴナント』とか呼ぶようなものですが」

「しかし」ルネフスキイが尋ねた。「ヴァンピールにしてもウプイリにしても、どうしてここに来ているのでしょうか」

見知らぬ男は答えるかわりに、かたわらに座る婦人と話しつつ、その隣の連れらしい少女に愛おしげな目を向けている、高齢の婦人を指し示した。話題が自分のことなのか、少女はときおり笑みを浮かべたり、顔を赤らめたりしていた。

「あの年嵩《としかさ》の御婦人をご存じですか」男はルネフスキイに尋ねた。

「スグロビナ准将夫人ですね」彼は答えた。「面識はありませんが、とても裕福なかたで、モスクワの近くに見事な、ですが軍人の趣味らしくない別荘《ダーチャ》をお持ちだとか」

「そう、あの方は何年か前までは准将夫人でしたが、今では人の血を吸おうと機を狙う忌まわしいウプイリにほかなりません。あの可哀想な娘さんに向ける目つきを見てください。自分の孫娘なのですよ。今している話に聞き耳を立ててみてください。娘さんを褒めそやし、今あなたがおっしゃた別荘に二週間ばかり遊びに来ないかと誘っているのです。でも、哀れにもあの娘《こ》は三日ももたず死んでしまうことでしょう。死因は熱病だとか肺炎だとかと医者は言うでしょう。医者など信じてはいけませんよ」

ルネフスキイは男の弁を訝《いぶか》った。

「私を信じてはいただけないようですな」男は続けた。「私は准将夫人の葬儀に参列したのですから、今そこにいるのがウプイリだと証明できます。あのとき、ほかの参列者たちが私の言うことに耳を貸してくれていたら、御遺体の胸にはポプラ*の杭が打ちこまれたことでしょう。でも、今となってはなにもできません。縁者のほとんどはここにいないし、赤の他人では信じてもらえませんからね」

そこに、妙ないでたちの男が現れ、老婦人に歩み寄っていった。茶色のフロックコート、頭には鬘《かつら》を着け、襟元に聖ウラジミール十字章*と四十五年勤務勲章*も飾ったその男は、准将夫人に両手で金色の嗅ぎ煙草を差し出した。

「彼もウプイリですか」ルネフスキイは尋ねた。

「間違いなく」男は答えた。「テリャエフ国家評議員です。准将夫人の親友でしたが、夫人より二週間早く亡くなりました」

テリャエフは准将夫人の前に立つと、踵《かかと》を打ち当てて挨拶をした。夫人は笑顔で応えると、嗅ぎ煙草入れに指先を入れた。

「メリロート*入りかしら」夫人が尋ねた。

「もちろんですとも、マダム」テリャエフは妙にやさしげな声で答えた。

「聞きましたか」見知らぬ男はルネフスキイに言った。「生きていたあいだに交わしていたのと寸分違わぬ会話です。准将夫人に会うときはいつも、テリャエフは嗅ぎ煙草をすすめ、夫人はひとつまみ取り、メリロートで香りづけしてあるかを尋ねていました。テリャエフはもちろんと答えて、夫人の隣に座っていました」

「教えてください」ルネフスキイは尋ねた。「誰がウプイリで、誰がそうでないか、あなたはどうやって見分けているのですか」

「たいして難しくはないことです。この二人については、私は生前の本人たちを知っていたので、間違いようがありません。自分らをよく知る人たちの前に、死後も現れるとは、驚くばかりです。大胆としか言いようがありません。どうすればウプイリを見分けられるかとのお尋ねですね。仲間同士が出会ったとき、かれらは舌を鳴らします。舌打ちのような音ではなく、オレンジの果肉を吸うときの音に似ています。それがかれらの習慣で、互いを知り、挨拶するのです」

そこに粋な身なりの男が来て、ダンスのパートナーを決めるよう、ルネフスキイに言った。舞踏場を見ると、みな相手とともにいて、決めていないのは彼一人のようだったので、祖母の別荘に行ったら不幸にも死に見舞われる、と見知らぬ男が予言したあの少女を、急いでパートナーに誘った。踊っているあいだ、ルネフスキイは少女を間近に観察した。歳の頃は十七歳くらいか。生来の美しい顔立

ポプラ　イエスの十字架の素材となった木という伝説がある。
聖ウラジミール十字章　ロシアにキリスト教を導入したウラジミール聖公を記念し、一七八二年にエカテリーナ二世が制定した勲章。公務や兵役の功績に対して授与された。
四十五年勤務勲章　長期にわたる公務への勤続に対し授与された勲章の一。一八二七年に制定。
メリロート　マメ科の香草。甘い芳香をもつ。

ちに、いじらしい表情が浮かびもするが、どこかに憂いがあるのは性格のあらわれのようだ。だが、言葉を交わすうちに彼がおどけてみせると、憂愁の色は消えて、なんとも明るい笑みが顔じゅうに広がった。返す言葉は機知に富んでいるうえ、彼女自身の考え方を感じさせる、心に残るものばかりだった。よく笑い、冗談は無邪気で思いやりがあり、ねたにされた人が耳にしても怒るようなことはけっしてないだろう。あれこれ考えたり言葉を探したりする様子はなく、言葉が浮かぶとすぐに次の言葉が自然に続くかのような話し方をした。会話からふと心が離れると、悲しげな影が眉を曇らせた。明るい顔が悲しく、暗い面持ちが楽しげに変わるのは、不思議な対照だった。華奢《きゃしゃ》な体が踊り手たちのあいだを軽やかに舞うさまは、この地上のものというよりは、詩人たちが言葉で描いた別世界の存在が、月夜に花のあいだを茎も揺らさず飛ぶさまを思い起こさせた。自分の心をこれほどまでに捕らえる女性には、今までに出会ったことがなかった。ダンスが終わるとすぐに、母親に紹介してもらえるよう、彼は頼んだ。

　准将夫人と話していたのは伯母のゾーリナで、母親がわりに彼女を育ててきた。彼女は幼くして両親を亡くしたと、ルネフスキイはあとで知った。傍で見るかぎりでは、伯母は彼女をさほど大事に思ってはいないようだった。祖母はしきりに彼女を「わたしの宝物」と呼び、優しく接してはいたが、その優しさが本心からのものかどうかは、彼にはわからなかった。彼女の身よりはこの二人だけだった。この薄幸の少女の孤独な身の上に、ルネフスキイの同情はひときわつのったが、残念なことに彼女との会話は続けられなかった。恰幅のよい伯母は月並なことをいくつか彼に尋ねたあと、自分の実の娘を紹介した。その娘はとりすましていたが、紹介されるや彼から離れようとしなくなった。

「従妹《いとこ》と踊っているあいだ、ずいぶん笑っていたわね」彼女は言った。「あの子、調子に乗ると笑ってばかりなの。そばにいると、誰でもからかわれどおしよ」

「人をからかうようなことは聞かなかったな」ルネフスキイは答えた。「フランスの演劇のことばかり話していたものだから」

「本当かしら。楽しい話題とは思えないけれど。わたしも従妹につきあって行くことはあるけれど、退屈よ。お母さんはフランス語がわからないし、おばあちゃんは芝居という言葉さえ聞きたくないって。おばあちゃんがどんな人か、想像できるかしら。絵に描いたような軍人の妻なの。信じてもらえないかもしれないけれど、わたしたちが髪粉をつけないのが気に入らないくらいなんだから」

　ソフィア・カールポヴナ（というのがそのお嬢さんの名だった）は祖母について冗談めかしたことを言うと、ルネフスキイに気の利いたことを聞かせようとしたのか、他の客たちに話題を転じた。ことさらにからかわれたのは、黒い口ひげをたくわえた小柄な将校で、彼はカドリーユ*を踊るときにひときわ高く跳んでいた。

「ほら、あの動き」彼女はルネフスキイに言った。「あんなおかしなダンス、見たことないでしょう。あの人、フリシュキンっていうの。おかしな仕草に似合った名前でしょう。モスクワきっての鼻持ちならない男よ。なにが鼻持ちならないかって、自分が美形で、どんな女も自分のものにできると思いこんでるところ。あら、肩章をあんなにばたばたさせて。あんなに跳ねたら、今に床を踏み抜いてし

カドリーユ　四組の男女が四角に位置を取って踊るダンスで、スクエア・ダンスの先駆となった。

まうわ!」

　ソフィア・カールポヴナが誰彼かまわず槍玉に上げるあいだ、フリシュキンは鹿爪らしい顔で口ひげをひねっては、やみくもに高く跳びあがっていた。そのさまを見て、さすがのルネフスキイも笑わずにはいられなかった。気に入られたと思いこんだソフィア・カールポヴナは、可哀想なフリシュキンをことさらにこきおろした。しつこいおしゃべりからようやく逃れたルネフスキイは、肥った母親に歩み寄って引き続きのお付き合いを願うと、准将夫人に話しかけた。

「それでは」老婦人は穏やかに言った。「フェドーシャ・アキモヴナ・ゾーリナをお訪ねになるときは、わたしのこともお忘れにならないよう。若い人たちを相手におふざけになるばかりがお付き合いというものではありませんからね。わたしの若い頃からはずいぶん変わったものです。こんなにまでおめかしはしませんでしたし、年上の人の話はきちんと聞いたものでした。丈の短いおかしな上着などなかったもので、殿方も今の若い方よりずっと見栄えがしたものでした。あなたのことではありませんよ。あの上着の尻尾ときたら、どんなものでしょう。鳥じゃあるまいし。お行儀も今とは比べものにはなりません——あの頃は誰もがもっと礼儀正しくふるまったものです。軍人というものは、あのフリシュキンみたいに舞踏会で飛び跳ねはせず、戦地で雄々しく戦うものでした。わたしの夫イグナーティ・サヴェリッチが、いつも話しておりましたように! 夫が露土《ろと》戦争*に出征し、ピョートル・アレクサンドロヴィッチ伯爵*と軍を率いてドナウ川の岸辺に野営したとき、対岸にはトルコ軍がひしめいておりました。こちらはほとんどが新兵、数も敵にはとても及びません。そこにわれらが母なる皇帝陛下*からの御下命が届きました。ドナウを渡り異教徒を撃滅せよ、と。望まぬことでも御下命とあ

れば従わぬわけにはまいりません。夫は伯爵とともに川を渡りました。あの時代には抗議などできなかったのです。行けと命じられたところには行く、というように。かくてシリストラ*の要塞を包囲したものの、多勢に無勢。アレクサンドロヴィッチ伯爵は退却を命じましたが、異教徒はその行く手をさえぎりました。三方を敵の軍勢に囲まれ、ヴァイスマン*の援軍がなければ、伯爵も夫も戦死していたことでしょう。ドイツ人だてらに川を塞いでいた敵軍を追い散らし、異教徒どもを打ち負かしたのです。イグナーティ・サヴェリッチは川を渡るさいに敵に脚を撃たれただけで済みましたが、ヴァイスマンは討ち死にしました。お話はこれからです。元の陣営に戻った伯爵は、体勢を立て直してまたも戦いを挑みました。断じて退《しりぞ》きはしない、と。昔の殿方はみなそうで、お洒落にうつつを抜かしたりなどしませんでした。年寄りの物言いがお気に障ったかもしれませんが……」

露土戦争　（一七六八―七四）ロシア帝国とオスマン帝国のあいだに起きた戦争。

ピョートル・アレクサンドロヴィッチ伯爵　ロシアの軍人、ピョートル・アレクサンドロヴィッチ・ルミャンツェフ＝ザドゥナエスキイ（一七二五―九六）。露土戦争では元帥として陸軍を指揮した。

母なる皇帝陛下　エカチェリーナ二世（一七二九―九六　在位一七六二―九六）を指す。

シリストラ　ブルガリア北東部の都市。オスマン帝国時代は軍事的要衝の一つだった。

ヴァイスマン　ヴァイゼンシュタイン男爵オットー・アドルフ・ヴァイスマン（一七二六―七三）ロシア帝国に仕え、将軍として露土戦争でトルコ軍と戦った。

老婦人の話は、イグナーティ・サヴェリッチやピョートル・アレクサンドロヴィッチ伯爵のことを含め、昔のこととなると止めどなかった。

「わたしの別荘《ダーチャ》においでになりませんか？」ようやく彼女は口にした。「ピョートル・アレクサンドロヴィッチ伯爵と、グリゴリー・アレクサンドロヴィッチ公爵と*、わたしの夫イグナーティ・サヴェリッチの肖像を御覧にいれましょう。昔のような暮らしぶりではありませんが、お客様をお迎えするのは嬉しいことです。この年寄りを思い出して、ベリョーゾヴァヤ・ローシチャの村にお運びいただければ、これほど良いことはありません。このセミョーン・セミョーノヴィッチは」と、彼女はテリャエフを指し示して続けた。「覚えていてくれて、近々また来ると約束してくれました。それに、孫のダーシェンカも来てくれます――とても良い子で、おばあちゃんを放っておくようなことはしません。そうよね、ダーシャ」

ダーシャは黙ったまま笑みを返し、セミョーン・セミョーノヴィッチ・テリャエフはルネフスキイに一礼すると、ポケットから金の嗅ぎ煙草入れを出して袖で拭《ぬぐ》い、前に出るかと思うと一歩下がった。

「お役に立てて幸いです、それが私の喜びです、マルファ・セルゲーヴナ」先ほどと同じ、妙にやさしげな声で、准将夫人に応えた。「たとえ……もしも……万が一……つまり……」口ごもったテリャエフは、見知らぬ男が言ったとおりに舌を鳴らしたので、ルネフスキイはぎくりとした。つい先ほど男から聞いた話を思い出し、見渡すと同じ暖炉のそばにいたので、あの人はお知り合いですかと、彼は准将夫人に尋ねてみた。老婦人はハンドバッグから眼鏡を出してハンカチーフでレンズを拭くと、男のほうに目をやり、ルネフスキイに答えた。

「ええ、存じておりますとも。リバレンコさんです。小ロシア[*]の名家のお生まれですが、お気の毒に三年ほど前に御正気をなくしてしまわれて。今風の教育がよくなかったのでしょう。世間も知らない若い人を外国に行かせるなんて。お帰りになったときには、頭があべこべにおなりでした」言い終えた老婦人は、話題をイグナーティ・サヴェリッチの戦功に戻した。

ルネフスキイの目にも、彼は正気でないと映っていた。

リバレンコの話の謎がすっかり解けた。彼は妄想にとらわれているだけで、スグロビナ准将夫人は人のよい老婦人にすぎず、セミョーン・セミョーノヴィッチ・テリャエフはただの変わり者で、舌を鳴らすのは吃音のせいか、歯が欠けているからだろう。

舞踏会から二、三日後、ルネフスキイはダーシャの伯母と知遇を深めることになった。ダーシャへの好意がつのるほど、フェドーシャ・アキモヴナ・ゾーリナが好きにはなれなくなった。四十路半ばの肥満した伯母は、付け焼き刃の高貴な作法や見かけ倒しの社交術をひけらかすばかりだった。だが、そんなふうに見せかけても、姪への冷遇は隠しきれず、その理由は娘のソフィア・カールポヴナがダーシャほど美しくも明るくもないことにあると、ルネフスキイは見ていた。ソフィア・カールポヴナもそう思っているようで、つねにダーシャと競い、優位に立とうとしているようだった。なかなかに狡《ずる》

グリゴリー・アレクサンドロヴィッチ公爵　エカチェリーナ二世の寵臣、グリゴリー・アレクサンドロヴィッチ・ポチョムキン（一七三九－九一）。事実上の夫であったといわれる。

小ロシア　ウクライナの旧称の一つ。

い娘で、表だって従妹を悪く言いはしないが、ことあるごとに彼女の悪いところを創作してはあげつらい、その一方で真の味方を装って、ありもしない欠点を許した。

ソフィア・カールポヴナが自分に気があるのは、ルネフスキイには迷惑至極だったが、それを表に出さないことを第一に心がけ、彼女にはつねに礼儀正しく接した。

ゾーリナの家に集うのは上流階級に属する人々ではなく、ほとんどが女主人に倣《なら》ったように、噂や陰口で暇をつぶす連中だった。そんな中に一人いるダーシャは、花園から飛んできて汚い鶏小屋に迷いこんだ、色鮮やかな羽根の小鳥のように見えた。みなは自分とは違うのだ、と思わないわけもないだろうが、心根やふるまいが相容れない相手でも、彼女はよそよそしくしたり、冷たくあしらったりはしなかった。長いばかりで益体もない老人の話でも寛容に聞いている彼女の我慢強さに、ルネフスキイは驚嘆した。奥様がたやお嬢様がたの中に身を置いては、とても堪えられそうにないだろうに、礼儀正しくしつづけていることにも驚いた。若い男が自分と話しているうちに我を忘れかけると、つつましく相手の顔を見やって失礼にならない牽制をする彼女を、一再ならず目にもした。ダーシャは少しずつ、ルネフスキイに好意を示すようになった。彼の訪問に喜びを隠さなくなっていった。誠実な友として信を置いても良いのだと、内心の声が彼女に告げたのだろう。彼女の信頼は日ごとに大きくなっていった。ときおり彼を相手に日頃の悲しみを打ち明けるようになり、ある日とうとう、伯母の家にいるのは幸せでない、と告白した。

「わたしは誰からも愛してもらえない厄介者です。どれほど苦しいかは、あなたでもおわかりにはなれないかと思います。ほかの人たちと一緒にいるときは笑っていても、一人になればいつも泣いてい

るのです」

「お祖母《ばあ》様は？」ルネフスキイは尋ねた。

「ああ、お祖母様は大違いです。わたしを愛していてくれて、いつも優しくて、他に人がいても誰もいなくても、同じようにあつかってくれます。わたしを愛してくれるのはお祖母様と、かあさんの家庭教師だったおばあちゃん先生の二人だけです。クレオパトラ・プラトノヴナというお名前の先生です。幼い頃からのお付き合いで、かあさんのことを話せるのはお祖母様の他にはこの人だけです。だから、別荘で先生と会えるのが楽しみなんです。あなたもいらっしゃいませんか」

「あなたさえかまわなければ、喜んで」

「まあ、わたしったら！　お知り合いになってまだ日も浅いのに、あなたのことは、ずっと前から親しくしているような気がして、はじめてお目にかかったのがいつかも思い出せないくらいなんです。今はカフカスにいる、実の兄といってもいいほど仲の良い従兄《いとこ》に、あなたが似ているからでしょう」

ある日、ルネフスキイが訪ねたとき、ダーシャは目に涙を浮かべていた。動揺させてはいけないと思い、気づかぬふりをしてあたりさわりのない話をしかけると、彼女の目からはさらに涙が溢れ、ハンカチーフで顔を覆うと、部屋から出ていってしまった。

少しして、ソフィア・カールポヴナが部屋に入ってきて、ダーシャの奇妙なふるまいを詫びた。

「従妹には困ったものだわ」彼女は言った。「まだ子供なものだから、ちょっとしたことで泣き出しちゃって。今日はお芝居を見にいきたいなんて言いだして、席が取れなかったものだから御機嫌斜めなの。あの子のいいところを、あなたはよくご存じのようだから、こんな小さな欠点はお許しくださ

いね。ダーシャほど思いやりのある優しい子はいませんから。好きな人が犯罪に手を染めたとしたら、なんとか理屈をつけて、その人は悪くないと言い張るでしょう。でも、好きでない人も見過ごしておけず、自分がその人をどう思っているかを話してまわるでしょうね」

　このようにソフィア・カールポヴナは、ダーシャを褒めそやすふりをして、彼女のことを子供っぽくわがままで選り好みをするたちだとルネフスキイに仄《ほの》めかした。だが、彼は歯牙にもかけなかった。彼女が従妹に嫉妬していることを確信しただけだった。

「驚かせてしまいましたね」翌日、ダーシャは彼に言った。「お話しになっている途中で部屋を出てしまって、ごめんなさい。どうしたらいいのか、わからなくなってしまって。偶然、かあさんの手紙を見つけたんです。かあさんは九年前に亡くなりました。その手紙を受け取ったとき、わたしはまだ小さな子供でした。その頃のことを思い出したら、涙が止まらなくなって。あの頃はとても幸せでした！手紙を受け取ったとき、どんなに嬉しかったか！　田舎の家にいて、モスクワからの手紙には、もうすぐ帰ると書いてありました。次の日、かあさんは帰ってきて、庭にいたわたしは子守の手を振りほどいて、かあさんの首に飛びついたのを覚えています」

　ダーシャは言葉を切り、彼がそばにいることも忘れたかのように、黙りこんだ。

「そのあとすぐに」彼女は続けた。「かあさんは突然、原因のわからない病気にかかって、どんどん痩せていって、一週間もたたずに死んでしまいました。お祖母様は最期を看取るまで、かあさんのそばから離れませんでした。昼も夜もなく、かあさんの寝台《ベッド》のそばにいて、看病してくれました。かあさんが亡くなった日、お祖母様のドレスが血で真っ赤に染まっていたのを覚えています。とても怖かっ

た。でも、かあさんの病気は結核で、死ぬまえにたくさん血を吐いたと、あとで聞きました。そのあとすぐ、伯母様に引き取られたのですが、それからはすべてが変わってしまいました！」

ルネフスキイはダーシャの話に深い同情を禁じ得なかった。気を落ち着かせようとしたが涙が溢れてきて、胸の底から湧きあがる思いを抑えきれず、彼女の手をとって強く握った。

「ぼくをあなたの友人にしてください」彼は声をあげた。「信じてください。亡くなった御両親のかわりにはなれなくても、命あるかぎり、あなたの誠実な保護者になることを誓います！」

そして、握っていたダーシャの手に唇を押しつけると、彼女はルネフスキイの肩に頭を預け、声を殺して泣きだした。隣の部屋に足音が聞こえた。

ダーシャはルネフスキイからそっと身を離し、静かだがはっきりとした口調で言った。

「わたしにはお構いなく。気持ちにまかせて失礼をしてしまいましたが、あなたが他人とは思えないのです。心の声が、あなたは信頼すべき人だと言っているのです」

「ダーシャ、ぼくのダーシャ」ルネフスキイは声をあげた。「ひとこと言ってください。ぼくを愛していると。それを聞けたら、最高の幸せです！」

「言わなくてもおわかりでしょう」彼女は静かに答え、部屋を出ていった。その返事を頭の中で繰り返しながら、自分の言葉を彼女が本当に理解してくれたのだろうかと、思い悩んでいた。

ベリョーゾヴァヤ・ローシチャの村は、モスクワから三十露里《ヴェルスタ》*ほど離れたところにある。菩提樹

露里《ヴェルスタ》　かつてロシアで用いられた長さ、距離の単位。一ヴェルスタは一〇六七メートル。

の林の中に建つ古風な石造りの別荘《ダーチャ》は、高台にあり遠くからでも目に入った。屋敷の前にはフランス風の広い庭園が広がっていた。

　見知っているだけであれば、この屋敷がイグナーティ・サヴェリッチ准将の戦功を語り、メリロートの香りを加えた嗅ぎ煙草をたしなむ老婦人の別荘であるとは思うまい。その外観は堂々としていながらも優美で、見る人が見ればロンバルディアやローマ近郊の別荘の類似点に気づき、イタリアの建築家の手によるものと知って得心するはずだ。残念なことに、このような建築物はロシアではごく希だが、前の世紀の美意識の好例として記憶すべきだろう。准将夫人の別荘が、その中でも筆頭に挙げるべきものであることに、疑問の余地はない。

　六月のある暖かい宵、いつになく別荘のどの窓にも明かりが灯り、珍しいことに三階の窓にも、部屋から部屋へと行き来する明かりが見えた。

　四頭立ての馬車が別荘の正門から、玄関への長い並木道に入り、玄関の前で停まった。鉤裂きのできた上着の使用人が駆け寄り、ルネフスキイが降りるのに手を貸した。

　ルネフスキイが居間に入ると、すでに大勢の先客がホイスト*に興じたり、会話を楽しんだりしていた。准将夫人はセミョーン・セミョーノヴィッチ・テリャエフと組んで、ホイストの卓に向かっていた。部屋の一角には大型の給茶機《サモワール》が据えられ、そのかたわらに座っている年配の婦人は、ダーシャが前にしてくれた話のとおりだとすれば、クレオパトラ・プラトノヴナだろう。年恰好は准将夫人と同じくらいだろうが、青ざめた顔は悲しげで、重大な秘密を抱えているかのようにも見えた。

　ルネフスキイの到着を知り、准将夫人の顔に喜びが浮かんだ。

「ありがとうございます」彼女は言った。「この年寄りを覚えていてくださって。いらっしゃらないのではと心配しかけていたところでした。ここにおかけになって、お茶をどうぞ。モスクワではなにか新しいことがありましたか、聞かせてくださいな」

テリャエフは、言葉では説明しづらい仕草で、彼特有の一礼をすると、ポケットから嗅ぎ煙草入れを出し、妙にやさしい声でルネフスキイに勧めた。

「一服いかがですか。生粋のロシアもので、メリロート入りです。フランスのはいけませんな。嗅ぎ煙草はロシアに限ります。体にいいので、鼻風邪などは……」

言う間に大きく舌を鳴らし、老官僚の言葉は曖昧なまま終わった。

「ありがとうございます」ルネフスキイは答えた。「ですが、嗅ぎ煙草はたしなまないので」

准将夫人は不機嫌な目をテリャエフに向け、隣の婦人に小声で言った。「セミョーン・セミョーノヴィッチの舌打ちは、よくない癖ね。入れ歯さえ入れれば、ちゃんと話せるようになるのに」

准将夫人の言葉もテリャエフの声も、ルネフスキイには上の空だった。彼の目はダーシャを捜し、ようやく同じくらいの年頃の女性たちとティーテーブルを囲んでいるところを見つけた。ダーシャはいつもと変わらぬ落ち着いた様子で、礼儀正しく彼を迎えたが、その落ち着きようは無関心を疑いたくなるほどだった。ルネフスキイは当惑を隠すのに一苦労し、彼女への返礼もぎこちなく思われそうだった。だが、すぐに落ち着きを取り戻した。同席の少女たちに紹介され、会話の輪にとけこんだ。

ホイスト　カードゲームの一種。ブリッジの原型。

准将夫人の別荘にあるものは、彼にはどれももの珍しく見えた。獣脂蠟燭が灯された天井の高い部屋の、贅を尽くした家具。埃と蜘蛛の巣に覆われたイタリアの絵画。あちこちのテーブルは、編みかけの靴下や胡桃《くるみ》の殻や、手擦れのした骨牌《トランプ》が無造作に置かれていても、フィレンツェあたりの職人による寄木細工だと見てとれた——それらが女主人の気の置けない歓待や、昔ながらの会話や、テリャエフの舌打ちと混じりあって、なんとも不思議な空気を醸し出していた。

　少女たちはサモワールを片付けてなにかのゲームをはじめようとし、ルネフスキイも誘われてテーブルについた。

「占いをしましょう」ダーシャが言った。「この本を、最初の人が見たり考えたりしないで開きます。次の人が、ページの右か左かと、その何行目かの数字を言います。そこに書いてあることが予言になります。まず、わたしからやってみましょう。ルネフスキイさん、何行目にしますか」

「左ページ、下から七行目」

　ダーシャは声に出して読んだ。

「〈祖母が孫娘《まご》の生き血を吸う如《ごと》く〉……怖いわ！」彼女はそう叫ぶと、笑いだした。「どういう意味なのかしら。その詩を最初から読んでみてくださいな」

　ダーシャはルネフスキイに本を手渡した。製本した手稿のようだ。彼は読みはじめた。

　木菟《みみづく》の蝙蝠《かはほり》を捕らへ、
　その身の骨を摑み折るかの如く、

騎士アンブロシアスは荒武者共を率い、
宿を乞はむと城を訪《おとな》う。
錠と鎖にて閉ざされたる門は、
女主人の手で開かれき。
マルサよ、汝《な》が夫《つま》は何處《いづこ》？
かの老爺《ろうや》はどこに居る？
其方《そなた》の顔はなにゆゑ青きか？
ドナウの流れは暴《あら》び逆巻き、
邪《よこしま》なるは夜に潜む。
怖るる勿《なか》れ、死人《しびと》は墓からは出でぬ、
案内《あない》せよ、そは汝が運命ゆゑ。
ドナウの流れは暴び逆巻き、
雲は細く夜空に棚引《たなび》く。
邪なる老爺は一突きのもとに斃《たふ》れたり。
血は剣《つるぎ》を濡らし、川のごと墓に流る。
アンブロシアスは主《あるぢ》を裏切りし女に杯を掲ぐ。
ドナウの流れは暴び逆巻き、
城は紅蓮《ぐれん》に燃え上がれり。

アンブロシアスは荒武者に告ぐ。
「囚はれし者はなし——老いも若きも、病める者も」
嘆く勿れ、女よ、喜ぶがよい！
そなたが招きし者はみな、そなたの客人《まらうど》！
大いなるドナウは霧に煙《けぶ》り、
燦《きら》めく流れは城の燃ゆるを映しをり。
騎士アンブロシアスは荒武者共に告ぐ。
「退《ひ》け時なり——者共、いざ發《た》たん」
嘆く勿れ、女よ、喜ぶがよい！
そなたが招きし者はみな、そなたの客人！
マルサの頭《こうべ》に雷《いかづち》のごと響くは呪詛《のろひ》、
かの夫《つま》の今際《いまは》のきはの聲。
「汝《なれ》、死の苦しみを味わうべし。汝《な》が愛する者みな死すべし。
汝《な》が血筋、絶え果つべし！
汝が愛《め》づるもの、悉《ことごと》く滅ぶべし、
祖母が孫娘《まご》の生き血を吸う如く！
我が呪詛、汝が血族《うから》の末代に及ばん、
最後の一人が命盡きるまで。

繪姿の伴侶を求むるとき至れば、
花嫁は墓より蘇らん。
不實なる愛の最後の犧牲《いけにへ》は、
頭蓋を砕かれ血の海に果てん」
木菟の蝙蝠を捕らへ、
その身の骨を摑み折るかの如く、
騎士アンブロシアスは荒武者共を率い、
宿を乞はむと城を訪う。
嘆く勿れ、女よ、喜ぶがよい！
そなたが招きし者はみな、そなたの客人！

ルネフスキイは口を閉ざし、いつか舞踏会で出会った、正気をなくしたと噂される男の言葉を思い出した。彼が読んでいるあいだ、准将夫人はカードテーブルで耳を傾けていたが、読み終えたとき彼に声をかけた。「なんとまあ、怖い詩なんでしょう。わたしたちを震えあがらせるおつもり？」

「お祖母様」ダーシャが言った。「わたし、これがなんの本か知らなかったの。部屋の本棚のいちばん上から落ちてきたんです」

セミョーン・セミョーノヴィッチ・テリャエフは、准将夫人に目をやり、椅子を回して言った。

「これはきっと、隠喩を連ねた寓意詩の類でしょうな。いわば幻想詩か！」

「まぎれもなく幻想詩でしょうよ」老婦人は不満げに言った。「わたしが若い頃には、そんなものは誰も書いたり読んだりしませんでした。いったい誰が書いたものやら」まだ機嫌が戻らない様子で続けた。「蝙蝠《こうもり》の詩なんて、物好きにもほどがあります。わたしはあの生き物にはぞっとするし、木菟《みみずく》も嫌い。イグナーティ・サヴェリッチには怖いものなどありませんでしたが、鼠だけは嫌っていました。昔からね。モルダヴィア*に出征したときは、鼠のせいで気の休まる暇もなかったと言っていました。食糧ばかりか、装具まで食い荒らしたそうですから。『幕舎《テント》で眠っていると、髪を咥《くわ》えて引っぱるんだ』と申しておりました。あの頃の殿方は今と違って、みな髪を編んでいたものでした」

ダーシャはこの予言を笑いぐさで済ませたが、ルネフスキイは心に沸き起こった奇怪な連想を振り払わずにはいられなかった。あの詩がところどころリバレンコの言ったことに一致するのは偶然にすぎないのだ。少女たちは別の占いで遊びはじめ、老人たちはホイストの勝負を終えて卓を立った。

ダーシャと二人、誰の邪魔も入らぬところで言葉を交わすことができず、ルネフスキイは苛立った。はっきりさせられないままでいるのは苦しかった。ダーシャは自分のことを友達と認めてくれているが、それ以上の思いを抱いているのかを確かめるまでは、結婚の申し込みはすべきではないと思っていたのだ。

夜が更けるにつれ、テリャエフは思惑ありげな目をルネフスキイに向けては、たびたび舌を鳴らした。

十一時をまわると、客たちは三々五々と帰りはじめた。ルネフスキイも准将夫人におやすみの挨拶をした。クレオパトラ・プラトノヴナが、その赤い鼻で酒好きなのが一目瞭然の従僕に、彼を用意し

た部屋に案内するよう言いつけた。

「緑の間でございますか」酒神《バッカス》の信徒は尋ねた。

「もちろん、緑の間です」クレオパトラ・プラトノヴァは答えた。「ほかに部屋はないのをお忘れですか」

「いかにも」従僕は口ごもった。「おっしゃるとおりで。ですが、あのお部屋にはプラスコヴィア・アンドレーヴナ様がお亡くなりになってから、どなたにもお泊まりいただいてはおりませんが」

このやりとりに、ルネフスキイは幽霊の出る古城の話をあれこれ思い出した。たとえばこんな話を。旅人が夜更けに人里離れた一軒きりの旅籠《はたご》にたどり着き、一夜の宿を乞うた。主人が言うには、旅籠はあいにく満室ですが、あなたに勇気がおありなら、森の向こうに塔が見えるあの城で、心地よくお過ごしになれるでしょう、と。その言葉に従い城に宿を借りたが、幽霊が出たので結局は眠れぬ一夜を過ごすことになった。

ルネフスキイがこんな話を思い出したのも、准将夫人の別荘に踏みこむと同時に、なにか尋常でないことが起きるのではないかという、奇妙な感覚にとらわれたからだった。リバレンコの戯言《たわごと》のせいだ、と彼は胸の内で悪態をついた。

「まあ、気にすることはありませんやね。緑の間にご案内いたします」従僕がつぶやいた。

「余計なこと言っていないで、蠟燭を灯して」

モルダヴィア　ルーマニア東北部。一八世紀からオスマン帝国とロシア帝国の領有権争いの場となった。

従僕は燭台を手に、ルネフスキイを二階へと案内した。彼は階段を上りかけて振り返り、クレオパトラ・プラトノヴナがいないのを確かめて、ぼやきの声を高くした。「余計なことは申しませんとも。そんな柄ではございませんって。役目はお部屋へのご案内。私は廊下を歩くだけ。余計なことは申しません。もし私が奥方様の立場なら、お部屋に締まりなどしないで、司祭様にお祈りをしていただいてから、お客様をお通しするなり自分が住むなりしますがね。他にどうしろって言うのかね。使わない手はなかろうに」

ルネフスキイは尋ねた。「そこはどんな部屋なのかな」

「お話ししますよ。プラスコヴィア・アンドレーヴナ様に神の御加護を」神妙な声で言うと、従僕は階段を見上げた。「御霊《みたま》の安らかならんことを……」

「話はあとで」ルネフスキイは言った。「先に案内を」

その部屋は広く、壁の大きな暖炉には火が熾《おこ》してあった。火は暖めるだけでなく、この古い部屋の重苦しい空気を一掃し、居心地よく感じさせていた。閉めきった小さな扉のそば、長椅子《ソファ》の上の壁に、一幅の肖像画が飾られているのに気づき、ルネフスキイは驚いた。描かれているのは十七歳ほどの少女で、短い袖にはレースを飾り、裾の広がったドレスを着て、髪粉を振り、胸元にはピンクの花束を抱いていた。いでたちが古風でなければ、ダーシャの肖像だと思うところだ。顔立ちだけでなく、まなざしも表情も、ダーシャその人だった。

「これは、誰?」彼は従僕に尋ねた。

「この方が、今は亡きプラスコヴィア・アンドレーヴナ様です。ダーリア・アレクサンドロヴナ様に

よく似ておられる、とおっしゃる方も多いのですが、私にはそれほどとも思えません。ダーリア様の御髪《おぐし》は亜麻色で髪粉はつけておられません。それに、このような古風なドレスはお召しになったことはないかと」

わざわざ反論することもないとは思ったが、プラスコヴィア・アンドレーヴナという人について知りたくなり、ルネフスキイは従僕に尋ねた。

「プラスコヴィア・アンドレーヴナ様は」と、従僕は語りだした。「奥方様の叔母にあたる方です。御結婚のお相手は……ええと、なんと言ったかな……名前は忘れてしまいましたが、外国の方で、とんでもない吝嗇漢《けちんぼ》でした。そういう話を聞いただけで、よくは存じませんが。だから名前も忘れてしまいました。このお屋敷を建てた人で、奥方様の祖母君がのちにお買い取りになったわけなんですが。で、このお部屋はプラスコヴィア・アンドレーヴナ様と御夫君のために作られたものでした。今は緑の間という名で呼んでおります。御婚礼にあたり、このお部屋には絨毯を敷き、絵や鏡を壁に飾り、なんとも綺麗に仕立てあげられました。このように準備を整えていましたが、婚礼の前日になって、花婿が行方をくらましてしまいました。プラスコヴィア・アンドレーヴナ様のお嘆きは察するに余りあるどころか、悲しみのあまり御本人がお亡くなりになるほどだったのです。母君——奥方様には祖母君ですが——は、緑の間をプラスコヴィア・アンドレーヴナ様の御生前そのままにしておかせました。他のお部屋は何度となく模様替えしたり直したりしたのですが、ここだけは誰も手を触れませんでした。なので、奥方様も閉めておかれたのですが、今日はことにお客様が大勢おいでになり、お泊まりいただくお部屋として開けた次第です」

「では、さっき言っていた、司祭にお祈りしてもらいたい、というのは？」

「はい、そうするのがよろしいかと思っております。このお部屋はもう六十余年も、人が入っていないのですから。お客様をお通しするなら、どこの御主人もそうお考えになるのでは」

ルネフスキイは赤鼻の従僕に、もう下がってよいと告げた。が、従僕はすぐには従わなかった。最後まで話しておきたかったのだ。

「あの向こうに」と、彼は長椅子のわきの閉ざされた扉を示した。「どなたも入ったことのないお部屋がいくつもあるのです。古い家具を運び出し、今風に模様替えすれば、奥方様も今よりずっと居心地のよいお部屋をお使いになれるのに。ですが、そのおつもりがないのであれば、私などが口をはさむことでもございませんので」

いいかげん話を終わらせたくて、ルネフスキイは従僕の手に銀貨を押しつけ、もう眠いので一人にさせてくれ、と言った。

「お心付け、ありがとうございます」従僕は言った。「では、おやすみなさいませ。なにかございましたら、いつでも呼び鈴を。私が参ります。お付きの方もこの屋敷は初めてで、不案内でおられましょうし、廊下は暗く危のうございますので」

従僕は下がったが、ルネフスキイの従者を相手に、准将夫人が緑の間を解放すれば別荘がどれだけよくなるかを、まだ話しているのが聞こえた。

一人になってから、部屋の凹室《アルコーヴ》に、高い天蓋《てんがい》から繻子《しゅす》のカーテンを垂らした、贅を凝らした寝台《ベッド》が設《しつら》えられているのに気づいた。だが、その寝台を使うはずだった故人への敬意ゆえにか、その霊が出

るのを怖れでもしたか、従僕は部屋を出る前に、扉のそばの長椅子を寝台に仕立てていった。

横になったルネフスキイは、心に浮かんでやまない女性《ひと》を思い出させる肖像画に、再び目をやった。

この肖像は夜になると、いまだ葬られていない自分の遺骨のありかを知らせようと、額縁から抜け出してきそうだな、と彼は思った。だが、描かれた姿がダーシャに似ているところから、彼の想像は別のほうに向かっていった。眠ろうと蠟燭の火を消してはみたが、いっこうに眠くならない。ダーシャのことを思うと目がさえてしまう。しばらく輾転反側するうちに、ようやくうとうとしはじめたが、霧の中から現れるかのように、夢には准将夫人やリバレンコや、騎士アンブロシアスや、セミョーン・セミョーノヴィッチ・テリャエフの姿が浮かんだ。

絶望のあまり胸の奥底から押し出したような、低い呻《うめ》きを耳にして、身を起こした。目を開くと、暖炉の火明かりにダーシャの姿が浮かんでいた。彼女がいることだけでなく、その出で立ちにも、ルネフスキイは驚いた。プラスコヴィア・アンドレーヴナの絵姿そのままのドレスだった。ピンクの花束は胸元にピンで留められ、昔風の細工《つくり》の扇を手にしていた。

「おや」ルネフスキイは声をかけた。「どうしてこんな遅くに？　そのドレスは？」

「もしお邪魔でしたら」彼女は答えた。「すぐ出ていきます」

「いいえ、いてください」彼は言った。「どうしてこの部屋まで？　お役に立てるのなら、なんなりと」

彼女はまたも呻いたが、そのもの言いたげな奇妙な響きには、胸を痛ませるものがあった。

「ああ」彼女は言った。「お話をしている暇はありません。もといたところに戻らなくてはならないの

です。とても熱いところに」

　そして、ルネフスキイが寝台にしている長椅子の端に腰掛け、扇であおいだ。

「暑いところというのは？　どこです？」ルネフスキイは尋ねた。

「訊かないで」問われたことを怖れるように彼女は言った。「そのことはお答えできませんが、お目にかかれたのをとても嬉しく思います」そして、笑みを浮かべた。「長く御滞在していただけますか」

「できるかぎりは」

「お寝《やす》みはこの部屋で？」

「たぶん。なぜそんなことをお尋ねに？」

「あなたと二人だけでお話ししたいのです。わたしは夜ごと、この部屋に来ていますが、あなたにお目にかかったのは今夜が初めてなので」

「それはそうです。今日来たばかりですから」

「ルネフスキイさん」しばしの沈黙ののち、彼女は言った。「お願いがあります。この長椅子のそばの、隅の飾り棚《エタジエー》に、小函が置いてあります。中身は金の指輪です。その指輪を取って、明日のうちに、わたしの肖像画と婚約してください」

「そんな！」ルネフスキイは声をあげた。「ご自分がなにをおっしゃっているのか、おわかりですか？」

　彼女はまたも呻いたが、それはさらに悲痛に響いた。

「お願いです」身の内から湧きあがる震えに堪えかね、彼は言った。「お願いだから、ふざけないでください！　どうしてここに来たのかを教えてください。そんなドレスを着ているわけも。お願いです、

ぼくを信じて、隠さず話してください」

彼女の手を握ったが、あまりに痩せこけて冷たく、骸骨の手のようだった。

「ダーシャ、ダーシャ！」恐怖を覚えて彼は叫んだ。「どうしたのですか？」

「わたしの名はダーシャではありません」幽霊は嘲笑うかのように答えた。「なぜにわたしをダーシャとお呼びになるのですか」

ルネフスキイは気を失いかけた。するとそのとき、扉を強く叩く音がし、赤鼻の従僕が燭台を手に踏みこんできた。

「いかがなさいましたか」彼は尋ねた。

「呼んでいないが」

「呼び鈴が鳴りましたもので。紐がまだ揺れております」

目をやった先には、知らずに引いた呼び鈴の紐が揺れていた。ルネフスキイは、自分の恐怖の根源にも気づいた。ダーシャだと思っていたのはプラスコヴィア・アンドレーヴナの肖像画であり、取った手を骨のように感じたのは、紐の固い持ち手だったのだ。

だが、たしかに彼は語りかけ、彼女は答えた。この説明では納得がいかない。ロシア語にはない言葉だが、フランス語でいう「夢魔《コーシュマー》」というものなのだろう、と彼は決めこんだ。悪い夢はいつもではないが、目覚めてからも残ることがままあるし、胸に重いものが乗ったように覚えることもある。そして、悪夢はきまって、目覚めているあいだ目にしている現実に、よく似ている。

ルネフスキイは従僕を下がらせ、寝直そうとしたが、間を置かずに従僕がまた戸口にやってきた。赤

かった鼻さえ青ざめ、震えあがっている。

「なにかあったのかね」ルネフスキイは尋ねた。

「はい、左様で」従僕が答えた。「自分の部屋で眠るどころか、帰ることもできません」

「部屋がどうかしたのか」

「どうもこうもありません。あの肖像画そのままの、プラスコヴィア・アンドレーヴナ様が出たんです！」

「馬鹿な。酒に酔って悪い夢を見たんだろう」

「いえいえ、夢ではありません。信じてください！　部屋に入るや、姿が見えたのです。ああ、神様！　こちらに背を向けて座っていましたが、振り向きでもしたら、私は怖しくて死んでしまったことでしょう。幸い、そっと静かに部屋を出たので、目は向けられませんでしたが」

　そこに、ルネフスキイの従者が現れた。

「アレクサンドル・アンドレーヴィッチ様」従者は言った。「ここはなんだか気味の悪いところです！」

　ルネフスキイが尋ねると、彼は話を続けた。

「使用人部屋でしばらく話をしてから横になったのですが、このヤーコフ・アンティーピッチに『旦那様がお呼びだよ』と起こされました。申し訳ありませんが、たいそう眠いうえに、ヤーコフも酔って呂律《ろれつ》があやしくなっていたので、気のせいだろうと答えてまた眠りかけたところで、衣擦れの音と、忍び足の足音が聞こえてきたんです。それを聞いたらすっかり目が覚めたどころか、全身にさむけが走りました。そこで飛び起きて、廊下を走ってまいりました。あの部屋では眠れません——外で眠っ

たほうがまだましです！」

　ルネフスキイは自分の目で確かめようと思った。外套を着て燭台を持ち、ヤーコフについて、プラスコヴィア・アンドレーヴナが出たという使用人部屋に行った。二人の従者はびくびくしながらあとに続いた。半開きの扉の前で、ルネフスキイは足を止めた。勇気をふるっても、なかなか中に目を向けられなかった。

　自分の部屋で見たままの幽霊は、古い肘掛け椅子に座り、もの思いにふけっているようだった。彼女の青ざめた顔立ちはダーシャにそっくりで、美しかったが、その手は骨だけだった！　幽霊はその手をじっと見つめ、悲しげにかぶりを振ると、呻いた。

　その呻きはルネフスキイの心に突き刺さった。

　彼は怖れを忘れて扉を開いたが、部屋には誰もいなかった。幽霊に見えたのは、椅子の背にかけてあったヤーコフの派手なお仕着せで、離れて見れば女が座っているように見えなくもない。だが、どうしてあんなふうに見えたのか、ルネフスキイには自分の目が理解できなかった。従者たちは部屋に踏みこめそうになかった。

「今夜はおそばにいさせてください」屋敷の従僕が言った。「お邪魔はいたしません。御用があればお声をおかけください」

「私も一緒にお願いいたします」と、自分の従者が言った。「一人でいたら、頭がおかしくなりそうで……」

　ルネフスキイは部屋に戻り、二人の従者は扉の前の廊下に寝場所を設えた。ルネフスキイの眠りは

その後は妨げられることがなかったが、その夜に起きたことは忘れようがなかった。

　翌日、ルネフスキイは折を見ては、緑の間について尋ねてみたのだが、准将夫人もクレオパトラ・プラトノヴナも、問われるたびに話を逸らして答えようとしなかった。知り得たことはヤーコフの話だけだった。准将夫人の叔母は若くして外国の富豪と結婚することになったが、婚礼の前日に花婿は失踪し、花嫁は悲しみのあまり病に伏して、じきに儚《はかな》くなった。病気でなく服毒自殺だという噂が立った。彼女のために設えられた部屋は当時のままに残され、ルネフスキイのために開けるまでは誰一人として入ることがなかった。肖像画があまりにダーシャに似ているのに驚いたとルネフスキイが言うと、准将夫人はこう答えた。「なにも不思議なことではありません。プラスコヴィア・アンドレーヴナはわたしの叔母、ダーシャはわたしの孫なのですから。似てもいましょう。叔母の不幸も、驚くほどのことではありません。もし相手がロシア人だったら、きっと今も達者に暮らしていたことでしょう。よりにもよって、どこの誰ともわからぬ男を選んでしまったばかりに。いつの時代にも、人は分別を失ってしまうものです。ただ、お気を悪くなさらずお聞きになって。あの頃は今よりも人は賢いものでした」

　黙って聞いていたセミョーン・セミョーノヴィッチ・テリャエフは、ルネフスキイに嗅ぎ煙草をすすめたが断られ、蓋を閉めて舌を鳴らした。

　その日、ルネフスキイはダーシャに思いの丈を打ち明ける機会を得、さらに准将夫人にも話すことができた。准将夫人は当初は驚いていたが、彼の申し出を拒む様子はなかった。彼女はルネフスキイの額に口づけすると、孫娘の結婚相手には願ってもない人だ、と言った。

「ダーシャがあなたに思いを寄せているのには、前々から気づいておりました。歳をとっておりますとね、傍で見ているだけで、若い人の気持ちはわかるものです。わたしが若かった頃は、娘は結婚する気があるかなんて聞かれはしないものでした。父親なり母親なりが選んだ相手だからと、嫁いでいったものでしたが、それでも結婚は幸せなことでした。教育も今よりはずっとよいものでしたしね。学問を軽んじはしませんでしたが、知識を詰めこませたあげく、娘を馬鹿にしてしまうような真似もしませんでした。みなお行儀がよくて、いまどきみたいな浮わついた子はいませんでしたよ。わたしはフランス語は話せませんが、ダーシャの母親には家庭教師をつけましたし、通いの教師を何人かと、ダンスの先生も雇ったものでした。あの子はなんでもよく学んで自分の身につけましたが、お行儀のよさも思いやりの深さも忘れませんでした。わたしがイグナーティ・サヴェリッチと結婚したのは、父に従ってのことでしたが、それでも夫を心から愛しておりました。夫が出征するたびに泣いておりましたが、あまりに泣きすぎるので、そのつど怒られましたよ。『マルファ・セルゲイェヴナ、なぜそんなに泣く?』なんて。『母なる皇帝陛下に仕えるのが軍人の勤めだ。ピョートル・アレクサンドロヴィッチ伯爵閣下がトルコと戦いにお出ましだというのに、私が暢気に暖炉にあたっていられるものか。無事に帰ったときは喜べ。帰らぬときは、夫が軍務を全うしたと思えばよいのだ』そう言ったときの出で立ちときたら、緑の軍服には金糸で縫い取りがしてあって、襟は鮮やかに赤くて、軍靴は顔が映るほどぴかぴかに磨いてあって、それはもう見惚れるほど立派なものでした……。あらまあ、昔のこととなると夢中になってしまって。余計な話にお付き合いさせてしまいました。モスクワにお戻りになったら、この結婚の許可をフェドーシャ・アキモヴナ・ゾーリナにお願いなさい。あの人がダーシャの

後見人なのですから。ゾーリナが許したら、ダーシャの婚約者《いいなずけ》として、しばらくここでお暮らしなさい。未来の祖母のことをもう少しお知りおきになるのがよろしいでしょうから」

老婦人の話は続いたが、ルネフスキイの耳にはもはや届かなかった。彼は四輪馬車に飛び乗り、モスクワへと急いだ。

モスクワに着いたときはすでに晩《おそ》くなっていたので、ダーシャの伯母を訪問するのは明日の朝まで待とうとルネフスキイは決めた。だが、さすがに寝付けないので、月のさやけき夜をよいことに、逸る心を静めようと、あてもなく街中の散策に繰り出すことにした。

街には人通りも絶え、歩道を急ぎ行く遠い足音が聞こえるほどだった。ときおり辻馬車が石畳に車輪を鳴らして通りすぎた。ほどなくして、それらの音も止み、ルネフスキイは一人、都会の静寂の中に取り残された。マホヴァヤ通りを抜け、クレムリン公園に踏みこんでいくと、男が一人ベンチに座り、もの思いにふけっていた。近づくと男は顔を上げ、月の光で彼がリバレンコであると見てとれた。この男に会いたいと思っていたわけではないが、この夜はルネフスキイの頭に、彼のことがたびたび浮かんでいた。リバレンコの話は精神の不調による妄想にすぎない、と考えようとしたが、そう信じきることができないでいた。リバレンコはまったく狂してしまったのではなく、自分の良識を奇妙な言葉に隠して、付き合いの浅い相手を当惑させているだけで、実は正気をかなり残しているのではないか。そんな疑念がルネフスキイの頭から離れなかった。そして、ダーシャを危険なところに一人で置いてきてしまったことを悔やんだ。

リバレンコは彼に気づくと、握手の手を差し伸べた。

「どうやら共通の趣味を持っていたようだね」彼は笑みを浮かべた。「たいへん結構！　ここに掛けたまえ。話でもしよう」

ルネフスキイはベンチに黙って座り、しばらくは二人とも無言のままだった。やがてリバレンコが口を開いた。

「初めて会ったときは、頭のおかしなやつだ、と思ったことだろうね」

「ごまかせないものですね」ルネフスキイは答えた。「とても変わった人だな、と思いましたよ。話し方も、考え方も……」

「まさに。おかしなやつと思われるのも当然だ。あのときは忌まわしい吸血鬼《ウプイリ》に怒りを覚えていてね。やつらは隠れようともしないのだから。あれから、連中のうち誰かに会ったかい？」

「あなたがウプイリだと言っていた准将夫人の別荘《ダーチャ》に一晩泊まりましたよ」

「准将夫人の別荘に、かい？」リバレンコはおうむ返しに言った。「孫娘も来ていたかな」

「今もいることでしょう。明るいうちに話をしたばかりです」

「あの娘《こ》はまだ生きてるのか？」

「もちろん。友よ、気を悪くしないでほしいんですが、あなたはあの老婦人のことを悪く考えすぎているような気がします。人のいいお婆さんで、孫娘のことをしんそこ大事にしているとしか、ぼくには思えません」

リバレンコは彼の言うことを最後まで聞いてはいなかったようだった。見込み違いだった、と言い

たげな顔になり、指先を口元に当てた。

「おかしいな」しばしの間ののち、彼は言った。「ウプイリは待たないものだが。ところで、テリャエフも別荘に？」

「来ていました」

「驚いたな。あいつはウプイリの中でもことに邪悪で、スグロビナよりもはるかに血に飢えているのに。だが、我慢も長くはもたないだろう。あの可哀想な女の子を助けたいなら、打つ手を教えるから、急いで私が言うとおりにするんだ」

「ぼくにはどうも」ルネフスキイは言った。「あなたが真面目に話しているような気がしませんね。准将夫人もテリャエフも、とてもウプイリなどとは思えない」

「そうかな」リバレンコは食い下がった。「なにかおかしいとは思わなかったのかい？　テリャエフが舌を鳴らすのは聞いているだろう」

「もちろん。だからといって、四十五年も官吏を勤めて、まわりが敬意をもって接している人を疑う理由にはできなません」

「ああ、きみはまだテリャエフを知らないからな。仮にやつの舌打ちがウプイリである証拠ではないとしても、准将夫人の暮らしぶりを見てなにか気づかなかったかい？　一晩過ごして、ちょっとでも怖かったり、嫌な思いをしたり、別の世界から来た得体の知れない生き物がすぐそばにいるような気がしたりとかは、しなかったかい？」

「そんな感じがまったくなかったとは言いきれません。もっとも、それはぼくの想像力のせいで、ど

んなところでも感じそうなことを、たまたま准将夫人の別荘で感じたにすぎないのだ、と思っています。もっとも、かの老婦人の為人《ひととなり》や物腰が、あの別荘の外観や内装とは対照的なので、尋ねた人はみな、なにがしか余所《よそ》にないものを感じることでしょう」

リバレンコは笑みを浮かべた。

「あの別荘の建築様式に気づいたかい？」彼は尋ねた。「正面《ファサード》の見事なこと！　あれこそイタリア様式だ。だが、きみに影響を及ぼしたのは建物ではない」そう言うと、ルネフスキイの手をとった。「私を友人と思って、正直に話してほしい。われらが老婦人の別荘で、なにか変わったことが起きはしなかったか？」

緑の間のことを思い出し、リバレンコは信用するに足る気もしたので、隠すこともあるまいと、ルネフスキイは起きたことを記憶のままに語った。リバレンコは注意深く耳を傾け、話がおわるとこう言った。「実際に起きたことを想像力のせいにするのは良いことではないね。亡きプラスコビア・アンドレーヴナのことは、私もよく知っている。お望みであれば、いつかお話ししよう。いちばん良く知っているのはクレオパトラ・プラトノヴナだが、よほど気が向かないかぎり話しはしないだろう。くれぐれも、その冒険については、軽々しく口にすることのないように。この出来事はきみが思うよりもずっと、私の経験してきたことと関連深いし、共通項も多くある。これから話すことは、きみへの警告として聞いてもらいたい」

リバレンコは考えをまとめようとしているかのように、しばらく黙っていたが、やがてベンチのそばの菩提樹に寄りかかり、話しはじめた。「三年前、私は病を得て、葡萄の果汁を用いた療法を受ける

ためにイタリアに行った……」

療養地として有名な湖畔の町、コモ*に滞在するあいだに、私はヴォルタ広場の近くに〈悪魔の家《ラ・カーサ・デル・ディアヴォロ》〉と呼ばれている、百年あまりも人が住んでいないという空き家の噂を聞いた。そのとき身を置いていたヴィーコ村から、友人が寄宿している〈天使荘《アルベルゴ・ディ・アンジェロ》〉を尋ねるたび、その前を通っていたのだが、それまでは噂を知らずにいたので、なんの興味も抱かなかった。だが、その呼び名と、空き家にまつわる奇妙な話のあれこれを聞いてからは、わざわざ足を延ばしては、注意深く目を向けるようになった。一見したところでは、なんの変哲もない空き家でしかなかった。ただ、一階の窓は太い鉄格子で閉ざされ、鎧戸は下り、壁のあちこちには死者への祈りを書いた紙が貼り付けてあって、錠を下ろした門はひどく汚れていた。

隣に理髪店があったから、〈悪魔の家〉の中を見られないものか、尋ねてみようと思った。

店に入ると、神父が椅子に体を伸ばし、顔に薄汚れたタオルを載せていた。肥った理髪師が腕まくりをし、石鹸の泡を丁寧に、かつ素早くその顎に塗り、勢いあまって耳や鼻にまでつけてしまったが、神父はそれでもおとなしくしていた。

私が尋ねると、あの家は戸締まりをしたままで、持ち主は誰に頼まれようと開けはしないだろう、と理髪師は言った。どういうわけか、私をイギリス人だと思ったようで、彼は身振り手振りを交えて熱弁をふるった。これまでも旦那さんのお国の人たちが、何度もあの家に入る許可を得ようとしたんですが、そのたび持ち主のドン・ピエトロ・ドゥルジーナは、私の屋敷を酒場や画廊やなにかと一緒に

するな、ときっぱり断ったので、中を見ることはかないませんでした、と。

神父が石鹸の泡の下で妙な笑みを浮かべているのが見てとれたので、話を聞いているとわかった。

理髪師が仕事を終え、顔をタオルで拭うと、神父は椅子を下り、私と連れだって店を出た。

「失望することはありません、シニョール」と、神父は言った。「〈悪魔の家〉などと呼ばれてはいますが、ご興味をお持ちになるほどのものではありません。ただの空き家なのですから。噂はみな、ドン・ピエトロが自分で流しているのですし」

「しかし」私は尋ねた。「なぜ自分の持ち家にわざわざ悪い噂をたてるのでしょう。外国人がこんなに来ているのだから、貸せば大儲けになるだろうに」

「他人《ひと》が思う以上に、さまざまな理由があるのです」神父は答えた。

「どんな理由なのでしょう」私はテュレンヌ*の話を思い出していた。「まさか、あの屋敷で通貨を鋳造しているのだとか」

「いえいえ」神父は答えた。「ドン・ピエトロはたしかに変わり者ではありますが、真面目な男です。違法な商売をしているとか、悪名高い密輸人ティタ・カネリと取引しているとかいう噂もありますが、私には信じられませんね」

コモ　スイスとの国境に位置する北イタリアの都市。コモ湖の南西にあり、避暑地として知られる。

テュレンヌ　フランス南西部の都市。一四世紀から一八世紀にかけ、通貨、税制、宗教を含め完全な自治を守ったが、領主の破産によりフランスに帰属した。

「その、ティタ・カネリというのは？」

「カネリは、もともとはここの湖の船頭の一人でした。ですがある日、市場で喧嘩をし、誤って相手を殺してしまいました。彼は逃げて山に潜伏し、再び人前に現れたときは、密輸団の首領になっていました。彼はスイスからの密輸品をドン・ピエトロの別荘の一軒に隠しているという噂も聞きました。そこには、違法な商売で稼いだ金も貯めこんであるとも。もちろん、私に言わせれば、与太話もいいところですが」

「そのドン・ピエトロというのはどんな人で、そういった〈悪魔の家〉についての話はなにを意味しているのか、お聞かせ願えますか」

「ドン・ピエトロは身内に起きた事件を隠そうとし、それが実際に起きた場所から世間の目をそらすために、町にある持ち家にくだらない噂話を次から次へと作っては、広めたのです。人々は興味を惹かれ、やすやすとその噂に飛びついて、実際になにがあったのかは忘れてしまいました。

〈悪魔の家〉の持ち主であるドン・ピエトロが、齢《よわい》八十を越えていることはお伝えしておいたほうがいいでしょう。彼の父親は同じ名前のドン・ピエトロ・ドゥルジーナで、地元では嫌われた人でした。凶作が数年続き、住民の半数が餓死したとき、ありあまるほどの財産を持ちながら、倉に溢れる穀物を法外な値で売ったのですから。そして、そんな凶作のさなかに、なにを思ってかはわかりませんが、あなたのお国、ロシアへと旅に出たのです。私は気づいておりましたよ」と、神父は続けた。「理髪師のフィナルディさんは、あなたのことをイギリス人だと思いこんだままですが。母国が苦難の中にあるときに、先代は息子、つまり今のドン・ピエトロに、仕事の一切を任せて、ロシアに行ったのです。

やがて春が訪れ、最初の作柄からその年は豊作の予測が立ち、穀物相場は大暴落しました。秋が来て収穫が終わると、相場は底値を打ちました。息子のドン・ピエトロは、父が旅立つ前に固く言い置いたことを忠実に守り、値下げしなかったので、穀物の在庫はまるで捌《さば》けませんでした。それでも父親の付けた値を守り続けたので、客はまったく来なくなりました。神の御加護か、この地では凶作はめったにないので、父ドン・ピエトロの目論見は無に帰しました。息子は父に何度も手紙を出しましたが、相場の変動は早く、返信で値下げの許可を得たとしても間に合いませんでした。

亡き先代のドン・ピエトロは、類を見ない吝嗇漢《りんしょくかん》だったというのが世間の見方ですが、私はむしろ、彼は悪人なばかりか変わり者でもあり、息子は変わり者の方を受け継いだと思っています。さて、遅れて着いた手紙に驚いた父は、急いでロシアを発ちコモに帰りました。評判どおりの吝嗇漢であれば、先代は穀物を市場の値で売るか、倉庫にとっておくかしたものでしょう。だが、彼は自分の穀物を困窮した人たちに配るという噂を流しておいて、在庫をそっくり湖に捨てたのです。配ると告げた日、集まってきた町の人々を前に、彼は窓から顔を出して、穀物は湖の底だから潜って取ってこい、と言ったそうです。こんなまねをしたものだから、コモの人たちは彼を蔑み、〈悪党《イル・カッティーヴォ》〉と呼ぶようになりました。

町にはこんな噂が広まっていました。ドン・ピエトロは悪魔に魂を売り渡し、魔術の記号を刻んだ石板を手に入れた。その石板が砕かれるまでは、彼はこの地上のあらゆる欲望を満たす力を得られる。その力が失われたとき、悪魔は彼の魂を奪い去っていくだろう。その頃、ドン・ピエトロはヴィラ・デステ*からさほど遠からぬ、郊外の家に住んでいました。ある朝、聖セバスティアヌス修道院の院長

が窓辺から通りを見ておりますと、黒い馬に乗った男が通るのが目に入りました。男は窓の前で馬を止め、院長にこう言いました。『吾輩は悪魔である。地獄からピエトロ・ドゥルジーナを迎えに参った。修道士たちに伝えよ！』男が戻っていくとき、馬の鞍の前にはドン・ピエトロが、荷物のように乗せられていました。男は黒いマントを老人に掛け、馬は勢いよく駆け去っていきました。マントがはためいたとき、彼が寝間着姿のままなのを修道院長は見たということです——悪魔は寝起きに訪れ、彼に着替える間も与えなかったのでしょうな。

もっとも、これは伝説にすぎません。たしかなのは、ドン・ピエトロはロシアから帰って間もなく行方不明になった、ということだけです。不吉な噂を静めようと、息子は父親の急死を告げ、空の柩で葬儀を出して体裁を整えました。葬儀のあと、父の寝室に入った息子は、壁に描かれたこれまで見たことのないフレスコ画*に気づきました。ギターを弾く女の絵でした。美しい女でしたが、どこか気味の悪い、恐怖さえ感じさせるほどの目つきをしていたので、彼はすぐにその絵を塗りつぶさせました。しばらくのち、彼は同じ絵を別の壁に見つけました。またも塗りつぶさせましたが、二日もしないうちに、絵はまたも現れました。若いドン・ピエトロは怖れ、屋敷の窓や扉を釘付けにするよう申しつけて出て行き、もう戻ることはありませんでした。その後、夜に湖に漕ぎ出た船頭たちは、ギターの音に合わせて歌う二人の声を聞くようになりました——一人は亡き老ドン・ピエトロの声でしたが、もう一人の声は誰にも聞き覚えがなく、船頭たちは屋敷に近寄らなくなりました」

神父は続けた。「ドン・ピエトロにまつわるこの話は奇怪なものですが、同じ湖畔の屋敷のこととはいえ、あなたが御覧になりたいあの屋敷の話ではありません」

「教えてください」私は尋ねた。「そのギターと歌声は、今も聞こえるのでしょうか」

「存じませんな」神父はそう言うと、笑みを浮かべた。「もしご興味がおありなら、夜にその屋敷に行ってみるか、もし勇気がおありなら、一晩過ごしてみるのもいいかもしれません」

　望むところだ、と私は思った。

「ですが、入れるものでしょうか」私は尋ねた。「窓も扉も釘付けにされている、というお話でしたが」

　神父はしばし考えた。

「おっしゃるとおりです」彼は口を切った。「ですが、私の記憶違いでなければ、明かり取りの窓は開けるはずなので、屋敷が背にしている崖を登って、そこから入ることはできるはずです」

　話に夢中でヴィーコ通りを抜けたのにも気づかぬうちに、私たちはヴィラ・デステに向かう湖岸沿いの道を歩いていた。神父が足を止めたのはある邸宅《パラッツォ》の前で、その構えはかの偉大なるパッラーディオ*の設計によるものに見えた。ながらくこのコモに滞在していながら、この壮麗な邸宅があることを

ヴィラ・デステ　コモ湖畔の邸宅。十六世紀、修道院の跡地に枢機卿邸として建設され、十八世紀には持ち主を変えながら、貴族や富豪の別荘に、十九世紀にはホテルとして利用された。

フレスコ画　壁画技法の一つ。壁に漆喰を塗り、乾燥する前に顔料で絵を描く。

パッラーディオ　イタリアの建築家、アンドレア・パッラーディオ（一五〇八—八〇）。ローマ建築に通底し、聖堂や公共建築を多く手がけた。平面図を用いた最初の建築家とされる。

知らず、私はそのとき初めて気づき、驚いた。

「ここがドン・ピエトロの屋敷です」神父が言った。「向こうが崖で、そこに見える明かり取りの窓から、入ろうと思えば入れます」

神父の口調が嘲るように聞こえ、私は勇気を試されているのだ、と思った。かくも好奇心をかきたてる謎をこのまま見過ごしてはおけないと、私の腹は決まっていた。

それからのその日は、どうにも落ち着けなかった。あてもなく街中を歩きまわり、ゴシック建築の大聖堂に入ってベルナルディーノ・ルイーニ*の見事な絵画の数々を、さしたる感慨もなくただ眺めた。果物売りの無花果《いちじく》や葡萄《ぶどう》を盛った籠につまづき、焼き栗の屋台に衝突さえした。コモでは焼き栗の屋台が多く出ている。イタリアであれば他の市《まち》でも見かけるが、コモほどたくさんの屋台を見たところはない。気のいい地元の人々は、そんな体たらくの私に怒りもせず、お詫びに小銭を渡すと、笑ってお礼を言ってくれさえした。

夕方にはヴィラ・サラザール*で集まりがあり、出席者のほとんどはロシア人だったが、オーストリアの軍人や、ミラノからコモ湖の景観を楽しみに来たイタリア人もいた。

明日の夜はドン・ピエトロの屋敷で過ごすつもりだ、と言うと、当初は笑われたが、私の試みはこれまでにないものと思われたか、しまいには冒険への同行を志願する人々が大勢集まってきた。驚いたことに、屋敷の話を聞いたことがあるのは、私のほかにはミラノからの旅行者が一人だけだった。

「諸君」と私は言った。「これだけの多人数が一斉に行けば、この冒険の魅力は半減するうえ、悪魔も聴衆の数に怯んで歌う気をなくすことだろう。そこで、諸君の中からくじ引きで同行者を二人決めた

い」

　提案は賛同され、二人の友人が同行することになった。ロシア人のウラジミールと、イタリア人のアントニオだ。ウラジミールは幼い頃からの親友だった。彼とは同じ療養所に滞在しており、療養を終えたら冬をフィレンツェで共に過ごそうと決めていた。アントニオはコモで知り合った、ウラジミールとの共通の友人で、気質に似たところがあるのですぐに意気投合したのだった。私たち三人は、人生が終わるまで変わらぬ友情を誓いあった。アントニオは一足先に終えてしまったが。

　ここで、私たちの浅薄な悪戯《いたずら》が早々に悲劇を招き、今は辛い思い出でしかなくなっていることを、先にお伝えしておこう。

　友よ。きみは若く、気質は熱意に満ちている。それだけに、理解を超えたものへの畏《おそ》れを知らず、神が慈悲深くも未知の帳《とばり》の向こうに隠したまわれたものを軽んじた、この私の忠告を聞いてほしい。未知の帳を開く者に災いあれ！　好奇心の代償は恐怖と絶望、そして狂気だけなのだよ。そう、私はまだ若いというのに、髪は白くなり、目は落ちくぼみ、早々に年老いてしまった——帳の端を持ち上げて、神秘の世界を覗きこんだばかりにね。かつての私も、きみと同じように、人々が「超自然」など

ベルナルディーノ・ルイーニ　イタリアの画家（一四八〇？八二？——一五三二）。レオナルド・ダ・ヴィンチの影響を受けた作風で知られる。宗教画を数多く手がけ、サンタ・マリア・アスンタ大聖堂（通称コモ大聖堂。文中の「ゴシック建築の大聖堂」）にも作品が所蔵されている。

ヴィラ・サラザール　十八世紀末に英国貴族によって建てられた別荘。

と呼ぶものを信じようとはしなかった。だが、胸の内ではその確信を揺るがす声がつねに響いていたのだ。私はその声に耳を傾けるのを好んだ。退屈な現実の対極にある世界の存在に目を向けていたかったからね。面白い芝居を見ている観客のつもりでいた。役者の演技に心惹かれながらも、舞台の背景は書き割りで、英雄も舞台を下りればその兜を脱いで帽子をかぶるのだ、と知っていた。だから、ドン・ピエトロの屋敷で一夜を過ごそうと思い立ったときには、何事も起きないだろうと高を括って、頭にはただ自分の好奇心を満たすことしかなかった。なんという思い上がりか！　私を見舞った不運が他の誰かを救う役に立つのなら、それがせめてもの慰めになるし、ドン・ピエトロ邸でしたことも無意味ではなかったと思えるのだが。

　翌日、暗くなるとすぐに、ウラジミールとアントニオと私は、一夜を過ごしに謎の邸宅《パラッツォ》へと出向いた。その夜は些細なことまでありありと記憶に残っていて、あれから三年もたったというのに、交わした会話や、思い出して後悔する冗談などを、昨日のことのように思い出せるよ。

　レモンディの別荘の前に通りかかったとき、アントニオが足を止めた。離れから、女たちが歌う陽気な唄が聞こえた。今もその曲を思い出せるよ！

「待とう」とアントニオが言った。「行くにはまだ早い。急ぐこともないだろう」

　そして、歌声をよく聞こうと窓に近づいていった。そこで石につまづいて転び、窓ガラスに頭をぶつけた。アントニオが倒れた音を聞きつけて、離れから若い女が一人、燭台を手に飛び出してきた。別荘の管理人の娘だった。ガラスの破片で傷を負って、アントニオの顔は血まみれになっていた。娘はおおいに驚いた様子で、騒ぎながらも足早に水を汲んだ手桶を持ってきて、「ああ、なんてこと！　可

哀想に！　道がいけないのよ！」と言いながら、彼の顔を洗ってくれた。

「幸先が悪いな！」アントニオは気を取り直し、笑顔で言った。

「まったくだ」私は答えた。「今日は帰って、探検はまたにしよう」

「いやいや、延ばすことはない！」アントニオは反対した。「たいした怪我じゃないし、あとできみたちロシア人に、南のやつは臆病者だなんて笑われたくないからな」

　私たちはそのまま足を運んだ。十分も歩かないうちに、アントニオの手当をしてくれたレモンディ別荘の娘が追いかけてきた。彼女はアントニオをつかまえて、しばらく小声で話していた。泣きだしそうなのを堪えているのが、声でわかった。

「なんの話だったんだ？」娘が帰っていったあと、ウラジミールが尋ねた。

「可哀想なペピーナ」アントニオが言った。「兄貴の恩赦をぼくの父親に頼んでほしいって。たびたび頼みにうちまで来ていたらしいんだが、すれ違いになっていたみたいでね」

「彼女の兄というのは？」私は尋ねた。

「ティタといって、密輸で捕まっているらしい」

「名字は？」

「カネリだ。知り合いかい？」

「ティタ・カネリか！」私は神父から聞いた、父親のほうのドン・ピエトロの話を思い出し、驚きの声をあげた。思い出すと同時に、不安になってきた。やくざ者がらみの、根も葉もない噂と聞いた話が、突如として真実味を帯びてきたからだ。見栄や気負いがなければ、ここで引き返していたことだ

ろう。私はただ、その名を小耳に挟んだことがあるだけだと言って、そのまま歩き続けた。ほどなくして、道が明るくなった。イタリアではどの町にもある、納骨堂を兼ねた教会堂に、明かりが灯っていた。イタリアの納骨堂は死者の遺骨を飾りたてているので、私はどうも苦手だった。その夜も、格子窓から中を覗いてみたが、ぞっとしたよ。黙ったまま先に進み、ほどなくして静まりかえったドン・ピエトロの屋敷についた。

　崖に登り、ロープを伝い下りて明かり取りの窓に移るのは簡単だった。屋根裏部屋に入り、持参の蠟燭に火を灯して屋内に下っていくと、古風な内装の広い部屋があった。神話の場面を描いた絵がいくつも壁を飾り、家具には絹織物の覆いがかけられ、床は彩色大理石のモザイクになっていた。似たような部屋を五つ六つ通り抜け、小さな階段を下りると、その先にあったのは、金色の天蓋がついた昔風の寝台《ベッド》を据えつけた、広い部屋だった。寝台の脇のテーブルにはギターが立てかけられ、床には石の破片がちらばっていた。一つを拾って見てみると、もとは石板だったのか、平たい表面にはなにを意味するのか見当もつかない、見たこともない記号が刻んであった。

「ここは先代のドン・ピエトロの寝室にちがいない」蠟燭の火で壁を照らしながら、アントニオが言った。「この絵は、神父がきみに話したとおりだな」

　たしかに、狭い階段に通じる扉と寝台のあいだの壁には、ギターを弾いている美しい女を描いたフレスコ画があった。

「ペピーナにそっくりだな」ウラジミールが言った。「彼女をモデルにしたのかと思った」

「まったくだ」アントニオが応えた。「本当によく似ているが、表情が違う。この女は美しいが、目だ

け獣じみている。視線の先に寝台があると気づいたかい。ぞっとするような目つきだな」

　アントニオの言うとおりなので、私は黙っていた。

　寝室は円形の広間につながっており、同様に広間を囲むように設けられた部屋はいずれも、壁にタペストリを飾った美々しい内装で、准将夫人の別荘にも似ていたが、もう少し派手だった。あちこちの壁に大きな鏡が掛けられ、テーブルは大理石で壁棚には金箔を捺《お》しと、内装は贅を凝らしていた。タペストリは神話や、アリオストの『狂えるオルランド』*の場面を描いたものだった。三人の女神のうち誰に黄金の林檎を渡すべきか思い悩むパリス*や、藪に潜む騎士に見られているのにも気づかず、木陰で抱擁を交わすアンジェリカとメドーロといったような。

　古いタペストリの絵柄が赤くゆらめく蠟燭の火にはっきりと浮かぶ一方で、部屋の隅は暗がりに融けこんで形を失い、天井の絵が離れて広間へと逃げていき、そのまま闇に消えていくような気がした。

「そろそろ寝《やす》んでもいい頃合だが」と、ウラジミールが言った。「その前にちゃんと決めておこう。それぞれ別の部屋を使い、朝になったら見聞きしたことを伝えあうことにしないか」


『狂えるオルランド』　イタリアの詩人ルドヴィコ・アリオスト（一四七四—一五三三）の作による長編叙事詩。一五一六年初刊、三二年に完成版発表。サラセン人のフランス侵攻を背景に騎士オルランド（ローラン）の冒険を物語る。アンジェリカとメドーロはその登場人物。

パリス　ギリシア神話に登場する羊飼い。天界の三美神のうち最も美しい女神に黄金の林檎を渡す役割を主神ゼウスに任される。

私たちは同意した。私はこの探検の発案者として、ドン・ピエトロの寝室を使うことになった。ウラジミールとアントニオもそれぞれの部屋に入り、屋敷は静まりかえった。

リバレンコはここで話を止め、ルネフスキイに言った。「いい加減、長話に退屈してはいないかな。もう時刻も晩い。疲れたことだろう」

「とんでもない」ルネフスキイは答えた。「あなたこそお疲れでなければ、ぜひ続きをお願いします」

リバレンコはしばし黙っていたが、やがてその先を語りはじめた。

一人になった私は、服を脱ぐと、持参の拳銃を点検し、天蓋つきの古い寝台に横になると、錦織の上掛けをかけて蠟燭を消そうとした。そのとき扉が静かに開き、ウラジミールが入ってきた。彼は手にした燭台を寝台のわきの小簞笥の上に置くと、私に声をかけた。

「今日はぼくたちのことを話す時間がつくれなかった。アントニオはもう眠ってしまったから、冒険の前に、少しだけきみと話しておきたい。まだ知らせていなかったが、母親から手紙が届いたんだ。帰ってきてほしいと言っている。ともに冬のフィレンツェで過ごせそうにない」

私はおおいに落胆した。ウラジミールも同じ思いだとわかった。彼は寝台の端に腰掛けて母からの手紙を読んでくれ、そのあと私たちは、ウラジミールの家庭の事情や、互いのこれから先の見通しについて、時間をかけて話しあった。彼が話しているあいだ、私はその様子に普段とは違うものを感じたが、どこがどう違うのかはわからなかった。やがて彼は立ち上がり、涙声で言った。

「悪い予感がするんだ。明日の朝、こんなふうに顔を合わせられないような気がしてならない。ぼくを抱きしめてくれ。これが共にいられる最後の時かもしれない」

「いったいどうしたんだ」私は笑った。「きみはもともと迷信深いたちじゃあるまい」

「ぼくを抱きしめてくれ！」ウラジミールは声を大きくして繰り返した。相好が変わり、血走った目は熾火《おきび》のような光を浮かべた。そして、私に抱きつこうと両腕を広げた。

「落ち着けよ、ウラジミール」驚きを抑えて、私は言った。「眠っているあいだに、神様がその不安を取り去ってくださるさ」

　ウラジミールはなにかをつぶやきながら部屋を出ていった。妙な笑い声を聞いたような気がしたが、それが彼のだったか、他の誰かのだったのかはわからなかった。

　じきに瞼《まぶた》が重くなり、私は眠りについた。どんな夢を見たのかは忘れたが、怖かったことだけはたしかで、そのせいで目を覚ました。ギターの和音が耳に残っているのも夢のせいだ、と思った。だが、寝台と壁のあいだにあの絵の女がいて、描かれたとおりの目つきでこちらを睨《ね》めつけているのに気づいたときの恐怖は、とても言葉にはできない。女はギターを手にし、弦を爪弾《つまび》いていた。恐怖に駆られた私が拳銃を取ると、女はギターを取り落とし、床に膝をついた。ペピーナだった。

「シニョール、お許しを！」彼女は声をあげた。「なにも盗んではいません。お願いです、撃たないで！」

　恐怖で取り乱した自分に恥じ入り、ペピーナを落ち着かせるために、なぜここに来たかを尋ねた。

「はい」とペピーナは答えた。「シニョール・アントニオとお話をしたあと、わたしはそっとあとをつ

けて、みなさんが明かり取りの窓からお屋敷に入るのを見ました。わたしは、他に出入口を知っているんです。ここは兄ティタの隠れ家の一つですから。みなさんがなにをなさるのか気になって、秘密の扉から入ってみたのですが、外からしか開けられない扉をうっかり閉めて、出られなくなってしまいました。このお部屋に入ってはみたものの、シニョールを起こす勇気がなくて、お目覚めになればと思ってギターを鳴らしてみたのです。どうかお怒りにならないでください。兄を思うがあまりにお邪魔をしてしまいました。シニョール・アントニオのお友達なら、兄を助けるのにお力を貸していただけると思ったのです。兄はずっと前から、真っ当にやり直したいと言っています。嘘じゃありません。でも、これからも狩りの獣のように追われるばかりなら、人殺しの罪を背負った盗賊のまま、生涯を終えなくてはなりません。どうかお助けください。お願いします。わたしたち兄妹を憐れに思ってください！」

ペピーナはひざまずき、涙を流しながら私の膝に抱きついた。真っ赤なリボンがほどけて、巻き毛が蛇のようにうねりながら肩に広がった。彼女の美しさに、私は最前の恐怖も、この屋敷の伝説も忘れてしまった。彼女を抱き寄せて、長々と接吻をした。隣の部屋から聞き覚えのある声がして、わたしたちは共に我に返った。

「ペピーナ、他に誰かいるのか？」そう言うや、声の主は扉を開いた。

「兄です！」とペピーナは小声で言うと、私の腕をすり抜けてどこかへ走り去った。

マントをまとい、黒い羽根飾りのついた帽子をかぶった男が、部屋に踏みこんできた。男は私に気づき、足を止めた。入ってきたのがあの神父だったと気づいたときほど、私は驚いたことがなかった

よ。

「これはこれは、ロシアの旦那《シニョール・ルッソ》」と言うと、彼は今にも撃とうと構えていた大型の拳銃を腰に収めた。

「ようこそ。いでたちの違いに驚くことはないさ。最初にお目にかかったときは神父だったが、次は旅人か、煙突掃除人かもしれない。政府の恩赦があるまでは、身を隠していなくてはならないものでね」

こう言い終えると、ティタ・カネリは深くため息をついた。そのあと、明るい顔を作って私に歩み寄ると、肩を叩いた。

「わが友ドン・ピエトロの屋敷まで、あんたが来てくれるよう、策を講じたんだ。ちょっとした相談に乗ってもらいたくてね。今はちょうど手元不如意、それでもこの屋敷には値打ちのあるものがたくさんある。ちょうどここに、指輪にネックレス、耳飾りに腕輪と、お宝が一箱。これをそっくり買い取ってもらえたらありがたい。お代はたったのナポレオン金貨七十七枚ということで」そう言うや、身を屈めて寝台の下から大きな箱を引き出した。中には金銀宝石が山をなし、どれをとっても見事なものだった。ネックレスのいくつかは希少な宝石があしらわれた、趣味のよい細工のものだった。言い値は安いにもほどがあるが、カネリは手に入れるのに対価を払いはしなかったろうし、そんなことを穿鑿している場合でもなかった。まして相手は私と拳銃のあいだに立ち、自分の拳銃をこれ見よがしに弄んでいるので、すぐに同意しないとどうなるかわからないと、財布の金貨を数えて七十七枚を彼に渡した。

「ありがたい」とカネリは言った。「恩に着るよ。ただ、これをどこでどうやって手に入れたのか、警察には言わないように。もし言ったら頭を叩き割られる、と覚えておくといい。では、おやすみなさ

い」

　親しげに握手をするや、彼は姿を消したが、どこからどうやって出ていったのかはわからなかった。壁の中で隠し扉が動いたような音がしたあと、あたりは静まりかえった。ふと壁の絵に目をやり、私は身震いした。つい先ほど接吻したのはペピーナではなくあの女ではなかったか、あのとき壁を見て、女が絵の中にいるか確かめるのだった、という思いがよぎった。だが、怖れを押しのけて箱の中を見てみた。金の鎖や香水瓶や、さまざまなものの中に、大ぶりな林檎ほどある、金をあしらった手の込んだ細工の、ロココ風の小瓶を見つけた。あまりに繊細な造りなので、他のものと触れて傷がついてはいけないと、ハンカチーフで包んでテーブルに置いた。そして箱を閉じるや、すぐに寝ついた。ペピーナと壁画の女の夢を見て、想像力が描きだす楽しい場面の合間にも恐怖を覚えて飛び起きては、またも眠りに戻ることを繰り返した。首に痛みを感じもしたが、隙間風に冷えたせいだろう、と思った。目覚めたときにはすでに日は高く、私は急いで服を着るや、友人たちの様子を見に部屋を出た。

　アントニオは眠ったまま、譫言《うわごと》を言っていた。正気をなくしたように両腕を振りまわし、絶え間なく声をあげていた。

「かまわないでくれ。女神の中でもっとも美しいのがアプロディテ*なのは、ぼくのせいじゃない！　パリスは審美眼のある男だ。グリフィンに乗せてわが中華帝国に連れていき、北京の判事に任命する！」

　なんとか目覚めさせようとしているところに、青ざめて沈んだ顔のウラジミールが入ってきた。

「生きていた！」アントニオを見て、彼は嬉しげな声をあげた。「怪我はないか、見せてくれ」彼は近づいてアントニオを検分したが、もちろん傷一つなかった。

「ぼくの言ったとおりだろう」アントニオは言った。「牧神は笛が巧いだけじゃない、射撃の腕も見事なものだ！」

ウラジミールはアントニオを調べつづけていたが、生きていて怪我もないと納得し、喜びの声をあげた。

「よかった！　殺さなかった！　悪い夢だったんだ！」

「おいおい」私は言った。「説明してくれないか。なにがなんだかわからない」

アントニオはようやく目覚めたがひどく弱っているようだったので、夜のあいだになにがあったかをウラジミールに尋ねた。

「部屋に入ると」ウラジミールは話しはじめた。「金鍍金《めっき》の鏡の前に立てた、大きな蜘蛛みたいな枝付き燭台に、持ってきた蠟燭を立てて、まずは拳銃が使えるよう念入りに点検した。それから、釘付けにされていた鎧戸を開けて、夜風を部屋に入れたら爽快な気分になった。静かだった。晴れた夜空に月が高く上がって、遠い山々の稜線も、威風堂々とそびえるバラデッロ城*の塔もはっきり見えた。物思いにふけりつつ、半時間ほど湖や山を眺めていたが、背後にふと人の気配がしたので、振り返った。蠟燭の灯りの下にはなにも見えなかったが、暗がりに目を凝らすと、戸口に白い人影が見えた。

アプロディテ　ギリシア神話の女神。愛と美を司る。

バラデッロ城　コモの丘陵地帯にある古い要塞。

『誰だ？』ぼくは大声で誰何した。白い人影は哀れっぽい声をあげて、見えない車輪でもついているかのように近づいてきた。そのとき幽霊の顔が見えたが、あれほど怖ろしいものは見たことがなかった。そいつはぼくを屍衣に包みこもうとするかのように、両腕を広げた。無我夢中で拳銃の引き金を引くと、幽霊は倒れるや、こう叫んだ。『ウラジミール、なんてことを！　ぼくだ、アントニオだよ！』ぼくは駆け寄って助け起こしたが、胸の弾傷からは血が噴き出し、彼は切れ切れに言った。『ウラジミール』消え入りそうな声だった。『きみの度胸を試したかっただけなんだ。だが、きみに殺されるとは。きみを赦《ゆる》すよ、だからぼくを赦してくれ！』

ぼくが叫ぶと、きみが駆け込んできて、二人でアントニオを彼の部屋に運んだんだ」

「なにを言っているんだ」私は口を挟んだ。「ぼくは一晩じゅう、あの部屋から出なかった。きみが来て、御母堂の手紙を読んでくれたあとは、ずっと寝台にいたし、アントニオのことも知らなかった。それに、あのとおりアントニオは無傷で生きているのだから、きみは夢を見たんだ」

「夢を見たのはきみのほうだろう」ウラジミールは声を荒らげた。「ぼくはきみの部屋には行かなかったし、母さんの手紙を読んでもいない」

アントニオが起き上がり、歩み寄ってきた。

「なにを言い争っているんだ」と、彼は言った。「このとおり、ぼくは生きている。名誉にかけて、ウラジミールを怖がらせなどしてはいない。だいたい、それどころではなかった。一人になってからは、ウラジミールと同じように、まず拳銃を点検した。それから長椅子に横になって、天井の絵や、金箔で唐草模様を捺した軒蛇腹を見ていた。天井には鳥や獣が、花や果実とともに唐草模様と絡みあって

描かれ、見ているうちに動きだすようで、気が散るので立ち上がって部屋の中を歩いてみた。すると、軒蛇腹からなにかが床に落ちてきた。部屋が暗いのでよく見えなかった。床に落ちたときの鈍い音から、固いものではないだろう、と思ったくらいだった。そう思ううちに、動物の足音が後ろから聞こえてきた。振り向くと、大きさは一歳の仔牛くらいで、毛並みは金色のグリフィンがいた。グリフィンは賢そうな目でぼくを見ると、鷲そっくりな嘴《くちばし》を左右に振った。高く掲げた翼の先は弧を描いていた。ぼくは驚いたが、怖れはしなかった。追い払おうと声をあげ、足を踏み鳴らした。グリフィンは片方の前足を上げて頭を低くすると、耳を動かしながら、人間と変わらない口調で話しかけてきた。

『御心配なさらず、シニョール・アントニオ。悪いことはいたしません。私は主人から、ギリシアまで御案内するよう言いつかってまいりました。女神様がたが、林檎のことでまたもめておられます。ヘラ*は、パリスがアプロディテに林檎を渡したのは、ヘレンを彼にやると約束したからだ、と言っています。アテナ*も、パリスは不正をはたらいたと言い張り、二人でわが老主人に直訴したので、シニョール・アントニオに決めてもらうがよい、とわが主は申しました。さあ、お乗りください。ギリシアにはすぐに到着いたします』

なんとも面白そうな提案だったので、背に乗ろうと足をかけたところ、グリフィンに止められた。

ヘラ　ギリシア神話の女神。主神ゼウスの妻。

アテナ　ギリシア神話の女神。知恵と芸術を司る。

『どこの土地にも習わしというものがございます。そのお召し物では笑われてしまうでしょう』なんて、やつが言うものだから、『なにを着ればいいんだ』と訊いてやったよ。すると『かの地で着るものを。裸になって、大きな布一枚をマントのようにまとうのです。すべての神々と同じように』言われたとおりにすると、ぼくはグリフィンの背に乗った。グリフィンは速歩《はやあし》で果てしなく延びる廊下を走り、限りなく続く部屋の前を駆け抜け、階段を際限なく昇ったり降りたりして、薔薇色の明かりに照らされた大広間にたどり着いた。天井は空そのままの青い色に塗られ、小鳥や小天使《クピド》が群をなし飛び交うさまが描かれていた。広間の奥に据えられた金色《こんじき》の玉座には、主神ゼウスが座していた。『あちらがわが主人、ドン・ピエトロ・ドゥルジーナです！』と、グリフィンが言った。

　玉座の下には澄みきった川が流れ、大勢の妖精《ニュンペー》や水精《ナーイアス》が水遊びをしているさまは、なんとも美しいものだった。あとで知ったのだが、その川の名はラドン*といった。川縁には葦が茂り、神父が一人座って笛を吹いていた。『あれは誰だい？』と尋ねると、グリフィンは『牧神のパンです』と答えた。『神父の恰好をしていてもいいのかい？』と、ぼくは重ねて尋ねた。『仕事柄、裸で人前には出られないからです』『ニュンペーたちが水遊びをしているそばにいるのは？』『禁欲の修行です。見ないようにしているのが、ここからでもわかるでしょう』『腰に拳銃を差しているのは？』グリフィンは苛立ったように答えた。『知りたがりもほどほどに。私にもわかりません！』

　屋内に川が流れているのは妙だな、と思って、上流のほうに立ててある東洋趣味の屏風の陰を覗きこんでみた。髪粉をふった鬘《かつら》をかぶった老人が居眠りをしていた。そっと近づいて見てみると、老人が寄りかかっている水瓶が川の源《みなもと》になっているのがわかった。興味を惹かれてさらに観察している

と、グリフィンが跳んできてぼくのマントを引っぱった。『馬鹿なまねはおよしなさい。ラドンが目覚めたら洪水が起きます。さあ、行きましょう。みんな溺れて死んでしまわないうちに！』しだいに広間が込んできた。ニュンペーや樹精《ドライアド》や山精《オレイアス》が、牧神《パン》や半獣神《サテュロス》や羊飼いのあいだを歩きまわっていた。水精《ナイアド》も川から出て薄物をまとい、その中に入っていった。神々はゼウスの玉座近くに座り、歩きまわる群衆に目を向けていた。群衆の中に一人、仮装舞踏会の衣装と仮面を身に着けた人がいた。その人は周囲になんの注意も払っていなかったが、誰もが道を開けた。『あれは誰？』とぼくが尋ねると、グリフィンは困ったように『さあ、誰なんでしょう』と口ごもり、嘴の先で羽根をつくろうと『気にしないでおきましょう』と言った。そこに見事な羽色の鸚鵡《おうむ》が飛んできて、ぼくの肩にとまると、耳障りな声で叫んだ。『ばーか、ばーか！　誰だか知りもしないのか。ここの本当の御主人様だ。ドン・ピエトロより偉いんだ！』グリフィンは鸚鵡を睨《にら》んだが、すぐに意味ありげなウインクをした。鸚鵡はすぐに飛びたち、天井画の小天使《クピド》や雲の中にまぎれ、見えなくなった。

それからすぐに、群衆が騒ぎだした。いっせいに道を開けた先に、フリジア帽*をかぶった若い男が、手に縄をかけられて二人のニュンペーに引かれてくるのが見えた。『パリスよ！』と、ゼウス（グリフィンの紹介によればドン・ピエトロ）が声をかけた。『そちがアプロディテに金の林檎を与えたは、

ラドン　ギリシア神話の理想郷アルカディアを流れる川。その川の神にしてニュンペーの父の名でもある。

フリジア帽　赤い三角帽。アナトリア（現在のトルコ）の古王国フリュギアに起源をもつとされる。

正しからぬ業と聞いておる。余が悪ふざけを好まぬことは知っておろう。そちを天の高みから真っ逆さまに投げ落としてくれよう！』『ああ、偉大なる雷神様！』パリスが答えた。『ステュクス*の流れに誓い、私は良心に従って決めたと申し上げます。ですが、ここには名高いシニョール・アントニオがいらっしゃいますので、その審美眼をもって解決していただきましょう。シニョールの判定が私とは違ったときは、真っ逆さまに投げ落とされてもかまいません』そして、ゼウスはぼくに言った。「あいわかった。では、選ぶがよい』

　ぼくは月桂樹の下で、黄金の林檎を持たされた。三人の女神が近づいてきたとき、神父の葦笛の音がこれまでよりさらに快く響き、ラドンの川縁の葦が静かに揺らぎだしたかと思うと、無数の小鳥が羽根をきらめかせながら飛びたった。小鳥たちのさえずりは、悲しげにも楽しげにも聞こえたので、泣きたいような笑いたいような、妙な気持ちになった。すると、小鳥たちの声と葦のざわめきに目を覚ましたのだろう、屏風の陰にいた老人が咳込み、寝言のような小声で言った。『ああ、シュリンクス*、わが娘よ！』

　なにをどうしたものか、呆然としていると、グリフォンがぼくの手をひどくつねって、怒った様子で言った。『早く選びなさい、シニョール・アントニオ！　女神様がたはお待ちかねです。御老人が目を覚ます前に決めなくては！』ドン・ピエトロの屋敷から遠く離れ、この鮮やかな色彩と心地よい音に満ちた不思議な世界に身を置いて、高揚する心を落ち着かせ、ぼくは三人の女神に目を向けた。彼女たちは衣を脱ぎすてた。友よ、そのときの気持ちを伝える言葉を、ぼくは知らない。その瞬間、全身の血管の中を炎が走ったようだった、とでも言おうか。感覚は惑乱し、認識は混濁して、きみたち

も、大切な人たちも、自分も、これまでの人生さえ忘れてしまった。ぼくはパリスで、トロイの滅亡に結びつく重大な決定を、今この手にしているのだ。ヘラだと思ったのはペピーノで、レモンディの別荘で手当をしてくれたときの百倍も美しく見えた。彼女はギターを爪弾いていた。ぼくは彼女から目が離せず、林檎を持った手を差し伸べかけた。だが、ふとアプロディテに目をやって、気持ちが揺らいだ。アプロディテは腕を組み、小首を傾げて、とがめるような目をぼくに向けていた。目が合うと、彼女は頬を赤らめて目をそらしたが、そのさまがなんとも可愛らしかったので、ぼくは迷わず林檎を渡した。

パリスは勝利をおさめた。が、仮装舞踏会の衣装と仮面の男が現れ、隠し持った長い鞭で、容赦なくアプロディテを打ち据えだした。『逃げるな。罰を受けろ。順番を守れ。用もないのに色目を使うな。今日はおまえじゃない、ヘラの番だ。待てなかったとでも言いたいのか？　おとなしく罰を受けろ！　わかったな？』アプロディテは泣き叫んだが、男は鞭打つ手を休めなかった。そして、ゼウスに目をやった。『今は彼女だが、次はおまえだぞ、この老いぼれめ！』すると、ゼウスのみならず神々はみな席を立ち、男の足元にひれ伏すと、哀れな声をあげた。『ご主人様、お慈悲を！　次はきちんとやりますから！』そのあいだに、ヘラが（ペピーノと呼んだほうがいいのか、ぼくにはわからない）ぼくに

ステュクス　ギリシア神話の冥界の川。

シュリンクス　ギリシア神話のニュンペー。狩猟と純潔の女神アルテミスの侍女。牧神パンに追われ、逃れようとしてラドン川の岸で葦に姿を変えた。

歩み寄り、笑いかけた。『林檎を渡してくれなかったのを怒ってはいないわ。運命の書に書かれていたとおりね。あなたの公正さを称えます』きれいな腕を差し伸べて、ぼくに抱きつくと、飢えてでもいるかのように、薔薇色の唇をぼくの首に押しあてた。一瞬、首に激痛が走り、すぐに消えた。ペピーナの抱擁と接吻に、ぼくは陶然としていたが、アプロディテの叫びを聞いて我に返った。仮面の男は彼女の髪を掴み、さらに荒々しく鞭をふるっていた。あまりのことに、ぼくはかっとなった。『いつまで続ける気だ？』ぼくは男を怒鳴りつけ、掴みかかった。黒い仮面の下から小さな白い目が光り、ぼくは電流に打たれたように身動きがとれなくなった。同時に、神々も、三人の女神も、ニュンペーたちも消えた。

気づくと、あの円形の大広間につながる中華風の部屋にいた。役人の恰好をしたのや着飾ったのや、たくさんの陶磁器の人形がぼくを取り囲んで、『皇帝陛下は偉大なり！　アントニオ様を称えよ！』を口々に叫ぶと、ぼくによじ登ってくすぐりだした。必死に逃げようとしたが、多勢に無勢だ。小さな手で鼻や耳までくすぐられたものだから、頭がおかしくなったかと思うくらい笑ったよ。いったいどうやって逃げたものか、気がつくと寝台の上にいて、きみたちが見下ろしていた。助けてくれたんだね。ありがとう！」

そう言うと、感謝のしるしなのか、子供のように私たちに抱きついた。アントニオがようやく落ち着いた頃に、私はウラジミールと彼に真面目に話した。

「友よ、きみたちは一晩、悪い夢を見ていたんだ。ぼくはといえば、この屋敷にまつわる信じがたい噂はみな、密輸人のティタ・カネリが作ったものだと知ったよ。当のカネリに会って、話を聞いたん

だ。ぼくの部屋で、やつから買い取ったものを見せてやろう」

そう言って部屋に向かうと、アントニオとウラジミールもついてきた。箱を開けて手を入れると、取り出したものは人の骨だった！　ぞっとして放り出すと、昨夜にロココ調の小瓶を置いたテーブルに駆け寄った。ハンカチーフの包みを解くや、私は愕然とした。出てきたのは子供の頭蓋骨だったのだ。そのわきには、空になった私の財布があるばかりだった。

「きみ、こんなものを買ったのか？」アントニオとウラジミールは声を揃えて尋ねた。

私には答える言葉がなかった。ウラジミールは窓辺に歩みよると、驚きの叫びをあげた。

「なんてこった！　湖がないぞ！」

私も窓辺に向かった。目の前にあるのはヴォルタ広場で、私たちがいるのは〈悪魔の家〉の中だったのだ。「いったい、どうやってここに？」アントニオに振り向くと、私は尋ねた。

アントニオも言葉を失っていた。顔が真っ青になって、力が抜けたように椅子にへたりこんでいた。その首に、蛭に血を吸われた痕に似ているが、それよりも小さい青痣があるのに、私は気づいた。私も怠《だる》さを覚え、鏡に目をやると、自分の首にやはり似たような痣があった。ウラジミールにはその様子はなく、痣も傷もなかった。尋ねると、白衣の幽霊を拳銃で撃ったあと、その正体アントニオは、死ぬ前にと接吻を懇願してきたが、その目つきがなぜか怖ろしかったので同意できなかった、と彼は答えた。

いったいどうなっているのか口々に言いあっているところに、門を叩く音がした。六人の兵士を従えた警察官がそこにいた。

「きみたち！」警察官が叫んだ。「門を開けなさい。政府の命により逮捕する！」

だが、門は釘付けされていたので、兵士たちは壊さざるを得なかった。入ってきた警察官に、なぜ逮捕されるのかとぼくたちは尋ねた。

「昨夜、納骨堂から骨を盗み出し、死者を愚弄したからだ。昨夜このあたりを通りかかった神父が、きみたちが納骨堂の鉄扉を壊しているのを見て、今朝早く知らせに来たのだ」

抗議しても聞き入れられず、私たちは連行されるところだった。そこに考古学者としても高名な、コモ市長のR氏が通りかかったので、彼と面識のある私は助けを求めた。市長は私たちに謝ったあと、私たちを目撃したという神父を連れてくるよう、警察官に命じたが、とうに姿をくらましていた。私が一部始終を話すと、市長は驚く様子もなく、市の文書館までついてくるようにと言った。アントニオはひどく弱っていて、一緒に行けそうになかったので、ウラジミールが彼を家まで送るために残った。私と市長が文書館に行くと、館長が大きな二つ折り《フォリオ》本を開き、次の記事を読んだ。

《一六七九年九月二〇日、ジョランバティスタ・カネリ、町の広場にて公開処刑さる。カネリは盗賊団の首領として、二十年の長きにわたり、コモ及びミラノの市民を怖れさしめた。カネリはコモ出身、自身の証言によれば当年五十歳。刑場に着きしとき秘蹟を拒否したがゆえ、キリスト教徒でなく異教徒として死せり》

さらに市長は（尊敬に値する人で、嘘をつくくらいなら片腕を切り落とす、と言うほど誠実である）、あの〈悪魔の家〉はヘカテ*とラミア*を祀《まつ》っていた異教の神殿の跡地に建てられている、と教えてくれた。神殿の下には無数の洞窟や地下通路が今も残っているらしい。地下通路は深くまで通じていて、古

代人は冥界《タルタロス》まで続いていると信じていたようだ。ラミアやエンプーサ*は、かつて祀られていた場所をさまよいつづけ、姿をさまざまに変えては、疑うことを知らない若い人を捕らえてその血を吸うところが、私たちのあいだに伝えられている吸血鬼《ウプイリ》と似ている。さて、その話より奇妙なことだが、それから二、三日後に、ウラジミールが母親からの手紙を受け取った。手紙には、ロシアに帰ってくるようにと書いてあった。

リバレンコは言葉を切り、またも思いに沈んだ。

「ところで」とルネフスキイは尋ねた。「あなたは御自身の冒険について、あとで調べはしなかったのですか」

「したとも」リバレンコは答えた。「市長を尊敬してはいるが、あの説明だけでは納得がいかなかったからね」

「なにかわかりましたか」

ヘカテ　ギリシア神話の死の女神。ラミアの母という説もある。

ラミア　ギリシア神話の女怪。子供を殺すといわれる。リビア神話の妖蛇と同一視され、半人半蛇の姿とされることもある。

エンプーサ　ギリシア神話の女怪。ヘカテに仕える。眠る男に悪夢を見せ、その血を吸うといわれる。

「ペピーナに兄ティッタについて尋ねたが、彼女は困惑するばかりだった。兄などいないというのだ。あの夜、アントニオの手当に出てはきたが、そのあと追いかけはしなかったし、恩赦を頼みもしなかった、という。レモンディの別荘とヴィラ・デステのあいだにあるドン・ピエトロの屋敷を知る者はなく、記憶をたよりに探してみたが、見つけられなかった。この件の余波は大きかった。私もコモを去った。ひと月ほどのち、ローマにいたときに、アントニオが過度の衰弱ののちに死んだ、という知らせが届いた。私も長い闘病のあとのように弱り果てていたが、良い医師に恵まれ、元どおりとはいかないが、かなりの回復ができた。

　イタリアでもう一年を過ごしてから、私はロシアに帰り、以前の職場に戻った。だが、仕事に専念しているあいだは思い出すこともないコモのことが、ふとしたきっかけで心に浮かぶと、そのたびに震えあがるんだ。記憶はいつもつきまとい、虫のように正気を食い荒らす。記憶から逃れられるものなら、この手で命を断とうとさえ思ったほどだ！　きみへの警告になると思わなければ、こんな話を聞かせようとは、考えもしなかった。だが、私のこの経験が、准将夫人の別荘できみの身に起きたことと似ているのは、わかってもらえたのではないか。友よ、くれぐれも用心を。きみの経験を笑い事で済まさないように」

　リバレンコが話しているあいだに、地平線が明るくなってきた。

　幾百もの塔や鐘楼や、銅板葺きの屋根が朝日に輝いた。心地よい風が東から吹き、イヴァン雷帝の鐘楼*から、鐘の音が高らかに響いた。大聖堂広場*に林立する鐘楼の鐘が唱和し、さらにモスクワじゅうの教会の鐘が続いた。その音は大気に満ち、見えない波のように揺らした。モスクワの市《まち》は一つの

巨大な楽器になったようだった。

その瞬間、ルネフスキイの胸中に、得も言われぬ思いが広がった。荘厳な鐘の音と、眼下に広がる美しい朝の光景が招いたものだった。その思いから浮かぶのは幸福な未来であり、リバレンコの話が闇から引き寄せた怖ろしい幻影は消え去っていった。

リバレンコは悲嘆に沈んだ面持ちで、またも思いに沈んでいた。イヴァン雷帝の鐘楼の高さを目測しているかのように、血の気の失せた顔を向けて動かさなかった。

「帰りましょう」ルネフスキイは言った。「あなたも眠ったほうがいい」

二人はベンチから立ち上がり、別れの挨拶を交わした。


ダーシャの伯母、フェドーシャ・アキモブナ・ゾーリナの家をルネフスキイが尋ねると、彼女も娘のソフィア・カールポヴナも歓迎した。が、彼の来意を聞くや、ゾーリナの態度は一変した。

「なんてことを！」彼女はわめいた。「自分のおっしゃっていることがおわかりなの？　ソフィアをどうなさるおつもり？　何度もいらしては、あの子をからかっていたの？　あなたがいらっしゃるようになって、うちの子との結婚の噂がまわりに広まっているというのに、お気は確かなの？　ソフィア

イヴァン雷帝の鐘楼　十六世紀初頭、クレムリン内に建立された鐘楼。金色の丸屋根が特徴。
大聖堂広場　クレムリン大宮殿の東に位置する、三つの大聖堂を擁する一角。

に話を向けておいて、結婚がまとまるものだと誰もが思っているところに、ほかの娘と結婚したいだなんて、ソフィアの母親であるわたしに言いに来るなんて！」

　それを聞いたルネフスキイの驚きたるや、雷に打たれたどころではなかった。ゾーリナは彼のことを、実の娘の結婚相手として見ていて、姪には目も向けていなかっただけでなく、自分の思うとおりに運ぼうとする策略を巡らせていたのにも気づいた。ルネフスキイを手なずけ、彼の思惑の先を読もうとしていたのだ。だが、その読みが外れたので、最後の手段とばかりに悲劇を演じて彼を翻心させるほうに切り替えたようだ。だが、残念なことに、彼女はやり方を誤った。ルネフスキイは礼儀正しいまま、だが冷厳として、ソフィア・カールポヴナとの結婚を考えたことはなく、ダーシャとの結婚の許しを得にきたのであり、ゾーリナには断る理由はないはずだ、と答えた。ゾーリナは娘を呼び、怒りに喘ぎながら、ことの次第を伝えた。ソフィア・カールポヴナは失神こそしなかったものの、身も世もなく泣き崩れ、手がつけられないほどになった。

「ああ、なんということでしょう」彼女は泣き叫んだ。「わたし、なにか悪いことをしたの？　どうしてこんな仕打ちを？　とても堪えられない。千回だって死んでしまいそうよ！　もう生きていられない！」

「ああ、なんて可哀想なソフィア」ゾーリナは言った。「このままで済ませるわけにはいきません！」

ソフィア・カールポヴナの名演に、ルネフスキイもさすがに気の毒な気がしてきた。

　言い返そうとしたが、ソフィア・カールポヴナも母親も部屋を出ていってしまった。しばらく待ってみたが、帰ることにし、ただゾーリナから承諾を得るまでは准将夫人の別荘には戻るまい、と心に

決めた。

自室で考えごとをしていると従者が来て、ゾーリン大尉と名乗る人が面会したい、と取り次いだ。通すように申しつけると、品のよい真面目そうな若者が、礼儀正しい物腰で現れた。ゾーリンはソフィア・カールポヴナの兄で、トビリシから帰ってきたばかりだというが、ルネフスキイは初対面の彼がなんの用で来たのかわからなかった。

「私たち双方にとって重要な要件でまいりました」丁寧な挨拶のあと、ゾーリンは言った。

「どうぞおかけください」ルネフスキイは言った。

「あなたは二ヶ月前に、私の妹ソフィアと知り合い、母の家にいらっしゃるようになり、それからまもなく、あなたが妹に求婚するだろうという噂が立ちました」

「だれがそんなことを言いだしたのか知りませんが」ルネフスキイは話をさえぎった。「私でないことだけは間違いありません」

「妹はあなたを信じておりましたし、あなたもまたそれだけの態度を示しました。あなたは妹の信頼を勝ち得、さらには愛されるようになりました。それからあなたは妹に求婚し……」

「馬鹿な！」ルネフスキイは大声をあげた。

ゾーリンの目に怒りの火が点った。

「聞きなさい」冷静で礼儀正しい態度を保ちきれなくなり、彼はわめいた。「知らないとは思いますが、私がカフカスにいるあいだ、ソフィアがあなたについての手紙を送ってきたのです。あなたから求婚されたと。この手紙に書いてあります！」

「仮にソフィア・カールポヴナがそのような手紙を書いていたとしたら」ゾーリンがテーブルに投げつけた封筒に手を触れようともせず、ルネフスキイは答えた。「こう言うのは残念ですが、それは嘘だとお答えしましょう。求婚など考えたこともないし、彼女を勘違いさせるようなまねもしてはいない！」

「では、妹と結婚なさる気はない、と？」

「もちろん。私がモスクワに帰ってきたのは、あなたのお母さんから、姪のダーシャとの結婚の許しを得るためですから」

「わかりました。私の家族への非礼にはしかるべきお答えを用意しておりますので、お断りになりませぬよう」

「受けて立ちますが、その前に御一考を。冷静に考えてもらえれば、仮に御家族への非礼があったとしても、それは誤解が生んだこととおわかりになることでしょう」

若い大尉は尊大な目をルネフスキイに向けた。

「明朝五時、ウラジミール街道、モスクワより二十露里《ヴェルスタ》の地点で」そっけない口調だった。

承諾した、と答えるかわりに、ルネフスキイは一礼した。ゾーリンが帰ると、彼はさっそく支度を始めた。モスクワには知人があまりいないうえに、今はみな郊外に行ってしまっている。リバレンコは介添人を頼まれても驚きはしないだろう。

翌日、ルネフスキイとリバレンコは、午前三時にウラジミール街道に出て、指定の地点に来たときには、ゾーリンと彼の介添人がすでに待っていた。

リバレンコはゾーリンに歩み寄り、その手を取った。

「ウラジミール」彼の手をかたく握りながら、リバレンコは言った。「馬鹿なまねはよせ。ルネフスキイとは和解するんだ」

ゾーリンは顔をそむけた。

「ウラジミール」リバレンコは言いすがった。「運命を弄んではならない。ドン・ピエトロの屋敷のことを覚えているだろう」

「黙れ」ゾーリンは手を振りほどいた。「戯言《たわごと》でつぶす時間はない」

二人は木立に踏みこんでいった。

ゾーリンの介添人は、黒い口ひげを長く伸ばした将校で、その口ひげをひねってばかりいた。どこかで会っている、とルネフスキイは思った。決闘する両者の間合いを歩幅で計るさいにその将校が跳ぶのを見るや、思い出した。舞踏会で初めて会ったとき、ソフィア・・カールポヴナがさんざん笑いものにした、フリシュキンその人だ。

「わが友らよ」リバレンコがゾーリンとルネフスキイに言った。「頼む、和解してくれ。きみたちのどちらかが家に帰れなくなる前に！」

一方、フリシュキンは怒りもあらわにルネフスキイに詰めよった。

「私に言わせれば」血走った目を見開き、彼は言った。「これは許しがたい侮辱です。和解してはなりません。名誉ある家門を足蹴にしたのですぞ。わが友ゾーリンが和解するのであれば、この私、イゴール・フリシュキンがお相手しましょう！」

決闘者は向かいあっていた。怖ろしいほどの静寂の中に、撃鉄を起こす音が大きく響いた。

フリシュキンはザリガニのように顔を真っ赤にしていた。

「そうだ」彼は叫んだ。「私はルネフスキイ殿との決闘を望む！　我が友ウラジミール・ゾーリンが和解を選ぶなら、私が銃を取る！」

銃声がフリシュキンの言葉をさえぎり、ウラジミールの黒い癖毛がひとふさ飛んだ。瞬息ののち、もう一つの銃声が轟き、ルネフスキイが胸元を朱《あけ》に染めて倒れた。ウラジミールとリバレンコが駆け寄り、彼を抱き起こして胸に包帯を巻いた。弾丸は貫通しており、ルネフスキイは意識を失っていた。

「ドン・ピエトロの屋敷で見た幻覚と同じだ」リバレンコはウラジミールの耳元で言った。「きみは友を殺した」

ルネフスキイは馬車に運ばれた。もっとも近い人家は准将夫人の別荘であり、かの老婦人が情に篤いことはみな知っていたので、リバレンコは抗《あらが》ったが、結局ルネフスキイはそこに運ばれた。

そこからしばらく、ルネフスキイの記憶はない。ようやく意識を回復したとき、はじめて目に映ったのは、自分が横になっている長椅子を見下ろす位置に掛けられた、プラスコヴィア・アンドレーヴナの肖像画だった。凹室《アルコーヴ》には天蓋付きの古風な寝台《ベッド》があり、壁には大きな暖炉が設えられていた。

この部屋には前にも入ったことがある、と気づきはしたが、なぜここにいるのか、どうしてこんなに体が弱っているのかは、わからなかった。長椅子から起き上がろうとしたが、胸がひどく痛んで身動きがとれず、次第に決闘に至るまでの経緯を思い出した。拳銃を手にゾーリンと向かいあったのは覚えているが、そのあとどれだけ意識を失っていたのか。自分の身に起きたことを考えているうちに、

見知らぬ医師が部屋に来て、傷を調べ、脈をとったあとで、熱が高いと告げた。夜のあいだ、ヤーコフがたびたび来ては、彼に薬を服《の》ませていった。

同じような日々が続き、目にする人といえばヤーコフと医師だけだった。ルネフスキイはときどき、ヤーコフにダーリア・アレクサンドロヴナ――ダーシャのことを尋ねた。返事はいつも、ダーシャは祖母とともに無事に暮らしている、というばかりだった。医師は往診のさいに、さらに安静が必要だと告げ、いつ立ち上がれるようになるかと彼が尋ねると、少なくともあと一週間は安静だ、という答えが返ってきた。不安と焦燥で、下がる頃合いの熱はまたも上がった。

ある夜、熱のせいで眠れないでいた彼は、近くに物音を聞いた。耳をすますと、隣の部屋の会話が漏れ聞こえているのだとわかった。准将夫人とクレオパトラ・プラトノブナが話しているのだと、彼は気づいた。

「あと一日お待ちください、マルファ・セルゲイェヴナ」クレオパトラ・プラトノブナが言った。「せめて明日の朝まで！」

「それはできません」准将夫人が言った。「なぜ待たねばならないのですか。遅かろうと早かろうと、落ち着く先は同じなのだし。子供みたいに泣くのはおよしなさい。ダーシャの母親と同じことなのだから。軍人の妻が血を見るのを怖れるとお思いですか？」

「およしになろうとはお考えでないのですか」クレオパトラ・プラトノブナは声をあげた。「あきらめはなさらないのですか」

「騎士アンブロシアス！」准将夫人は声高に言った。

ルネフスキイはじっとしていられず、長椅子から立ち上がると、境の扉の鍵穴をのぞきこんだ。部屋の中央には、甲冑に身を固めたセミョーン・セミョーノヴィッチ・テリャエフが立っていた。彼の前には、赤い布で覆われたものが横たわっていた。

「なにを望んでいるのだね、マルファ」かすれた声で彼は言った。

「時が来ました」准将夫人は声をひそめた。

准将夫人は鮮やかに赤い、胸に黒い糸で大きく蝙蝠の刺繍をあしらったドレスを着ていた。テリャエフの甲《よろい》には木菟《みみずく》の姿が刻まれ、冑《かぶと》にあしらった飾りも木菟の羽根だった。

クレオパトラ・プラトノブナは内心の葛藤を顔に浮かべ、壁際に歩み寄ると、読みようのない奇妙な文字が刻まれた小さな黒い石板を引き出すや、床に叩きつけて粉々に砕いた。

突如、壁の隠し扉が開き、仮面舞踏会の衣装を着けた長身の男が部屋に踏みこんできた。アントニオがドン・ピエトロの屋敷で見た男だと、ルネフスキイは思った。

男を見て、准将夫人とテリャエフは恐怖に身を竦《すく》ませた。

「もういらしたのですか」准将夫人は震え声で問うた。

「時が来た」男は答えた。

「お待ちを。一日だけ、せめて明日の朝まで！　わが父にして支援者、守護者よ！」

准将夫人は膝から崩れ落ち、顔をゆがめた。

「待てぬ！」男は答えた。

「あと一時間だけ！」口もきけない様子の准将夫人は、震える唇で呻いた。

「三分やろう」男は答えた。「老いたる魔女よ、努めるがよい」

　男は合図をした。テリャエフは屈んで、床のものから赤い布を取りのけた。その下には、気を失ったダーシャが両手を縛られて横たわっていた。ルネフスキイは叫んで、扉を開こうとしたが、黒い仮面の陰に白く光る目に捕らえられ、その場から動けなくなった。なにも見えず、なにも聞こえず、身じろぎもできない。冷たい手に顔を撫でられ、感覚が戻った。振り返ると、プラスコヴィア・アンドレーヴナの幽霊が、手にした扇で彼をあおいでいた。

「わたしの肖像画と結婚してくださいますか」幽霊は言った。「飾り棚の指輪をさしあげますから、それを明日、わたしの絵につけてください。お願いいたします」

　プラスコヴィア・アンドレーヴナは骨だけになった両腕でルネフスキイを抱きしめ、彼は気を失って倒れた。

　しばらくのあいだ、ルネフスキイは病床に伏し、譫言《うわごと》を言いつづけた。我に返っても、目には絶望が浮かぶばかりだった。ダーシャは死んだ、と彼は信じていた。彼女を救えなかった自分を呪った。彼は狂乱して薬を放り投げ、包帯を引きちぎったので、ヤーコフは怖れて近づこうとしなくなった。

　ある日、そのようなひどい衝動もおさまり、自然の力が絶望を抑えて、安らかな眠りを迎えたとき、ルネフスキイはダーシャの声を聞いたように思った。目を開いたが、誰もいなかったので、彼はまた眠った。夢では、彼はドン・ピエトロの屋敷にいた。リバレンコは長いホールを通り、話に聞かせた奇妙な出来事のあった場所に彼を案内した。「この階段を下りると」リバレンコは言った。「アントニオがグリフィンに乗った部屋に行ける」二人は階段を下りたが、いつまでたっても下の階に着かない。

次第に熱くなり、両側の壁の隙間から炎が見えてきた。「もう帰ります」ルネフスキイが言うと、下りてきた階段が立ち上がって断崖のようになっていくのを、リバレンコは指さした。「戻れない」彼は言った。「下りつづけるしか道はないのだ」階段を下りきったところに、巨大な真鍮の扉があった。肥った門衛が扉を静かに開くと、真新しい制服を着た従僕たちに迎えられ、広間へと案内された。従僕の一人が、新来の客人をどのように紹介すればよいか尋ねたとき、その口から言葉とともに火がこぼれた。広間は明るく、にぎやかな音楽にあわせて大勢が踊っていた。壁際には骨牌《トランプ》の卓が並び、その一台には准将夫人が着いていて、血まみれの唇を舐めていた。テリャエフはおらず、彼女の向かいには黒い仮面の男がいた。「ああ！」准将夫人が言った。「退屈な案山子《かかし》だこと！　セミョーン・セミョーノヴィッチが早く来てくれないかしら」そう言いざまに、黒い炎が彼女の口に閃いた。ルネフスキイはリバレンコに声をかけようとしたが、いなかった。彼は一人だけになっていた。突然、踊る人々のあいだからダーシャが姿を現すや、近づいてきた。「ルネフスキイさん、どうしてこんなところに？　ここの人たちがあなたに気づいたら、大変なことになります」何事かわからないまま、ルネフスキイは恐怖を覚えた。「ついてきて」ダーシャが言った。「ここから出ましょう。でも、一言も口をきいてはだめ。声を出したら迷ってしまいます」彼は急いでダーシャを追ったが、彼女は急に立ち止まり、向きを変えた。「待って。その前に、ここの楽団をお目にかけましょう」扉を開き、ダーシャは言った。「ほら、音楽家たちがここにいます」そこには大勢の囚われ人が、炎の中で鎖につながれ、黒山羊の頭をもつ悪魔どもが、鞴《ふいご》で火を勢いづけたり、赤熱した金槌でかれらの頭を殴ったりしていた。広間で音楽に聞こえていたのは、かれらの悲鳴や呻き、鎖の鳴る音だったのだ。ルネフスキイに気づくと、囚

われ人たちは長い腕を差し伸べ、「こっちだ、こっちだ」と口々に叫んだ。「離れて！　離れて！」ダーシャは叫ぶと、彼の手を摑んで暗く狭い、ランプが一つ灯るだけの通路に引き込んだ。大広間からどよめきが聞こえてきた。「やつはどこだ？　やつはどこだ？」山羊の鳴くような声だ。「捕まえろ、捕まえろ！」

「離れないで、離れないで！」ダーシャが叫び、ルネフスキイは息をあえがせながらあとを追った。廊下を追ってくる蹄の響きが聞こえた。彼女は廊下の横の扉を開くと、彼を引きこんで戸締まりをした。

「これで助かった！」ダーシャは冷たい、骨ばかりの腕で彼を抱きしめた。ダーシャと思っていたのは、プラスコヴィア・アンドレーヴナだった。レルネフスキイは悲鳴とともに身を起こした。

　ベッドの脇にはダーシャとウラジミールが立っていた。

「よかった」と言って、ウラジミールはルネフスキイの手を握った。「気がつきましたね。悪い夢を見ておられたようですが、それでも眠っていたほうが良いかと思って、起こさずにいました。医師《せんせい》から傷は重いものではないと聞いて、私もおおいに安心しました。あなたが死んでしまうようなことになったら、私は自分を許せません。どうかお許しください。私はあまりにも軽率でした！」

「愛しい人、ウラジミールを許してあげてください」ダーシャが笑顔で言った。「心根は優しいのに、かっとなりやすいところがあって。もう少しお付き合いいただければ、きっと仲良くなれるでしょう」

　ルネフスキイは自分の目が信じられなかった。だが、ダーシャはたしかに目の前にいて、彼女の声を聞いたばかりか、その口調は前よりもずっと打ち解けていた。病床で幻覚を見続けていたので、頭の中が混乱して、夢と現実の区別がつかなくなっていた。ウラジミールは彼の当惑を察して、話を続

けた。

「あなたが療養しておられるあいだに、さまざまなことがありました。妹のソフィアはフリシュキンと結婚して、今はウリヤノフスクにいます。祖母は……いや、長話ではお疲れになります。御快復を見てお知らせします」

「それはいけないわ」ダーシャが言った。「わからないままでは、かえってお体に障るでしょう。ちゃんとお知らせしておかないと」そして、ルネフスキイをまっすぐ見ると、一息ついてから言った。「祖母は二か月前に亡くなりました」

「ダーシャも」ウラジミールが続けた。「重い病気にかかり、快復したのは祖母の葬儀のあと間もなくのことでした。あなたも御快復にお努めください。結婚式のために」

ルネフスキイが驚き、当惑している様子に気づいて、ダーシャは笑った。

「いけない。大事なことを言い忘れていました。伯母はわたしたちの結婚を許し、祝福してくれました！」

その言葉を聞くや、ルネフスキイはダーシャの手をとって何度も接吻し、ウラジミールを抱きしめると、あの決闘は本当にあったことなのか、と尋ねた。

「それは疑いえない事実です」そう答えたウラジミールの顔は笑っていた。

「いったい、なぜ決闘などしてしまったのだろう」ルネフスキイは言った。

「今となっては、私にもよくわからないのです。あなたに非はないうえ、ソフィアと結婚するようなことにならなくてよかったとさえ思っています。あの情なしの性悪女が、あなたが笑いものにしてい

たとでっちあげてフリシュキンをけしかけたのが、あの決闘のきっかけでした。それを知ったのは、あなたが私の弾《たま》を胸に受けたあとでした。私はもう、ソフィアを可愛いとは思えません。幸せであってほしいとは思いますが。今のあの子にはフリシュキンがいますから、兄の私が気にすることもないでしょう」

「ひどいわ、ウラジミール」ダーシャが言った。「実の妹だということをお忘れなの？」

「たしかに妹さ」ウラジミールは彼女の言葉をさえぎった。「でも、あいつのせいでぼくは人を殺しかけたし、きみを不幸にするところだった。今となっては、きみのほうがソフィアよりもずっと大事さ」

その朝から三か月が過ぎた。ルネフスキイとダーシャの婚礼も済んだ。二人はウラジミールとともに、暖炉の前に座っていた。くつろいだ身なりで、髪をスカーフでまとめたダーシャはお茶を注いでいた。クレオパトラ・プラトノヴナは、ふだんは自分がしていることをダーシャにまかせ、窓辺で静かに手仕事をしていた。ルネフスキイは、ふとプラスコヴィア・アンドレーヴナの肖像画に目をとめた。

「想像力はどれだけ人の心を惑わせるものか！」と彼は言った。「療養中は幻覚にさんざん悩まされたもので、あれが現実だと思い込みかねないほどだった」

「プラスコヴィア・アンドレーヴナについての話には謎が多い」ウラジミールが言った。「彼女がなぜ死んだのか。突然姿をくらました花婿は、いったい何者だったのか。クレオパトラ・プラトノヴナなら知っていると思っているが、どうも話したくないようだし」

自分の手仕事に集中していたクレオパトラ・プラトノヴナが顔をあげたが、その表情はいつになく悲しげだった。

「准将夫人がご存命であれば、わたしも誓約から解放されず、秘密は明かされないままだったでしょう。今は事情が変わりました。ダーシャがルネフスキイさんと結婚して、家門に負わされた怖ろしい呪いは断たれたのですから。わたしがお話しすれば、あなたがたが抱いておられる疑問も解けるのではないかと思います。ルネフスキイさんのおっしゃる幻覚がどのようなものかはわかりませんが、このたび起きたことは、すべて幻覚におさまるものとは言いきれないかと存じます。

あなたがたがご存じでない、さまざまなことをお伝えするために、まずはダーシャのお祖母様の家柄からお話しいたしましょう。お祖母様の旧姓はオストロヴィチェヴァといい、今は絶えてしまいましたが、十五世紀の末にオストロヴィーチとして知られた、ハンガリーの名門の血をひく方でした。この家の紋章は、赤い地に黒い蝙蝠《こうもり》をあしらったものでした。戦《いくさ》での素早い夜襲と、そのあとに残す血の海で知られたオストロヴィーチ男爵が、おん自ら望んで作らせた紋章でした。一族の仇敵はテラッラ家で、オストロヴィーチ家よりも上だと示さんばかりに、蝙蝠の天敵である木菟《みみずく》を紋章にしていました。もっとも、これは木菟を紋章にしていたタメルラン家を先祖にもつからだ、と言われています。

両家の戦いはながらく続きましたが、終わらせたのも裏切りと殺戮でした。最後のオストロヴィーチ男爵の奥方マルサは、希に見る美しい女《ひと》でしたが、無慈悲な心の持ち主でもありました。彼女はこともあろうに、〈潤剣《かつけん》のアンブロシウス〉と呼ばれた、武功目覚ましく見目凜々しいアンブロシウス・テラッラに、心を奪われてしまったのです。ある夜、マルサは密かにアンブロシウスを城に招き入れ、

その手を借りて夫を殺しました。もちろん、その邪悪な行いが報いを免れるわけもありません。騎士アンブロシウスは己が手中に収めたオストロヴィーチの城に怒りと憎悪を覚え、一族を一人残らずドナウに溺死させ、城には火を放ちました。マルサは一人、からくも難を逃れました。この事件については、この別荘の書庫にあるオストロヴィーチ家の年代記に、詳しく書かれております。

　この一族の末裔がいつ、どのような経緯でロシアに来たのか、わたしにはわかりません。ただ、マルサの罪への罰は家系に呪いとして続いたことはたしかです。ロシアに移り住んでも、多くの者は非業の死を遂げ、死ななかった者も正気を失いました。そして、准将夫人――マルファ・セルゲイェヴナの叔母、あの肖像画に描かれたプラスコヴィア・アンドレーヴナは、ロンバルディアの貴族ピエトロ・ドゥルジーナと婚約したばかりに……」

「ピエトロ・ドゥルジーナ？」ルネフスキイとウラジミールは声を揃えて、クレオパトラ・プラトノヴナの話を止めた。

「はい」彼女は答えた。「婚約者の名は、ドン・ピエトロ・ドゥルジーナといいました。もうずいぶん昔になりますが、その人のことはよく覚えております。そのときすでに若くはなく、最初の奥様とは死別されたと聞きました。が、その黒い目は二十歳《はたち》の若者のように輝いていました。まだ若いプラスコヴィア・アンドレーヴナは、如才ない異国の人の上品な物腰に、いとも簡単に心を奪われてしまいました。恋におちてしまったのです。彼女の母君は、准将夫人のように異国人を嫌ってはいませんでした。准将夫人は、異国人を嫌えば御自身の出自を隠しておけるものとお思いだったのでしょう。母君は、プラスコヴィア・アンドレーヴナとドン・ピエトロとの結婚を歓迎していました。

彼は富豪で、大勢の側近を従えて王侯のような暮らしぶりをしていたからでしょう。そして、コモで暮らす息子にロンバルディアの領地を譲り、自分はロシアに永住する、とも言っていましたし。

　ドン・ピエトロは優秀な芸術家や技術者の一団を引き連れていました。この別荘を建てたのはその中の建築家で、イタリア風の装飾を施したのは画家や彫刻家でした。しかし、その贅沢ぶりとは裏腹に、彼が見苦しいほどの吝嗇漢であることが、次第に明らかになってきました。お金を賭けてカード遊びをし、負ければ顔をしかめ、青ざめ、震えだし、勝てば勝ったで得意になり、満面の笑みで掛け金をかき集めるほどでした。この卑しいさまを目にすれば、プラスコヴィア・アンドレーヴナも母君も彼への態度を変えたことでしょう。が、ドン・ピエトロは二人の前では尻尾を出すことがなかったので、気づかれることもなく、ついに婚礼の日を迎えることになりました。

　その前夜、新たに建てたこの別荘で盛大な晩餐会が開かれ、席上でのドン・ピエトロは、ひときわ上品で快活に見えました。明るい話しぶりで気の利いた言葉を繰り出すので、お客たちはすっかり惹きつけられ、宴もたけなわというところで、彼のもとに外国の切手を貼った手紙が届きました。手紙に目を通すや否や、彼は席を立ち、思いもよらぬ急用ができてしまったので、どうしても席を外さなくてはならなくなったと言い、お客たちに謝りました。その夜のうちに別荘を発ち、それきり行方をくらましてしまいました。

　プラスコヴィア・アンドレーヴナがどれほど悲しんだことか。母君は八方手をつくしてドン・ピエトロを捜しましたが、やがて彼の失踪は娘との結婚を反故《ほご》にするための策だと思うに至りました。というのも、あれほど急いで旅立ったというのに、別荘とそこにあるものの扱い方についての書き付け

を置いていったからで、それだけのことができるのであれば、急用の理由と目的をプラスコヴィア・アンドレーヴナに伝えられたはずだと考えたのです。

　何か月かが過ぎましたが、ドン・ピエトロのからの知らせはありませんでした。泣きどおしのプラスコヴィア・アンドレーヴナは痩せ細り、金の婚約指輪が抜け落ちてしまったほどでした。誰もがドン・ピエトロの手がかりをあきらめかけた頃、コモから母君宛に一通の手紙が届き、その文面はドン・ピエトロはロシアから帰るやいなや急死した、と告げていました。差出人は彼の息子でした。一方、ナポリから帰ってきたばかりの遠縁の者から、こんな知らせもありました。父がコモで急死した、と息子が日付を書いていたその日に、ヴェスヴィオ山への旅の途中、トッレ・デル・グレコの宿で二人の旅人に会った。一人はローブとナイトキャップの寝起きのようないでたち、もう一人は仮装舞踏会の客のような衣装で、仮面まで着けていた。二人は口論をしていた。寝間着の男は遠くに行きたくないと言い、仮面の男は噴火口まではまだ道のりがある、明日は聖アントニオ*の祝日だと言って、彼を急かしていた。しまいには、仮面の男は寝間着の男をすさまじい力で引きずっていった。二人が見えなくなったところで、あのおかしな身なりの人たちは何者か、と尋ねると、寝間着の男はドン・ピエトロ・ドゥルジーナで、もう片方はヴェスヴィオ山の噴火を見にきたイギリス人だが、奇妙なことに仮面を外した顔を見たことがない、という答えがあったそうです。ドン・ピエトロは死んではおらず、コモからナポリに移っただけだ、というのが、その遠縁の人の言い分でした。

聖アントニオ　パドヴァの聖アントニオ（一一九五―一二三一）。祝日は六月十三日。

しかし、この話を別にすると、届く知らせは息子ドン・ピエトロの手紙を裏付けるものばかりでした。ドン・ピエトロの葬儀に参列し、柩が埋められるのを見た人が何人もいました。かくてプラスコヴィア・アンドレーヴナの婚約者の悲運には、疑う余地がなくなりました。

息子のドン・ピエトロにはイタリアを離れる気はなく、事務弁護士を通して父親の別荘を競売にかけました。とはいえ場当たりなもので、プラスコヴィア・アンドレーヴナの母君は無料《ただ》同然の値で、このベリョーゾヴァ・ローシチャの別荘を自分のものにしました。

長いあいだ泣いているばかりだったプラスコヴィア・アンドレーヴナも、ようやく落ち着いてきた様子になりました。母君のお部屋にはめっきり来ることがなくなりましたが、二階の部屋から部屋へと歩きまわって日々を過ごしておりました。使用人たちは二階の廊下を通るたび、彼女の独り言を聞きました。ドン・ピエトロと出会ってから、突然の別れになったあの晩までのことを、こと細かに思い出すのが、彼女の日課になっていました。ときどき、わけもなく笑いだしたり、かと思えば悲しげに呻いたりするさまは、耳にするも怖ろしかったそうです。

ある夜、プラスコヴィア・アンドレーヴナは痙攣を起こし、二時間ほどひどく苦しんだあと、儚くなりました。毒を呷《あお》ったと言われています。誰もが亡き人への思いは大切にしながらも、それが本当のことだと誰もが思わずにはいられませんでした。でなければ、死後まもなく彼女の部屋から聞こえるようになった物音を、どうとらえればいいのでしょう。ある秋の夜、強い風が窓を揺らし、煙突に吹きつけて悲しげに鳴らし、目覚めてしまったときに、わたしは足音やため息や、はっきり聞き取れない言葉を耳にしました。髪が逆立ち、歯の根も合わぬまま、わたしは不幸な魂が安らかであるよう、

声をあげてお祈りするほかありませんでした」

「その声ですが」話に聞き入っていたルネフスキイが口をはさんだ。「なにを言っていたのか、ご記憶でしょうか」

「はい」クレオパトラ・プラトノヴナは答えた。「なんとも理解しがたい言葉でした。誰かが肖像画と婚約し、婚約指輪をはめてくれるまでは、自分の魂は安らぎを得られない、というように聞こえました。神よ、感謝いたします。あの方の望みは叶えられ、魂の安らぎを妨げるものはもうありません。ダーシャがあなたとの婚約のさいにつけたのは、ドン・ピエトロが婚約者に贈った金の指輪でした。それに、ダーシャはプラスコヴィア・アンドレーヴナの肖像画そのままではありませんか」

「クレオパトラ・プラトノブナ」しばしの沈黙ののち、ルネフスキイは言った。「あなたはまだ、すべてを明かしてはいませんね。お話ししてくださったように、准将夫人の先祖であるオストロヴィーチ家の歴史には不可解な謎があります。ぼくはこの別荘を初めて訪れた日から、なにかあるように感じていました。ある夜、蝙蝠の刺繍をほどこした真っ赤なドレスを着た准将夫人と、古い甲冑に身を固めたティリャエフを見ましたが、あの二人はなにをしていたのですか？　そのときは高熱のせいで、悪夢か幻覚を見たのだと思ったのですが、これまでにうかがったお話と細部にいたるまで一致するので、あの怖ろしい夜に見たものが、ぼく自身の想像力のいたずらだとは思えないのです。記憶が薄れたところもありますが、あなたもその場にいました。もちろん、その場を取り仕切っていたのは、准将夫人とティリャエフでしたが。恥ずかしながら」一同が顔に驚きを浮かべて自分を見つめているのに気づき、ルネフスキイは続けた。「あの夜に見たことを、まだ考えていたのです。あれは幻覚にすぎない

のだと片付けてしまいたい、でも、そうはできないほど怖ろしかったものですから」

「いったいなにを御覧になったのですか」クレオパトラ・プラトノブナは不安そうに尋ねた。

「あなたと、准将夫人と、ティリャエフと、仮面の男です。ドン・ピエトロをヴェスヴィオ山に連れていき、リバレンコの話にも出てきた――」

「リバレンコか！」ウラジミールが大声をあげ、笑いだした。「きみの介添人についていたな。ルネフスキイ、あの男からコモでの冒険を聞いていたなら、きみまで頭がおかしくなるのも無理はない」

「だが、きみも彼と、アントニオという人と共に、〈悪魔の家〉に泊まったんじゃないのか」

「そうとも。その夜にどんな夢を見たかは、ぼくもアントニオもすぐに忘れてしまったが、可哀想にリバレンコは、その二、三日あとに正気をなくしてしまった。そのきっかけが〈悪魔の家〉に入ったことなのは、まちがいないだろう。自分が無事でいられたのは幸運だよ。あそこに行く前に飲んだパンチに阿片《アヘン》を入れたやつがわかれば、悪ふざけの代償をしっかり取り立ててやるところなんだかね」

「リバレンコからはパンチのことは聞かなかったが」

「自分の見たものが阿片の幻覚ではないと信じているからだろう。ぼくは一杯飲んだだけで目が回りだしたし、アントニオは千鳥足になって、つまづくものもないのに道ばたで転んだくらいだった」

「でも、きみたちの悪戯の結果、アントニオは死んでしまったのでは？」

「たしかにアントニオは、そのあと間もなく死んだが、前々から難病で、長くは生きていられないと、彼自身知っていたんだ」

「すると、リバレンコが買った骨や子供の頭蓋骨のこととか、昔死刑に処された盗賊のことは、どう

説明する？」

「ルネフスキイ、気を悪くしないでくれ。リバレンコは今でもぼくの親友だが、彼はコモの一件で、恐怖のあまり正気をなくしてしまった、というのがきみへの答えだ。夢と現実の区別がつかなくなり、混ぜ合わせて自分に納得がいくように話を作っているのだよ。彼の話を聞いたあと、高熱に魘《うな》されるようなことになって、あの戯言《たわごと》がきみの現実にも夢に入りこんでしまったのだろう」

その解釈には、ルネフスキイは納得できなかった。

「ならば、きみたちが忍びこんだ屋敷の主ドン・ピエトロと、この別荘のプラスコヴィア・アンドレーヴナが婚約していたことは、偶然なのか？」

ウラジミールは肩をすくめた。

「たしかに二人は婚約していた。だからといって、悪魔がドン・ピエトロをナポリに連れ去ったとか、リバレンコの夢が実は現実だったとかいうことにはならない」

「それにしても、プラスコヴィア・アンドレーヴナの縁者が見た仮面の男は、リバレンコの話にも出てきたし、誓ってもいいが、ぼくもこの目でたしかに見ている。三人が三人とも、申し合わせたように同じ幻を見るものだろうか」

「ありふれた仮装だから、三人どころか三十人だって、申し合わせなしに見ることはあり得るさ。仮面なんて、外套や馬車や、木や家と同じで、一日のうちに何度となく口にする言葉だろう。仮面の男は、プラスコヴィア・アンドレーヴナの遠縁の人とリバレンコの、それぞれの話の共通項ではある。だが、その男が現れた状況には、共通するものがない。きみが幻覚で見た男は、リバレンコから聞いた

話の記憶から現れたにすぎないよ」

「だが、ぼくはオストロヴィーチもテラッラも知らなかったが、准将夫人の赤いドレスに蝙蝠の刺繍があるのも、テリャエフの甲冑に木菟の飾りがあるのを見たんだ」

「じゃあ、あの予言は？」ダーシャが言った。「初めてこの別荘にいらした日に、マルサと騎士アンブロシアス、木菟と蝙蝠の詩をお読みになったのを覚えていない？　テリャエフと蝙蝠や騎士にどんな御縁があるかは知らないけれど」

「あの手稿は」クレオパトラ・プラトノヴナが付け加えた。「さきほどお話ししましたオストロヴィーチ家の年代記に書かれていた詩を、リバレンコが書き写したものでした。あなたがお読みになったあと、マルファ・セルゲイェヴナの言いつけで、わたしが焼き捨てておきました」

「ということは、きみたちは」ルネフスキイはダーシャとウラジミールに言った。「あの人が吸血鬼《ヴァンピール》ではないと思っているんだね？」

「ヴァンピール？」

「准将夫人は吸血鬼《ウプイリ》ではない、と？」

「どうしたの、お祖母様がウプイリだなんて言いだして」

「テリャエフもウプイリではないと？」

「大丈夫？　世界中の人たちが実はヴァンピールだった、なんて言わないでね」

「テリャエフはなぜ舌を鳴らすんだろう？」

ダーシャとウラジミールは顔を見合わせ、先にダーシャが噴き出すや、心底おかしそうに笑いはじ

めて、ウラジミールもつられて笑いだした。まさに抱腹絶倒というありさまで、一人が笑い止むともう一人がまた笑いだす始末だった。二人の笑いように、気まずさを覚えていたルネフスキイも、笑いを堪《こら》えきれなくなった。クレオパトラ・プラトノヴナは一人、憂《うれ》いを顔に浮かべたままだった。

そこにヤーコフが現れて、「セミョーン・セミョーノヴィッチ・テリャエフ様がおいでになりました」と告げなかったら、ウラジミールとダーシャの笑いは止まなかったことだろう。

「どうぞ、お通しして！」ダーシャは楽しげに答えた。「ウプイリの御入来よ！」と言うと、また笑いだした。「セミョーン・セミョーノヴィッチ・ウプイリ！　騎士アンブロシアス！」まだ笑いは止まらないようだった。

玄関から足音が近づいてきたので、みな静かになった。扉が開き、おなじみの老官吏が姿を現した。茶色の鬘《かつら》、茶色の上着、茶色のズボンと、いつ見ても変わらない笑顔が、一同の目に映った。

「ごきげんよう、ダーリア・アレクサンドロヴナ様、アレクサンドル・アンドレーヴィッチ様」彼は若い夫婦に歩み寄り、妙にやさしい声で言った。「もっと早くお邪魔するつもりでおりましたが、遺憾ながら御挨拶が遅くなりました……家の事情で……しばらく遠方に行っており……」

そして、舌を鳴らすと、ポケットから嗅ぎ煙草入れを出し、まずはダーシャに、それからルネフスキイに勧めた。

「メリロート入りの……生粋のロシアものです……マルファ・セルゲイェヴナはこれしかたしなみませんでした」

「あれよ」ダーシャはルネフスキイに小声で言った。「あれを見たから、騎士アンブロシウスを思い出

したのよ」

テリャエフの嗅ぎ煙草入れに木菟の絵姿が刻まれているのに、ルネフスキイは気づいた。

彼が嗅ぎ煙草入れを見ていることに気づいたテリャエフは、絵柄に目を落とし、首を傾げてつぶやいた。

「ふむ！　これはいわゆる幻想画……あるいは寓意画で……木菟は知恵を意味するもので……」

彼は肘掛け椅子に身を沈めると、ばかに愛想のよい笑顔で語りだした。

「いくつかお知らせすることがございます。スペインの内戦*ではカルロス支持派が大敗しました。昨日は私たちの知人、参事官補のリバレンコが、イヴァン雷帝の鐘楼から飛びおりました……」

「えっ、リバレンコが？」

「はい……午前五時のことでした……」

「自殺したのですか？」

「まさに……」

「なぜ、そんなことに？」

「私にもわかりません……虚しくなったのでしょう……参事官補は第八等、第六等の集議官への昇進は遠く、ましてその上の発事官は望むべくもなく……」

テリャエフが舌を鳴らしたので、そのあとの言葉はルネフスキイには聞こえなくなった。

「なんて気の毒なリバレンコ！」テリャエフが帰っていったあと、ルネフスキイは言った。

クレオパトラ・プラトノヴナは深くため息をついた。

「これで予言はすべて成就しました。呪いが一族を苦しめることは、もうありません」

「それはどういうことですか」ルネフスキイとウラジミールが声を揃えて尋ねた。

「リバレンコは准将夫人の私生児でした」彼女は答えた。

「リバレンコが？　准将夫人の息子？」

「本人はそれを知りませんでした。あなたがお読みになったあの詩を写すことで、あの人は自分の死を予言したことになります。ですが、それはリバレンコが作ったものではありませんでした。オストロヴィーチ家にかけられた呪いだったのです」


先ほどまで明るかったダーシャとウラジミールの顔が、悲しみに翳《かげ》った。ルネフスキイは思いに沈んだ。

「なにを考えているの？」静寂を破るように、ダーシャが尋ねた。

「リバレンコのことさ」ルネフスキイは答えた。「それから、療養中に見たもののことも。だが、きみは今ここに、私と一緒にいる。すると、やはりあれは夢だったのだな」


だが、言い終えると同時に、彼はダーシャの首筋に、まだ癒《なお》って間もない小さな傷痕があるのに気づき、青ざめた。

スペインの内戦　第一次カルリスタ戦争（一八三三―三九）。三三年、フェルナンド七世の死後、三歳のイサベル王女の即位。それを不服とした王弟ドン・カルロスは追放先のポルトガルで即位を宣言、支持者が内戦を起こした。

「その傷は？」彼は尋ねた。

「わからないの。わたしもしばらく病気だったから。たぶん、間違ってなにかで突いてしまったのでしょう。枕が血だらけになっているのを見たときは、さすがに驚いたけれど」

「それはいつのことか、覚えているかい？」

「お祖母様がお亡くなりになった、その夜のことでした。御臨終のほんの何分か前でした。ちょっとした傷なのに、ひどく体が弱ってしまって、お祖母様を看取ることができなかったのです」

二人が話しているあいだ、クレオパトラ・プラトノヴナはなにかをつぶやいていたが、ルネフスキイにはそれが祈りの言葉のように聞こえた。

「そうか」彼は言った。「すべてわかりましたよ、クレオパトラ・プラトノヴナ。あなたはダーシャを助けてくれたんですね。ドン・ピエトロも持っていたという、あの石板を打ち砕いて……」

クレオパトラ・プラトノヴナは嘆願するようなまなざしをルネフスキイに向けた。

「おっと」ルネフスキイが言った。「見当違いもはなはだしいな。もうこの話はおしまいにしよう。ぼくは夢を見ていたんだ！」

ダーシャには、彼の言っていることがわからなかったが、口を挟みはしなかった。クレオパトラ・プラトノヴナは、目に感謝を浮かべてルネフスキイを見やると、青白い頬を濡らす涙を拭った。

「みんな揃ってうなだれていることはないよ！」ウラジミールが言った。「リバレンコは気の毒だが、彼の話はここまでにしよう。さっきの話はおかしかったな。なるほど、テリャエフはウプイリみたいだよ！」

誰も笑わなかった。ルネフスキイは呼び鈴を鳴らし、ヤーコフが来るとこう伝えた。

「今度テリャエフが来るようなことがあったら、留守で誰もいないと言っておいてくれ。わかったかな？　必ずだぞ」

「かしこまりました！」ヤーコフは答えた。

この時を境に、ルネフスキイは准将夫人のことも、セミョーン・セミョーノヴィッチ・テリャエフのことも、口に出さなくなった。

ドラキュラの客

ブラム・ストーカー
夏来健次 訳

Dracula's Guest

Bram Stoker

馬車でミュンヘンを出発するときは、明るい日の光が街に溢れ、大気までが初夏の陽気さに満ちているようだった。旅籠《はたご》を離れる間際、デルブリュック氏（ぼくが投宿した四季荘《キャトルセゾン》の主人）が無帽のまま外に出てきて馬車に近づき、よい旅をと挨拶したあと、馬車の扉の把手に手をかけている馭者に向かってこう告げた。

「わかってるだろうが、夜になる前に帰ってこいよ。空は明るく見えるが、北風は冷たいものを含んでるから、急な嵐が来るにちがいない。おまえが遅れることはないとは思うが」デルブリュック氏はそこで意味ありげな笑みを見せたあと、こうつけ加えた。「今夜がどういう夜かは知ってるはずだからな」

「はい《ヤー》、旦那《マイン・ヘル》」馭者のヨハンは強い口調でそう返答すると、帽子に手を触れたあと急いで出発した。

ミュンヘンの街を出たところで、ぼくは馬車を止めるよう合図して問い糺《ただ》した。

「教えてくれ、ヨハン、今夜はどういう夜なんだ？」

「ヴァルプルギスの夜*です」

ヨハンは胸に十字を切りながらそう答えると、蕪《かぶ》ほどにも大きくて古いドイツ製の懐中時計をとり

だし、眉間に皺を寄せてじっと見たあと、気忙《きぜわ》しそうに肩をすくめた。それが不必要な遅れへの彼流の無言の抗議なのだと見てとったぼくは、馬車の席に身を沈め、再出発を仕草で促した。ヨハンは遅れをとり戻そうとするように急いで馬車を走らせた。馬たちはときどき頭をもたげ、なにやら不安げに空気の臭いを嗅ぐそぶりを見せた。ぼくはそれを目にするたびに気になり、あたりを見まわした。風の吹きすさぶ原野の道筋を採っているためか、ひどく荒い路面がつづく。進んでいく途中で、あまり使われていないらしい別の道との四ツ辻にさしかかった。細い谷間を穿《うが》つようにうねりのびている道だ。そちらの道筋に惹かれたぼくは、ヨハンが嫌がるのを承知のうえで、またも馬車を止めるよう声をかけた。そしてそちらの道を行ってみたいのだがどうだろうかと告げた。ヨハンはあらゆる言いわけを繰りだしてそれを拒み、盛んに胸に十字を切った。そのようすにぼくは怪訝《けげん》なものを覚え、いろいろと質問をしてみた。するとヨハンは答えをはぐらかし、またも抗議するように何度も時計を見やった。そこでぼくはついにこう言った。

「わかった、ヨハン。とにかくぼくはそっちへ行ってみたいんだ。きみは来たくなければ一緒に来なくてもいい。ただせめて、どうして行きたくないのか、理由だけでも教えてくれないか」

ヨハンはそれに返答するためか、先に馬車をおりたぼくを追うように馭者席から跳びおりて地面に立った。そして訴えるように両手を突きだしながら、その道を行くのはやめたほうがいいと説得しは

ヴァルプルギスの夜　ヨーロッパ各地で四月三十日の夜に催される土俗的祭事。八世紀ドイツの聖女ヴァルプルガにちなむ祝祭と、古代信仰の大地母神祭とが結びついたものとされる。

じめた。ドイツ語交じりのまくし立てるような弁舌ながらも、含まれている英語のおかげでなんとか理解できた。つねにあるなにかを言いかけているようではあるが——ヨハン自身を怖がらせているなにかを口にしそうに見えるが——いつのときも寸前で思いとどまり、十字を切りながら、ただこのひと言をつぶやくばかりとなる。

「ヴァルプルギスの夜です！」

ぼくとしては議論に持ちこみたいところだが、しかし母国語を異にする者と論争することはむずかしい。いつもヨハンのほうが有利になる。粗雑で聞きとりにくい英語で話そうとするが、興奮しすぎてまた自分の母国語に戻ってしまうというくりかえしだ。そのうちに馬車馬たちが落ちつきを失い、またも空気の臭いを嗅ぎはじめた。するとヨハンの顔が青褪め、怯《おび》えるように四囲を見まわしたと思うと、不意に馬たちへ駆け寄って手綱《たづな》をとり、二十フィートばかりも離れたところまで牽《ひ》き離していった。ぼくはあとを追い、どうしたんだと問い糺した。ヨハンはそれへの返答とするかのように十字を切り、今し方離れたばかりの地点を指さした。そして馬たちを馬車ごと最前の道筋まで牽き戻したあと、今一度十字を切り、初めドイツ語で、つぎに英語で、このように言った。

「埋まってるんです——自分で死んだやつらが」

そこでぼくが思いだしたのは、自殺した者の亡骸《なきがら》は道の四ツ辻に埋めるという古い風習の話だった。

「そうか、自殺しただれかが埋められているんだな？　興味深い話だ」

だがそれにしても、馬たちがなぜあんなに怯えを示したのかはわからないままだ。

ぼくたちがそんな話をしているとき、不意に吠え声かわめき声のようなものが聞こえた。かなり遠

くからのようだが、馬たちの狼狽ぶりがただならない。ヨハンは懸命に落ちつかせようと努めたあと、青褪めた顔でこう言った。

「狼みてえな声だ――今このあたりにゃ狼はいねえはずだが」

「いないだって？」ぼくが疑問を呈した。「狼たちはかなり前から街の近くまでおりてくるようになったそうじゃないか？」

「それはそうですが」とヨハンが答える。「街に近寄るのは春と夏でね。雪が降りだすと狼どもはもうこのあたりにゃいなくなるんです」

彼が馬たちを宥《なだ》めて落ちつかせようとしているあいだに、黒雲が急速に空に流れてきた。陽光が失せ、冷風が吹きすぎていった。ごくかすかな風で、なにかの前触れを思わせた。それを証するかのように、不意にまた陽光が戻った。ヨハンが目の上に片手をかざして、地平線を見やりながら言った。

「雪嵐《ゆきあらし》だ。すぐやってくる」

そして懐中時計をたしかめたあと、急いで手綱をしっかりと押さえつけ――馬たちが依然として落ちつかなげに地面を踏み鳴らしたり頭を振ったりしているためだ――旅を再開するときが来たと言うように馭者席にあがった。

ぼくは少し頑《かたく》なな気分になっていたので、すぐには馬車に乗りこまずにいた。

「まず教えてくれ。あの道の行く先はどういうところなんだ？」とぼくは尋ね、道を指さした。

ヨハンはまた十字を切り、祈りをつぶやいたあと、こう答えた。「穢《けが》れてるんです」

「なにがだ？」

「村が」

「それじゃ、村があるんだな？」

「そうじゃありません。人はもう百年も住んでいねえんで」

ぼくは関心を刺激された。

「でもきみは今、村と言ったじゃないか」

「昔あったってことです」

「今はどうなってるんだ？」

するとヨハンはドイツ語と英語とで長い話をまくし立てはじめた。ふたつの言語があまりに交じりあっているため精確に理解するにはいたらなかったものの、おおよそ把握したところによれば、百年ほども前、多くの人々が死んで墓に埋葬されたが、土の下から物音が聞こえるので墓を掘り返したところ、男女とも死骸が命を吹き返したかのような薔薇色を呈し、しかも口が血に赤く濡れていたという。それで生き残っている人々は自分たちの命を守るため（いや、むしろ魂を守るため――この部分を言うときヨハンは十字を切った）、ほかの土地へと逃げていった――生きている人間はいつか確実に死に、死んだ人間は死んだままで、ほかのなにかに変わったりすることのない土地へと。その〈ほかのなにか〉がなんであるかを口にするのを、ヨハンは明らかに恐れていた。この話を語りつづけるにつれ、どんどん興奮を高めていった。まるで空想に囚われているような状態となり、最後にはあまりの激しい恐怖のせいか発作に近いありさまとなった――蒼白な顔に汗を滲ませ、震えながらあたりを見まわした。なにか恐ろしいものが顕《あら》われるのではないかと予期するかのように。明るい陽光の照ら

す展《ひら》けた原野のただなかであるにもかかわらず。

　ついには必死の苦悶とともに叫んだ。

「ヴァルプルギスの夜だ！」　そして馬車を指さし、早く乗れと促した。

　それを目にするとぼくのなかで英国人の血が沸き立ち、その場を動かずにこう口にしていた。

「きみはよほど怯えているんだな。だったら帰っていいぞ。ぼくは独りであの道へ戻るよ。歩いていくのもかまわないから」　馬車の扉が開けられたままになっていたので、座席から楢《なら》作りの杖をとりあげ――休日の散策にいつも携行する杖だ――扉を閉めてから、ミュンヘンの方角を指さして言った。

「帰れ、ヨハン。英国人はヴァルプルギスの夜も気にしないのだ」

　馬たちが今までにも増して苛立ちをあらわにするので、ヨハンは懸命にそれを宥めながらも、なおもぼくに莫迦《ばか》なまねをしないよう説きつづけた。心底からそうしているのが感じられて気の毒にさえなってきたが、同時に笑い飛ばしたい気分も抑えられなかった。ヨハンはもう英語を話さなくなっていた。不安のあまりか、ぼくの母国語で話すのが理解される唯一の手立てであることを忘れてしまったようで、ただドイツ語でわめき立てるばかりだ。しかもうんざりするほどの長広舌になってきた。ぼくはミュンヘンのほうを指さして「帰れ！」と命じたあと、谷間の道をめざすべく件《くだん》の四ツ辻のほうへ向かうそぶりを見せた。

　ヨハンは絶望したような仕草を見せ、ミュンヘンへの道筋に馬たちを進めさせた。ぼくは杖に寄りかかってそのさまを見送った。ヨハンの馬車はゆっくりと道を去っていったが、ややあって、峠の向こう側から一人の長身痩軀の男がやってくるのが見えた。男が馬車に近づいていくと、馬たちが突然

跳びあがったり蹴りまわったりしはじめ、さらには怯えを示す嘶《いなな》きまであげた。ヨハンが制御できずにいるうちに、馬たちは狂ったように道を駆けだしていった。ぼくは馬車がたちまち視界から失せるのを見守ったあと、先ほどの見知らぬ男へ目を戻そうとしたが、その男もいつの間にかいなくなっていた。

　気持ちが少し落ちついたところで、ヨハンが進むのを反対した深い谷間の道に入っていった。反対されるような理由が見つからないまま、時が移りゆくのも距離が開きゆくのも忘れ、闊歩と言える足どりで二、三時間も歩きつづけたが、そのあいだ人も家も一度も見かけなかった。土地のようすに関するかぎり、まさに人跡稀《じんせきま》れと呼ぶにふさわしかった。但し、ことさらにそう感じたのは、道の角のひとつを折れ、森の辺縁らしき木立の散在するあたりに出たときのことで、自分の通ってきた道筋が本当に人跡稀れなところだったのだと、そのとき初めて強く印象づけられた。

　休息のため道ばたに坐りこみ、まわりを眺めわたした。歩きはじめたころより寒さがいちだんと強まっているのを感じた——溜め息のような、あるいはくぐもった唸《うな》りのような音が、四囲や頭上の高みからときどき聞こえていた。見あげると、相当な上空で分厚く巨大な雲が北から南へと急速に流れていることがわかった。嵐の到来を大気圏の高層で告げるもののようだ。体が冷えてきたのを感じ、徒歩の疲れを癒すためじっと坐りつづけているための寒さだと覚えると、すぐに旅を再開した。

　進んでいく道筋の景色がそれまでより格段によくなってきた。個別に目を惹くものがあるわけではないが、全景として魅惑的な美観に溢れている。いつの間にか夕闇が深まっているのを目にして、長い時間が経過していたことを察し、これは万一に備え引き返す経路を見失わないようにしたほうがい

いと初めて考えた。昼の明るさはとうに失せていた。大気は冷たさを増し、上方では雲の流れがいっそう急速になってきた。それに伴って遠方から轟々《ごうごう》という音が響き、さらにはそれに重なるように、馭者ヨハンが狼の声を仄《ほの》めかしていた謎めいた咆哮がときおり聞こえた。ぼくは束の間ためらった。すでに述べたように、人の住まなくなった村があるはずだという予想のもとに進んできたのだが、ここで目の前に展《ひら》けたのはただの広い原野で、四囲はといえば山々がつらなるのみだ。それらの山腹は木々で覆われて原野へとくだり、ところどころに藪《やぶ》やなだらかな斜面や窪地などが散在する。うねくる道の先を目で追うと、茂みの濃い木立の近くで折れ、その向こうが見えなくなっていた。

　そのあたりを眺めているうちに大気はさらに冷たくなり、ついに雪が降りはじめた。この荒涼たる地を何マイルも歩いてきたことを思うと、雪をしのげるところに入らずにはいられず、前方の木立のなかへと急いだ。空の暗さが増すにつれ降雪は速く且《か》つ激しくなっていき、たちまち四囲の大地に濡れ光る白い絨毯《じゅうたん》が敷き詰められた。その辺縁は早くも朧《おぼろ》に霞《かす》むほどに遠い。目の前にのびる路面は荒く、しかも左右の路側との境目がまったくはっきりしない。木の株のあいだを縫い進むうちに、どうやら道筋から迷いでてしまったと覚った。というのは、雪を踏み抜く足の下の地面が固くなくて、草や苔のなかに深く踏みこんでしまうからだ。やがて風が強まり、その強さは増すばかりだ。やむなく風のなかを走りだした。大気は凍るほど冷たく、奮闘も虚しく力尽きそうになる。雪は間断なく降りしきるうえに、体のまわりを高速で渦巻き、目も開けていられないほどだ。ときおり瞭然たる稲妻が空を裂き、そのまばゆい光のなかで、前方に鬱蒼とした木立の巨大なひと群れがあるのが見えた。おもに櫟《いちい》と檜《ひのき》で、どの木にも雪が重くかぶさっている。

間もなく木陰に身をひそめることができた。比較的静かなその場所では、上空の風の唸りがよく聞こえる。やがて黒々とした嵐が夜の闇と混じりあってきた。嵐は刻々とすぎつつあるらしく、ほどなく断続的な旋風や突風のみになってきた。そんななかで狼の不気味な咆哮が響き、周囲に逆巻く類似の騒音がその谺《こだま》のようにとどろく。

漂いゆく黒雲の巨塊の狭間に、しばしば月の光がまばらに射しこんであたりを照らし、今いる場所が檜と櫟の鬱蒼たる茂みの端であることを覚らせた。ようやく雪がやむと、ぼくは木陰から出て、一帯のようすをつぶさに観察しはじめた。今通過しているあたりはどうやら、相当に古い建築物の基礎部分が数多く散在する一角とおぼしく、ひょっとすると廃墟ながらも残っている建物があるかもしれない。そういうところに入ればしばらくは雨露をしのげるだろう。茂みの縁をまわりこんでいくと、木立を囲むように低い壁があるのがわかり、それに沿って進むうちに壁の切れ目を見つけた。そこでは檜の木陰が通り道のような形をなし、方形の建物らしき廃墟に通じているようだった。そこが目に入るのと時を同じくして、漂う雲が月を翳《かげ》らせ、暗がりのなかを進まねばならなくなった。風は冷たさを増し、歩きながらも震えを止められない。それでもとにかく身をひそめられる希望にすがり、やみくもにまさぐり進んだ。

急にあたりが静かになったのを感じ、足を止めた。嵐が去ったようだ。あるいはぼくの心臓までが自然の静けさに共鳴して、脈打つのをやめたのかとすら思えた。だがそんな気がしたのも一瞬のことで、ふたたび月光が急激に雲を裂いたと思うと、今いるところが墓地であることが明らかになった。目の前にある大きな方形の建物と思っていたものは、じつは大理石製の墓碑にちがいなく、その表面は

真っ白で、上に積もったりまわりを囲んだりしている雪の色にもひとしいほどだ。月明かりのなかで風のけわしい溜め息が遠く届き、嵐の再来を予感させる。そこに犬か狼の長い咆哮が重なる。ぼくは急激な不安に慄然とするとともに、心臓まで鷲掴《わしづか》みにされるほどの寒さがつのるのを感じた。大理石の墓碑に依然として月光が降り注いでいるあいだに、嵐が再来する兆しはさらにつのってきた——あたかも最前来た道筋を引き返してくるもののように。ぼくはなにかに魅《ひ》きつけられるように墓碑に近づいた。如何《いか》なる墓なのか、なぜこの墓地でひとつだけ残っているのかを知りたくて。墓碑をまわりこんでいき、ドーリア様式*の扉に記されているドイツ語の碑銘を読んだ。

ドリンゲン伯爵妃
シュタイアーマルク州グラーツ*
捜索の末　亡骸《なきがら》となりて見いだされけり
一八〇一年

ドーリア様式　古代ギリシャに端を発する建築様式。ドリス式。中間部が太いエンタシス状円柱が特徴。

シュタイアーマルク州グラーツ　オーストリアの一州と、その州都。レ・ファニュ「吸血鬼カーミラ」の舞台。丹治愛著『ドラキュラの世紀末』(東京大学出版会)によれば、「カーミラ」を愛好したストーカーは当初、同州を『吸血鬼ドラキュラ』の舞台として構想したという。(訳者)

墓碑の上辺をなす堅牢な大理石の隙間に――じつのところ墓碑はいくつかの方形石で構成されていた――太い釘あるいは杭のような鉄の棒が、墓を刺しつらぬくような形で突き立っている。裏側にまわると、このような詩句が太々としたロシア文字で彫りこまれていた。

死霊の旅ぞ迅《はや》し＊

あらゆるものがあまりに不気味且つ不可解で、ぼくは戦慄を覚え、思わず振り返らずにはいられなかった。馭者ヨハンの忠告に従っていればよかったかと初めて思った。するとそのとき、どこからともなく湧き出《い》でるように、ある記憶が衝撃とともに蘇った。今夜こそがヴァルプルギスの夜なのだ！

多くの人々が信じるところによれば、ヴァルプルギスの夜とは悪魔が顕現するときであり、墓が口を開け死者が這いだして歩きまわると言われている。のみならず、大地と大気と水中に棲むあらゆる邪悪なものが放埓をきわめる宵だとされる。ヨハンがどこよりも忌み嫌っていたのは、この場所だったのだ。百年も前に住む者の絶えた村とはこの地にほかなるまい。ここにこそ自ら死を選びし者が眠っている。そしてそんなところにぼくは独りきりでいる。供《とも》の者とてなく、屍衣《しい》のごとき雪にまとわりつかれて寒さに震え、そのうえ激しい嵐にふたたび襲われんとしている！　これまで学んできたあらゆる条理にかけて、教えられてきた信仰のすべてにかけて、そして自らの勇気の総力にかけても、ここで恐怖の衝撃に負けてはならない。

まさにそこへすさまじい旋風が襲いかかった。何千頭もの馬が駆け抜けるかのように大地が激震す

る。しかもこのたびの嵐がその翼に乗せてきたものは雪ではなく、大粒の雹《ひょう》だった。バレアレス投石兵*の投石器で投擲される石礫《いしつぶて》も斯《か》くやという威力の雹嵐《ひょうあらし》が降り注いで、檜の枝を折り葉を破り、木々の幹は裸で立ちつくす玉蜀黍《とうもろこし》の茎さながらとなり、木陰はもはや隠れ処《が》の用をなさなくなった。ぼくは初め近くの木のそばに駆け寄ったが、すぐに離れざるをえなくなり、やむなく唯一残る逃げ場所をめざした——すなわちあの大理石の墓碑に具《そな》わるドーリア様式の扉の陰へと。青銅製の分厚い扉のわきにうずくまると、雹の激しい攻撃からなんとか身を護ることができた。地面や墓碑の表面にぶつかって撥ね返った雹がたまに体にあたる程度で済んだ。

そうやって扉に凭《もた》れていたところ、不意に扉がわずかだけ内側へ開いた。この容赦ない嵐のただなかでは、廟墓《びょうぼ》の内部すら避難場所として歓迎せねばならない。そこに立ち入ろうとしたその瞬間、枝分かれした稲光《いなびかり》があたり一帯をまばゆく照らした。まさにその刹那、この世に生ける者たるぼくの目は、今まで暗がりだった廟墓内部へとおのずと向けられ、そこに一人の美しい女人《にょにん》がいるのを認めた。頬はふくよかで唇は赤く、棺台に横たわって眠っているもののように見えた。頭上で雷鳴が響くと、そ

死霊の旅ぞ迅《はや》し　ドイツの詩人ゴットフリート・アウグスト・ビュルガー（一七四七—九四）の長詩『レノーレ』より。主人公レノーレが亡き恋人ヴィルヘルムの死霊につれ去られ死の国で結ばれるという筋で、後世の怪奇文学に多大な影響を及ぼした。『吸血鬼ドラキュラ』第一章でも同じ句が引用されている。（訳者）

バレアレス投石兵　古代、地中海のバレアレス諸島（現スペイン領）に在した傭兵団。強力な投石器を扱い、カエサル『ガリア戦記』でも言及された。

の轟音のせいか、ぼくの体は巨人の手に摑まれでもしたように嵐の渦中へ飛ばされた。あまりに突然のことで、肉体上でも精神面でもなにが起こったのか理解できずにいるうちに、雹の激しい攻撃に晒《さら》されていた。それと同時に、この場にいる者が自分だけではないという奇妙な感覚に襲われた。思わず墓碑を見やったとき、またもまぶしい稲妻が光り、墓碑の上辺に突き立てられている鉄の杭に落雷した。雷撃は大理石をつらぬいて地面にまで達し、墓碑を爆破して木っ端微塵に砕いた。火柱があがった。死せるはずの女人が苦悶の表情とともに瞬時に身を起こしたが、たちまち焔《ほのお》に包まれた。苦痛のあまり放たれたかん高い悲鳴が雷鳴と重なる。その恐ろしい混淆《こんこう》の響きが、ぼくの耳が捉えた最後の音声となった。轟音とともに、体はまたしても巨人の手に摑まれ引きずられるかのように飛ばされた。雹に打たれているあいだ、まわりでは狼の咆哮が谺していたように思う。記憶にある最後の光景は、なにやら朧な白いものの群れが蠢いているさまで、それはあたかも、まわりのすべての墓から屍衣にくるまれた幽鬼どもが彷徨《さまよ》いでてきた姿を思わせた。そしてその群れが降りしきる白い雹のただなかをくぐり抜け、ぼくに迫ってくるようだった。

　ようやくぼんやりと意識が戻った。そのあとはひどい疲労感が襲う。初めはなにも思いだせなかったが、ゆっくりと感覚が恢復してきた。両脚がひどく痛み、まだ動かせない。痛みのあまり脚が麻痺していたようだ。首の後ろ側から背筋にかけて冷たい感触がわだかまる。耳は脚と同様に、痛みに痺れてなにも聞こえない。ある種の温《ぬく》もりが残っている胸板の内側は比較的ましなように思えたが、しかしもしそう呼んでよければそれさえ悪夢にもひとしく、なにか重いもので胸を圧迫されているよう

で呼吸がままならない。

　そんな無力感が長くつづいたが、それがやっと薄らいでくると、眠りに落ちたかあるいは意識を失ったかしたようだった。そのうちに、船酔いの初めのような胸のむかつきが襲ってきた。それから、なにかから逃げたいという激しい欲求が湧いた——それがなにかはわからないが。まわりの世界がすべて眠っているかあるいは死んでいるかのような完全な静寂のなかで、なにか獣らしきものの息遣いだけが間近から聞こえている。生温《なまあたた》かい息が首筋にかかると、恐ろしい事実が認識された。胸の奥まで凍るような悪寒を覚え、脳内で血が激しく渦巻いた。大きな獣が体の上にのしかかり、喉笛を舐めているのだった。ある種の思慮ある本能が身動きするのを恐れさせ、じっと横たわったままでいた。だが獣は獲物に些少の変化があったことに気づいたようで、不意に頭をあげた。ぼくは自分の睫毛《まつげ》を透かして、巨軀の狼が双眸を燃えあがるようにぎらつかせているのを目にした。カッと開けた口のなかで鋭く白い歯が煌《きら》めく。熱く荒い息が顔にかかりムッとさせる。

　それからどれくらいの時間がすぎたか憶えていない。気がついたときには、低い唸り声につづいて、息を喘がせる音が何度か聞こえ、そのあとどこか遠くから呼ぶ声が届いた。

「おーい！　おーい！」

　大勢の人間が一斉に呼んでいる声だ。用心深く顔をあげて声のするほうを見やったが、墓地にさえぎられてよく見えない。狼は依然として息を喘がせている。そのとき、人の呼ぶ声につづくように、檜の茂みの向こう側で赤く光るものが動くのが見えはじめた。声が近づくにつれ、狼の喘ぐ音が速まり且つ高まる。ぼくは身動きするのも声を出すのも必死にこらえた。四囲の暗がりのなかに敷き詰めら

れた白い雪の絨毯の上で赤い光がますます近づく。やがて木々の向こう側から蹄の音が響いたかと思うと、松明を持って馬に騎《の》った人々の一団が突然に姿を現わした。狼はぼくの胸の上から起きあがり、墓地のほうへ駆けだした。馬上の人々（帽子と裾の長い戦闘服からして兵隊と察せられた）の一人が騎兵銃をかまえ、狙いを据えた。その兵の腕を同僚の一人がとっさに払いあげた瞬間、銃弾が間一髪でぼくの頭上を掠《かす》め飛ぶ音が聞こえた。撃った兵はぼくの体と狼の体を見誤まったのにちがいない。つぎは逃げゆく狼に狙いがつけられ、またも銃声がとどろいた。一団の一部が馬を駆ってぼくのほうへ向かってくる一方で、別の一部が狼を追っていくが、獣は雪をかぶった檜の茂みのなかへと消えていった。

　騎馬兵たちが近づいてくると、ぼくは体を動かそうとしたが、力が入らない。兵たちがまわりを囲んでくる姿と物音を、目と耳が捉えるのみだ。松明の火と兵らの影が木々のあいだを動き、交わしあう声が響く。二、三人が馬から跳びおり、ぼくのわきにしゃがみこんだ。一人が頭を起こしてくれるとともに、片手を胸の上にあてた。

「いい知らせだ！　まだ心臓が動いてるぞ！」

　そのあと少量のブランデーが喉に注ぎこまれると、いくらか生気が戻り、瞼を完全に開けてまわりを見られるようになった。分かれていった兵たちらしき人影が木々のあいだを動き、呼びあう声が聞こえる。近づいてくる彼らの声からは怯えが感じとれる。恐怖に囚われたように松明で墓地の廃墟の向こう側を照らす者もいる。その者たちがようやく合流すると、ぼくを囲む兵の一人が問いかけた。

「あれを見つけたか？」

それへの返答は早口にまくし立てられた。

「いや、逃がしてしまった。それより、早くここを去ろう。長くとどまれる場所じゃない。よりによってこんな夜にはな！」

「あれはなんだったんだ？」

だれかが恐れを帯びた声でそう問いを発した。多くの者が口々に答えたが、みなはっきりとは言わない。同じことを口にしたい共通の衝動があるようだが、それを抑えこんでしまう共通の恐怖もまたあるらしかった。

「あれは——あれは——わかってるだろう！」一人が興奮に駆られるように口走った。

「狼でいて——狼じゃないんだ！」別の一人が震え声で割りこんだ。

「あれを斃《たお》すには、聖なる銃弾がなければだめだ」さらなる一人がより落ちついた声で言った。

「こんな夜に出動してきた以上、これぐらいの目に遭う覚悟は要るだろう。すでに千マルクの報酬を約束されてるんだからな」さらに別の一人が声高に言った。

「壊れた大理石に血が付いているぞ」やや間があってからある兵が言った。「落雷では血は付くまい。その人は——大丈夫なのか？　喉を見てみろ！　さっきまで狼がのしかかっていたじゃないか。まるで血が凍らないよう胸を温めてやってるみたいだった」

「大丈夫だ、皮膚を食い破られちゃいない。だが奇妙なことだな。あの狼の声を聞きつけなかったら、おれたちはこの人を見つけられなかったんだから」

「あれは結局どうなったんだ？」

そう問うたのはぼくの頭をささえてくれている人物で、一同のなかでいちばん落ちついているようだ。頭をささえる両手が少しも震えていないのでそう察せられた。袖口に見える下士官の階級章からして、捜索隊の隊長のようだ。

「もといたところに帰ったんでしょう」と答えた男は面長の顔を蒼白にして、そっと周囲を見まわす姿は明らかに怯え震えていた。「ここにたくさんある墓のどれかで眠りに就いたんです。おれたちも――急いで引きあげましょう。呪われたこんな土地は早く離れなければ！」

隊長はぼくに座る姿勢をとらせながら、兵たちへ指示の言葉を発した。すると数人がぼくを馬の背に担ぎあげた。隊長が同じの馬の鞍に跨ってぼくを背後から押さえ、出発の号令をかけた。一行は檜の木立から顔を逸らし、如何にも兵隊らしい整然とした行軍を開始した。

舌がまだ役目を果たすのを拒んだので、ぼくは依然沈黙をつづけた。いつしか眠ってしまったらしく、つぎに気がついたときには、左右にいる騎馬兵にささえられてどうにか馬上に跨りつづけていた。真昼を思わせるほどの明るさがまわりに溢れていた。北のほうから朝日の光線が射し、白い雪原に血のような赤い筋を引いている。隊長は今日目撃したことを口外しないよう兵たちに命じているところだった。口にしてよいのは、英国人の旅人が大きな犬と一緒にいるのを見つけたことだけだと。

「犬ですと！　あれは犬ではないでしょう」先刻に怯えを示した兵が口を出した。「おれだって狼はひと目見ればわかります」

若き隊長は冷静に言い返した。「わたしが犬だと言っているんだ」

「犬ですと！」相手の兵は皮肉気味にくりかえした。朝日が昇ったために度胸が増しているのは明ら

かで、ぼくを指さしてさらに言った。「この人の喉を見てください。これが犬の仕業でしょうか、隊長？」

　ぼくは思わず片手をあげて自分の首筋へやった。触れたとたんに痛みで声をあげた。騎馬兵たちがぼくを囲み、ある者は鞍に跨ったまま屈みこんで覗き見た。するとまたも若き隊長が冷静にたしなめた。

「さっき言ったとおり、あれは犬なのだ。ほかのなにかだなどと言えば笑われるだけだぞ」

　そのあとぼくの身柄はある騎馬兵の背に負われ、やがて捜索隊の一行はミュンヘンの郊外にたどりついた。ぼくはちょうど通りがかった馬車に移され、そのまま四季荘《キャトルセゾン》まで運ばれた——隊長と兵一人のみが同行し、ほかの者たちは兵舎へと退《ひ》きあげていった。

　四季荘に着くと、主人のデルブリュック氏が上階から見ていたとおぼしく、出迎えのために急いで階段をおりてきた。そして気遣わしげに両手でぼくをささえ、旅籠のなかへ導き入れた。隊長が敬礼したのち帰ろうとして背を向けると、ぼくは彼が同行してきた目的に気づき、是非部屋まで来てくれるよう要望した。部屋ではワインを酌み交わしながら丁重に礼を述べ、救出にあたった勇敢な兵たちへの感謝も伝えた。すると隊長は光栄のいたりですと返し、最初に兵たちが喜び勇んで捜索に加われるよう計らったのはデルブリュックさんですと打ち明けた。その意味ありげな言い方を聞くと旅籠の主人は笑みを見せた。隊長は役目がありますのでと言って帰っていった。

「しかし、デルブリュックさん」とぼくは旅籠の主人に問い糺した。「捜索隊まで出動させてくださったというのは、そもそもどうしてだったのでしょう？」

デルブリュック氏は大したことなどしていないとでも言いたげに肩をすくめながら、このように答えた。

「わたしも以前連隊に所属していまして、それで捜索隊を組んでくれるよう指揮官に頼みこむことができたというわけです」

「でも、ぼくが遭難したというのはなぜわかったんです？」と重ねて問うた。

「馭者のヨハンが壊れた馬車を牽いて戻ってきました。馬たちが逃げたせいでこうなったと言ってね」

「では、それだけでもう、捜索隊を出さねばならないほどの事件があったとお察しになったと？」

「それだけじゃありません」と旅籠の主人は答えた。「ヨハンが戻ってくるよりも前に、あなたさまをお客人としてお迎えになるご予定だというさる領主《ボヤール》さまから、こんな電報が届いていたのです」

そしてポケットから電報の紙片をとりだしてよこしたので、ぼくはそれを読んだ。

ビストリツァ*　ヨリ
ワガ客人ノ安全ヲ図ラレタシ。ソノ無事ハ重要ナリ。変事アルイハ失踪ノトキハ必ズ探シ安寧ヲ確保スベシ。英国人ユエ冒険心ニ富ム。雪ト狼ト夜闇シバシバ危ウシ。凶兆アラバ直チニ救イタマエ。大任果タサバ報酬ハ高額ナラン。ドラキュラ

この電報を手にしながら、ぼくは室内が旋回するような目眩《めまい》に襲われた。もし旅籠の主人が押さえてくれなかったら倒れていただろう。すべてのことがあまりに異常であり、想像も許さないほど不可

解且つ不気味でもあり、この世ならぬ力の存在を感じさせずにはいない——そう考えただけで目眩を覚えたのだった。わが身はなにかしら不思議な力によって護られた。遠国から届いたこの書信のおかげで、雪中での昏睡と狼の顎《あぎと》による危難から已《すんで》のところで助けられたのだ。

ビストリツァ　トランシルヴァニアの都市。『吸血鬼ドラキュラ』第一章において、主人公格の一人である弁護士ジョナサン・ハーカーが滞在する。

夜の運河

イヴリル・ウォレル
宮崎真紀 訳

The Canal

Everil Worrell

眠れる町を貫き、河は流れゆく。その左岸に沿い、古き運河は這いゆく。

べつに詩人になろうとしてこんな表現をしたわけではない。もっとも、その光景はたしかに詩的ではあった。ポーの詩のごとく陰鬱で、背筋の寒くなるような詩的情景。その場所のことは知りすぎるほど知っている。僕はこの草の生い茂る、運河沿いの小径を幾度も歩きすぎるほど歩いた。黒々とした樹々、建ち並ぶ今にもひしゃげそうな掘っ立て小屋、遠い工場の煙突の影が、のろのろと流れる滞りがちな水に映り、そしてその流れは今やすっかり動きを止めた。

僕は狂人と呼ばれるだろうし、みずから命を絶つことになるだろう。ここまでの足跡をわざわざ消すつもりはなく、これからすることを隠す気もない。後で何と言われようと、かまうものか。もし真実が知れたら——もしぼんやりとでも、僕が関わりを持ったものの存在を人々が想像できたら——もし、僕がなりつつあるものに自分たちもなっていたかもしれない可能性について、僕が阻止したこの町の運命について、人々がうっすらとでも気づいたら——そのときは偉大なる英雄と呼ばれるだろう。だが、さっきも言ったように、人にどう呼ばれようとべつにかまわない。とにかく、これから書こうとしていることをどうか最後まで書かせてもらいたい。そして、狂人の最後の戯言《たわごと》としてしかるべく

読まれてほしい。僕の所業に対して、町はたぶん喪に服すのだろう。だが、町じゅうが喪に服したとして、そんなことは、僕が阻《はば》んだ、この町が迎えていたかもしれないもう一つの運命と比べたら、ちっぽけなことなのだ。

いつも夜中に徘徊するのが趣味だった。われわれ人類は利口になりすぎて、今に先立つ何世代もの人々を守ってきた恐怖心という太古の本能をやけに軽んじるようになってしまった。せめてもの救いは、今もまだ群れで移動する習性が残っていることぐらいだろう。むろん誰だって夜そぞろ歩く。だがその目的地は、明るく照らされた通りのどこかや、人が一人では行かない場所だ。人里離れたところに向かうなら、必ず誰かに付き添ってもらうものだからだ。知り合いの中にも、いや、この町全体を眺め渡してみても、前述したような、草の生い茂る小径を真夜中に散歩しようなどと考える奇特な人間はまずいない。怖いからしないのではなく、しないのが普通だからだ。

まあ、仲間と一人だけ違うことをするのはたしかに危ない。踏み均された道からはずれたら、どんな危険が待っているかわからない。実際、人類のあけぼのの時代から何世紀かのあいだ人々を守っていた恐怖心とは、身に迫る現実の脅威に対する本物の恐怖だったのだ。

僕は一か月前にこの町に来たばかりのよそ者だった。ほんの三か月前の春に大学を卒業し、新卒で就職したのだ。まわりに知り合いもおらず、しばらくは一人ぼっちで過ごすことになりそうだった。いつも孤立しがちで、なかなか友だちができない質《たち》なのだ。

そんなとき、職場の同僚から、大きな川の向こう岸にあるキャンプ地に行ってみないかと誘われた。

町や運河のあるこちらとは反対側の岸は土手が高く傾斜が急で、樹々が鬱蒼と茂り、川沿いに小型のテントが賑やかに並んでいる。夜になるとこのキャンプ地にはきらきら光る灯りが連なり、小ぶりなキャンプファイヤーがあちこちで躍って、静かに流れる川のこちら側までかすかにポロンポロンと音楽が聞こえてきた。川の向こう岸は、孤独な変わり者の男が好きになれるような場所ではなかった。だがこちら側の岸は、もし川幅がこれほど広くなければキャンパーたちにとっては目障りでしかなかっただろうが、僕はと言えば、ひと目で惹きつけられた。

　僕らはモーターボートに乗り込んで、此岸に沿ってしばらく下流へ向かい、やがて方向を変えて彼岸へ渡った。僕は後方に目を向けた。黒々とした澱《よど》んだ水が運河で、その向こう側には背の低い建物がごちゃごちゃとひしめき合い、川と運河のあいだには細長い荒れた低地帯が伸びていて、ところどころに黒っぽい樹木が生えている。そのあたりをもっとじっくり見てみたいと思った。

　その週末はじつに退屈だったが、町に戻ってやっと一人で自由行動ができるようになった最初の晩、つまり月曜の夜に、無駄にした時間をさっそく取り返すことにした。職場を出るとすぐに一人で夕食をとり、部屋に帰って午後七時から午前零時近くまで寝た。自然に目が覚めたのは、先日発見した魅惑の土地を一人心ゆくまで探検する期待で頭がいっぱいだったのだから、当然かもしれない。僕は着替えて下宿屋を脱け出し、街角に駐車しておいた愛車のロードスターのエンジンをかけると、街灯に照らされた通りを走りだした。

　夕勤やら夜遊びやらを終えた人々を家路に運ぶ車で混み合うあたりを抜けると、道はしだいに暗く、狭くなっていく。あるときは袋小路にぶつかって引き返し、あるときは抜け道のない区画を迂回した。

町のそのあたりには、僕でさえ辟易した。一人でなかったら相当悲惨な気分にさせられただろう。

　しかし、インクを流したような運河にじかに続くでこぼこした玉砂利敷きの通りに車を駐車し、狭い橋を渡ったとき、ようやく苦労が報われた。ほんの一年ほど前までは驢馬《ろば》が川船を引いていた古い船曳道をしばらく進み、運河を渡る。上流に向かって軽快に歩いていくと、惨めな人々が住む惨めな小屋も一緒についてくるように思われたが、やがて置き去りにした。そこでは、住む者誰もが殺人の一つや二つ、犯していそうだった。

　さっき渡った橋は北に伸びる町の境に近く、運河の西端でもあった。十分ほど歩き、陰惨なあばら家の区画からだいぶ離れると、川も遠くなり、逆に運河の向こう側の細長い荒地帯は広くなって、樹々も増え、先ほどのあの邪悪さの滲む家々と同じように、背の高い樹々が僕と並んで行進しだした。遠くから町の鐘の音がかすかに耳に届いた。午前零時だ。

　しばし足を止め、周囲の寂寥を楽しむ。これこそ待ち望んでいた風情《ふぜい》だ。そうしてしばらく空を見上げ、重く垂れ込めた雲がゆっくりと流れていくのを眺めた。遠い町中心部の光がうっすらと空に反射しているおかげで雲が見えたのだが、そのせいか、それ自体不気味な燐光を放っているかのようだった。反対に、地面にはいっさい光がなかった。慎重に足で探りながら前に進む。勘を頼りに、運河に転がり落ちたりしないように注意したが、水が地面以上に黒々としていたおかげで見分けがついたということもある。もっとも、道から大きくそれずにいられたのは、横手の土地より低くなっているのが感覚でわかったことが大きい。

　ふと、その場に立ちすくんで目を上げる。心が妙にざわめきだし、さっきまでの心地よい満足感が

別の何かにふいに置き換わった。恐怖というのは僕のあずかり知らない感情だ。人を恐怖に駆り立てるようなものこそ、いつも愛してきた。たとえば夜中の墓地は、散策しながら随想するのにうってつけの素敵な場所だ。

だがそのとき、髪が逆立ち、背筋の上から下までぴりぴりと戦慄が走るのがわかった。大昔ご先祖様たちがジャングルで、今の僕の髪の毛と同様に背中を総毛立たせたとき、同じ気持ちだったのかもしれない。動くに動けなかった。誰かにじっと見つめられているのがわかり、恐ろしくて動けなかったのだ。その瞳が怖かった。それを見るのが、奥を覗き込むのが怖かった。

僕はずっと微動だにせず、上空に顔を向けていた。しかし必死に勇気を振り絞り、体をなんとか操ろうとした。

ゆっくり、ゆっくりと、目を下ろす。なるべくさりげなく動き、姿を見せない瞳の持ち主を驚かせないようにしようとした。前方を見据える。運河に張り出した木の枝の影が、ひんやりとした夜風に吹かれてそっと揺れている。真っ黒なかたまりのように見えるその樹々があるのは運河の向こう側だ。そして、映り込んだ雲がかすかにきらりと光って消えた、つやつやした漆黒は、運河の水面だった。水を見ていた目を少しだけ上げる。その運河上の最も影が濃くなっているところこそ、よくよく目を凝らすべき場所だ。だんだん暗闇に目が慣れ、瞳孔が開くにつれ、古いボートあるいは艀《はしけ》が水になかば沈んでいるのがぼんやりとわかった。

打ち捨てられた、古びた運河船*だ。

だが、はたしてこれは夢だろうか？　それとも、本当に船尾にある低い船室の屋根に、白い服を着

た誰かが座っているのか？　こちらに向けられた青白いハート形の顔が、闇の中で妙に光っている。双《そう》眸《ぼう》の輝きが顔を照らし、暗闇から浮かび上がらせているかのようだ。

　たしかに、目がそこにあるのは間違いなさそうだ。獣の目が闇で光るように、その両の瞳も光っている。燐光のきらめき、赤い輝きだ。そう、夜間には人間の目がそんなふうに朱色《あけいろ》に見えることがあると聞いた覚えがある。

　だが、あんなところに人間がいるものだろうか。しかも間違いなく若い娘だ。あの優美なハート形の顔は、確かに女性のもの。しだいにはっきり見えてきた。目が深い闇に慣れてきたせいか、こちらを見つめ返している眼《まなこ》の放つ燐光のせいか。

　夜の静寂《しじま》を破りすぎないように、そっと声をかける。「こんにちは、そこにどなたかいますか？　迷子になったの？　それとも置き去りにされてしまったの？　僕にできることはありませんか？」

　一瞬、沈黙が流れた。足元で小さくチャプチャプと水が跳ねる音がする。夜風が急に強くなり、暗い水面にさざ波をたてているのだ。さっきまでは体が火照っていたのに、風が吹きつけてきた場所で汗がふいに冷えて、震えが止まらなくなった。

「どうかそこにいらしてください。そして、もしよければ少しお喋りしましょう。一人で寂しくて。でも迷子じゃないんです。私……ここに住んでいるの」

運河船　運河で貨物を運送する、船体の幅の狭い、長いボート。

とても信じられなかった。囁き声とも思えるほどのか細い声だったが、はっきり聞こえた。やはり間違いない、女性の声だ。しかもここに住んでいると言った。こんな、澱んだ水になかば沈んだ、打ち捨てられた古い運河船に。

「まさか一人で住んでいるわけではないですよね？」

「ええ、一人じゃありません。父も一緒です。でも父は耳が不自由で。それに今はぐっすり眠っているの」

　はたして夜風は、何処の見えない凍てついた海から吹きつけてくるかのように、これまで以上に冷たくなったのでは？　あるいは、娘の口調から感じる何かにぞくぞくさせるのか？　でも、同時にその何かが不思議な魔力で僕を引き寄せる。もっと彼女に近づきたい。もっと近くでハート形の蒼白な顔を見たい。闇で輝くまぶしい瞳に溺れたい。ああ、彼女を腕にかき抱き、その唇を唇で探して口づけを――

　はっとした。今いったい何を考えていたのか。その瞬間、自分の心にふくれ上がった想いに驚いた。生まれてこのかた二十二年というもの、愛だの恋だのとは無縁だった。あれこれ空想したとしても、それは恋愛とは別の方向へと向かった。苔むした、傾いだ墓石のほうが、世にも美しい顔よりはるかに拝み甲斐があった。だが、今自分の心を占めているのは、間違いなく愛だ！

　僕は大胆にも運河の縁に近づいた。

「そばに行ってはいけませんか？」とお願いしてみる。「暖かい夜だから、濡れてもかまいません。ええ、たしかに時間はもう遅い。でも、町に戻る前にほんの数分でも横に座ってお喋《しゃべ》りがしたい。ここ

はあなたのような女性が住むには淋しすぎる場所だ。お父上だって、あなたがこうしてときには誰かと言葉を交わすことぐらい、お認めくださるでしょう」

　そんな型破りな頼み事をしたから、次の返事が、わなわなと体を震わせて激しく抗議をしているかのように聞こえたのだろうか？　娘の声音にはどこか奇妙なところがあって、彼女が話をするたびに不思議な気分になった。

「ああ、だめです、絶対に。けっして泳いでこちらに来てはなりません」

「では、明日か、そうでなくても近々、日中にここに参ります。それで僕がそちらに行くか、あなたがこちらに来て、話をするのはいかがでしょう？」

「昼間はいけません。絶対に昼間はだめ」

　また低く響く拒絶の言葉の魔法に囚われる。

　つまり、あんなに強く拒絶したのは、時間が不適当だと思ったからではないのか。礼儀やマナーが少しでも気になる女性なら、会う約束をするとすれば、当然真夜中過ぎではなく日中を選ぶだろう。だが、娘の最後の言葉から推察するに、ここにまた来るなら夜でなければならない、ということだ。

　僕は依然として、魔法にかけられている気がしていた。理性がどこかにさまよいだして頭がぼんやりしているようなとき、これはあたりに麻薬か何かがたちこめているからだと、本来なら冷静に考えるべきだろう。それでも性急にたたみかけた。

「なぜ『昼間はだめ』と言うんですか？　つまりまた夜に来いと？　今あなたは、服を台無しにしてでも運河を泳いで渡ると僕が申し出たのを拒み、しかも、板か可動橋を渡すかして、あなたのほうが

岸に来てつかのま言葉を交わすこともできないと言った。こんなふうに運河の水越しに呼び合うのではなく、隣で話ができるなら、また来ますよ。あなたがいいと言うなら、昼でも夜でもいつでも。どちらでもかまわない。あなたにまた会いたいんだ。でも一つ教えてください。日中にうかがって、あなたのお父上にお会いするのがいちばんいいのでは？　そうすればお父上と知り合うことができ、友人にさえなれるかもしれない」

「父は夜眠りますが、昼間は私が眠るんです。それではあなたとお喋りすることも、父に紹介することもできないでしょう？　昼間にこのボートに来れば父と会えるでしょうが、きっと後悔なさいます。私はと言えば、眠っている。だから父とお引き合わせはできないんです」

「お二人とも、ずいぶんぐっすり眠っているようですね」また声に険が出てしまう。

「ええ、そのとおりよ」

「必ず交代で？」

「そうです。必ずどちらかが見張りをしているんです。私たち、町にはとてもいられませんでした。だからここに避難してきたんです。そしてつねに、そう、昼も夜も見張っている」

　胸にあった怒りは消え、また彼女に心を惹き寄せられていた。夜の闇に包まれた娘はあまりにも青白く、淋しげだった。目はどんどん暗闇を見透かすすべを覚え、僕の伴侶の姿がますますはっきりと見えてきた。ああ、彼女を伴侶と見なすことができたら。暗黒の水をあいだに挟もうとする彼女と、手を携えることができたら。

　ぽつんと一人たたずむ姿の悲しさ、あまりに完璧な孤独そのものが、娘を哀れに見せた。それでも、

さっき少しだけ気づいたあのおかしな感じが、まだあたりに漂っていた。つい身震いしたくなる妙な悪寒は、夜の涼しさが醸す健全な寒気とはどこか違う。実際、むしろ異様なほど暑苦しい夜で、悪寒をよそに、今も熱気が肌にのしかかってくるのがわかる。死の冷気がふっと吹き込んできては消え、しかし気温そのものは変化させない、そんな感じだった。水面をざわめかせる小さなさざ波が、わずか一フィート下の水中には何の影響も与えないのと同じように。

それだけではない。夜気には忌まわしい臭気がたちこめていた。湿っぽくて黴《かび》臭い、まさに死や腐敗が吐く臭いと言ってもいい。陰気さや不健全さについては一家言ある僕でさえ、この臭いはなるべく吸い込むまいとした。ここでずっと平気で呼吸をして暮らすなんて、とても考えられない。でも、どうやらこの娘と父親は慣れっこのようだ。運河の澱んだ水と、二人の避難所である沈みかけた古いボートの腐った木材が、臭いの原因だということは間違いなかった。

また憐れみで胸が締めつけられた。これが避難所だとは聞いて呆れる。そして、姿がはっきりするにつれて、娘がかわいそうなくらい痩せこけていることがわかった。ただ顔はどこか妙で、でもそこに惹きつけられた。身にまとった服はぼろぼろだったが、かといって案山子のようには見えない。体には肉らしい肉がほとんどついていないものの、骨格自体が美しい。近くで見れば、その小さくて青白いハート形の顔だってもっと美しいはずだ。もっと近くで見なければ。この沈みかけた船の奇妙で孤独な乗組員の友人として、なんとか認めてもらうのだ。

「ここは避難所と呼ぶにはお粗末すぎる」とうとう告げた。「普通なら、お金がなくてももう少しましな暮らしができるはずです。僕なら力を貸せるかもしれない。いや、きっと力になれる。町でうまく

いかなかったのは、貧しかったからでは？　僕は金持ちじゃないけれど、少しぐらいなら用立てできるかもしれない。あなたがかまわないなら。そうでなくても、仕事を見つけてあげられる。そうとも、きっと」

　雲が流れゆく明るい空に断続的に照らされる、二つの小さな水たまりのような双眸が、こちらにさっと向けられ、さらにぎらぎらと光った。彼女は船室の屋根の上でかがみ込むように座っていたが、突然すっくと立ち上がり、腹立たしげに足を踏み鳴らしたかと思うと、口を開いた。

　囁くような小さな声だったが、シューシューと歯のあいだから吐き出す息は怒気を含んでいた。

「お馬鹿さんね！　私を机に縛りつけてドアの奥に閉じ込め、思いのままに行動する自由を奪っておいて、それで助けたつもり？　そんなこと絶対にさせませんからね。それならこの船や、ひとけのない墓場で野宿したほうがずっとまし！」

　途方もない驚きに打たれた。顔もはっきりとは見えないこの見ず知らずの娘は、なんと自分の同類だ。そう訴えたのが僕だったとしても、おかしくなかった。そんなふうによく感じていたのだ。もっとも、僕は考えをそこまではっきりと力強く口に出すなんて、考えたこともなかった。決まりきった昼間の生活は正直どうでもいいものであり、本当の意味で生きている実感が持てるのは、夜毎の徘徊のときなのだ。そうとも、この娘の言うとおりだ。どんな人も自由でなければならない。そして、ここはと思える理想的な場所で暮らすべきだ。

　ちっともわかっていなかったのだ。あの夜、恐ろしい力が僕の魂をぐいっとたぐり寄せ、入口を見つけて、性格の病的な弱さをついて楽々入り込んできたことに。そうとも、ちっともわかっていなかっ

た。仲間とばっさり縁を切ることと引き換えに、何を失うことになるのか。彼らはみな、夜は群れで町を歩き、街灯で明るく照らされた道や人がそばにいることを好み、一人になりたくなったときは、それができるきれいで健全な場所を選ぶ。

その晩、大事なことはたった一つだと思えた――失言によって愛する人の胸に燃え上がった怒りをなんとか静め、僕の想いに応じてもらうこと。

「わかりますよ、その気持ち。あなたが思うよりはるかによく」おそるおそる囁く。「とにかく、またあなたに会いたい、あなたをもっとよく知りたい、それだけなんです。そして、できることは何でもしてあげたい。こんな僕でも、あなたのために役立つことが必ずあるはずです。今夜を境に未来永劫、あなたはただ命じるだけでいい。ああ、誓いますとも！」

「私の命令に従う、そう誓うの？　本当なのね？」

言葉にこもっていた熱が嬉しくて、僕は暗い夜空に片手を掲げた。

「誓います。今宵より永遠に、そう誓います」

「じゃあ、いいこと？　今夜はこちらに来てはいけないし、私もそちらには行きません。あなたにはこの船に乗ってほしくありません。今夜も、いつの夜も。そして昼間はとくに。でもそんな悲しそうな顔をしないで。私がそちらに行きますから。今夜は無理だし、そう何度も行けはしない。でも、まもなくよ。運河の岸にいるあなたのもとへ行く。運河の水が流れを止めたら」

僕はじれったそうな、あるいは切羽詰まったようなしぐさをしたに違いない。今のは、「金輪際ない」と突っぱねられたも同然だったからだ。運河の流れが止まるなんて、ありえないではないか。彼

女はこちらの考えを読んだのだろう。それに対して答えたからだ。
「わかってないのね。本気で言っているのよ、私。そちらの岸であなたにお会いしますし、それはまもなくのことです。ここの水は流れがだんだん緩くなっています。刻々と。上流のほうで、運河の水が抜かれたと聞きました。その下流にある閘門《こうもん》のあいだから水がまだ漏れ出しているせいで、ごくゆっくりと水が動いているんです。でも、流れがすっかり滞る夜が来る。その晩、私はそちらに行きます。そのとき一つお願いをするでしょう。あなたにも誓いを守っていただくわ」

その晩なんとか取り付けた約束はそこまでだった。娘は先ほどまで身をかがめて座っていた船室の脇にすでに戻り、再び同じ姿勢で座り込むと、むっつりと黙り込んだ。微動だにせず、僕を見つめている。その目は見えたり見えなくなったりしたが、視線がいっさい揺るがないのはわかった。彼女と話をしているあいだはようやく忘れていられたあの冷たい夜風がまた吹きつけてきて、不吉な腐臭も夜明け前にいっそう強くなった。

娘はそれから二度と喋らなかったし、話しかけても答えず、僕はだんだんいらだって、妙に居心地が悪くなった。

僕はとうとうその場を去った。そして、夜明けの最初のかすかな光が差す頃、下宿屋の階段をこっそり上がり、部屋に帰りついた。

翌日出勤したときには、ひどく疲れていた。でも、その後も毎晩夜になると下宿屋を脱け出したので、疲労は蓄積していった。昼も夜も眠らなければ誰だって疲弊するし、暑い季節ならなおさらだ。僕

がしていたのはまさにそれだった。憑かれたように古い船曳道に通い、沈みかけた運河船の向かい側の岸で、来る夜も来る夜も娘を待った。見かけても、彼女はほとんど喋らなかった。でもときには船室の屋根に上がってきて座り、夜明けまで姿をずっと眺めていられることもあったが、恐怖にも似たおかしな不安に追い立てられて、途中で家に逃げ帰ることもあった。すると、寝苦しい暑さで何度も寝返りを打つうちにうつらうつらして、奇妙な夢ばかり見、額に朝日を感じて目覚めると、またもそもそと服を着て会社へ行った。

一度、運河の水が流れを止めたら岸辺で会うなんて、なぜそんな風変わりな条件をつけたのかと尋ねてみたことがある（僕がどれほど熱心に運河の水を観察したことか。昼食時に一度ならず会社を脱け出し、古い運河船には近づかないようにして、水泡だの麦わらだの小枝だのゴミだのが漂っている、ほとんどわからないくらいゆっくりと流れている水を眺めたものだった）。

娘は質問にむっとした様子だったので、それについてはもう二度と尋ねなかった。彼女は気まぐれを起こすだけでよかった。でもこちらは待つことしかできなかった。

一週間以上経ったとき、また質問してみた。今度は別の話題だ。そしてそれ以降、あれこれほじくり返すのをきっぱりやめた。

「私について理解できないことがあっても、二度と訊かないで。もう絶対に。さもないと、あなたの前に二度と姿を見せないから。そして、いよいよそちら側に行くことになっても、あなたとは会いません」

尋ねたのは、町で彼女と父親はどんなひどい目に遭わされたのか、なぜ町で暮らしていたのにこん

な淋しい場所に追いやられたのか、ということだった。

　ここまでにせっかく勝ち取ってきた信用を、これでなくしてしまっては大変だ。僕は大慌てで別の話をしようとした。でも、言葉を継ぐ前に、彼女の小さな声がまた聞こえてきた。

「本当にもう散々だったわ！　あの橋の下の、運河沿いの小さな掘っ立て小屋の集落――この船よりひどいと思わない？　あそこは閉鎖的で、みんながこそこそ暮らしているの。今みたいな自由はなかったわ。だけど、まもなく本物の自由が手に入ったら、今だに忘れられずにいることもみんな忘れられる。あのわめき声や罵倒、呪いの言葉。恐ろしさのあまり、逃げだしたこと。あの集落の横を通るとき、あそこに閉じ込められる気持ちを、あそこでびくびくしながら暮らすことを想像してみて。ああ、二度とあいつらのことは考えたくない。もう忘れるつもりだし、けっして口にも出さないわ！」

　僕はあえて何も言わなかった。彼女がわざわざ打ち明けてくれたことに驚いていた。しかし、今の言葉からはっきりわかったのは、水の中で腐っていくばかりのこの古い船に住む前は、途中で通りかかるあの惨めな掘っ立て小屋のどれかに住んでいたということだ。どの家一つとっても、殺人の舞台になる運命を背負っているような、あの集落に。

　その夜、帰り際に、やけに大胆な気分になった。

「あと一、二晩したら、あなたは僕の横を歩くことになるでしょう」と大声で宣言した。「昼休みに水の様子を観察していたら、もうほとんど流れていなかった。紙切れを一枚投げ込んでみると、水に浮かんだ薄い油の被膜の上で、くるくる回ったりゆらゆら揺れたりしていました。そう、あなたがたっぷりと距離を置いているあの薄汚い町から来た油です。でもいくら眺めていても、それは下流へはいっ

かな移動しようとしませんでした。たぶん明晩か、その次の夜には、二人でこの土手を歩くことになる。雲のない、月明かりのきれいな夜だといいですね。あなたにできるだけ近づいて、顔をもっとはっきり見たい。あなたのほうは、闇に沈んでいようが月に照らされていようが僕がよく見えているようだが、それと同じくらいにね。そしてできれば口づけしたい。もちろん、あなたが許してくれたらだけど」

それでも翌日、初めて不安が襲いかかってきた。このところずっと夢うつつで暮らしてきたが、ふと、自分が足を踏み出したこの道の終わりに何が待っているのか、考えを巡らせ始めたのだ。

思えばそもそもの初めから、運河沿いの古い集落について、禍々しい空想をしていたではないか。あの家々は、横を通り過ぎるだけでも、真夜中の慰みにおどろおどろしい考えをかきたてた。たしかに僕は、娘のちょっと不気味で不可解なところに参ってしまって、普通とはあまりにも違うやり方で口説こうとしているのだが、それでも彼女があの集落からやってきたとは、さすがに思ってもみなかった。

この頃には、僕は明らかに職場のはみ出し者になっていた。べつに敵を作ってまわったわけではなく、あまりの変人ぶりを見て、ひどい陰口が叩かれるようになったからだ。あいつは頭がどうかしてると職場の誰もが考えだすのも時間の問題だっただろう。これから二十四時間のあいだに起きる出来事のあと、この手記が発見されたあかつきには、やっぱり思ったとおりだった、とみんなが膝を打つに違いない。しかし話のこの時点では、同僚たちはまだ形の上では僕を丁重に扱い、ただできるだけそばに近づかないようにしているだけだった――まあ、僕としては渡りに船だったわけだが。毎日、睡

眠不足で消耗し、こちらを詮索する周囲の視線を意識しながら、日中はただ時間をだらだらとやり過ごして、夜が来るのだけを楽しみに暮らしていたのだ。

　だがその日は、以前川辺のキャンプに誘ってくれ、そんなつもりはなかったとはいえ、僕を最愛の人のもとへと導くことになったあの同僚に近づいた。

「川の町側の運河沿いに、今にも倒れそうなぼろ家が並んでいるのを知ってるかい？」と尋ねる。

　バレットという名のその同僚はこちらを訝《いぶか》しげに見た。ずっと何も言わずにおきながら、今頃になっていきなりあれらについて持ち出してきた意味に、彼も気づいたのだろう。つまり、なぜか知らないが、僕があれらにやけに強い関心を持っているらしい、と。

「おかしな趣味だな、モートン」一瞬の間のあと、彼は言った。「ときどき妙な場所をうろついているそうじゃないか。夜の墓場について熱く語っていたと聞いたこともある。だが、忠告しておくが、あの集落には近づかないほうがいい。よくない場所だし、評判もよくない。はっきり言って、あそこを突きまわしたりしたら、命を落とすことにもなりかねんぞ。殺人だって何件か起きてるし、麻薬窟の一つ二つに手入れが入ったこともある。いったいどうしてあんなところを調べようなんて気に――」

「べつに調べたいわけじゃない」不躾《ぶしつけ》に遮《さえぎ》った。「ただちょっと興味を持っただけさ、外からちらりと見てね。じつを言うと、噂を耳にしたんだ。どこで聞いたかは、この際どうでもいい。だが、今君も、あそこで殺人があったと言った。僕が聞いたその噂も、人が殺されそうになった事件だった可能性がある。以前あそこに父親と娘が住んでいたが、集落から叩き出されたかどうかして、逃げ出すはめになったという。そんな話、聞き覚えはないか？」

バレットは変な目でこちらを見た。世にも恐ろしい話なので、ちらりと触れただけでまたぞろ現実に甦る、とでも言わんばかりの目つきだ。

「その話は、昔あそこで起きたと言われる物騒な出来事を思い出させるな」彼は言った。「どの新聞も大騒ぎだったよ。あの集落のどこかの家から子供が一人姿を消したんだ。そして、やはり集落で間借りしていた貧しい二人の住人、娘とその父親が、子供を殺した容疑をかけられた。二人の容疑というのは……ああ、こんなこと口にしたくもない。じつにおぞましい。子供の遺体が見つかったんだ――体の一部がね。切り刻まれてたんだよ。現場を見た人たちは、犯人が遺体をバラバラにしたのはどんなふうに殺したか隠すためだと考えたらしい。しまいにわかったんだが、首がざっくり切り裂かれていたんだ。どうやら失血死だったようだ。遺体は娘の部屋で見つかった。隠してあったんだ。老いた父親と娘は、警察が来る前に逃走した。町もその周辺もしらみつぶしにされた。いや、国じゅうが捜索されたが、二人は見つからなかった。何年か前の話だが、君も新聞で読んだはずだよ」

僕は陰鬱な思いでうなずいた。たしかに新聞で読んだ。そのとき初めて思い出したのだ。そして再び恐ろしい疑問が頭に浮かんだ。僕の心をとらえて離さないあの娘は誰か？　いや、何か？

ああ、慈悲深き神よ、なぜあのとき死なせてはくれなかったのか？

疲れきり、昏《くら》き魔力に理性を曇らされ、僕は頭がうまくまわらなくなっていたのだ。それでも、崖っぷちに立った夢遊病者がぎりぎりバランスを保っていられる理屈に似た、無意識の思考回路のようなものが、今や警報を響かせていた。

頭の中には陰々滅々としたイメージがあふれ返っていた。本で読んだり人から聞いたりした話によ

ると、この世には、血の渇きを癒したいがために人を弑《しい》することを厭《いと》わない女がいるという。そしてなかには、死してなお血に渇き、それを求め続ける幽霊だか亡霊だか——連中をどう呼ぼうとかまわないし、そういうものどもの名は、人類が地球上に現れたその揺籃期にさかのぼる禍々しい伝説の中にいくらでも登場する——もいるらしい。それらは吸血鬼と呼ばれ、僕も本で読んだことがある。昼間は死体にしか見えないが、夜になると悪霊と化し、そのままの姿か、蝙蝠や不浄の獣に変身して戸外にさまよい出《い》でて、狙った獲物の身も魂も殺してしまう。というのも、吸血鬼は獲物にくり返し〝口づけ〟し、喉から血を吸ってはそこに痕を残すのだが、そうして死んだ者はみな、やはり吸血鬼になってしまうからだ。とにかく、そういう存在については読んだことがあった。

　そして、ああ、なんと恐ろしい！　最後に出勤したその呪われた日に、思い出したのだ。吸血鬼ども、その生ける屍どもには、夜中に出かけられなくなる条件が一つだけある——やつらは流れる水が、渡れないのだ。


　その晩は、自分の弱さを嘆く涙で頬を濡らしながら、毎夜恒例の散歩に出かけた。体はもう限界まで弱っていたうえ、この期に及んでようやく気づかされたのだ。本人の情けない意志などものともしないはるかに強力な魔力に魅入られた者が、どれほど惨めかということに。とにかく行くしかなかった。

　運河船の近くまで来たとき、午前零時を知らせる町の鐘の最初の音が遠くから響いてきた。その日は新月で、しかも空には雲がかかっていた。空低くで稲光が瞬き、ありとあらゆる方角から光が走っ

ているかのように見え、地平線が浮かび上がる。まるで、世界の縁の向こう側で見えない炎が燃え上がっているかのようだった。その断続的な光に照らされて、僕はそれまでそこにはなかったものを目にした。古い船と運河の岸のあいだに、細長い影が揺るぎなく伸びている。すでにそこには板が渡されていたのだ。その瞬間、気づいた。自分はずっと邪悪な力と戯れていたのであり、それはもはやけっして僕を逃がすつもりはなく、実際、今しもその手でがっちりと容赦なくとらえようとしているのだ、と。なぜ今夜ここに来てしまったのか？　僕を虜にした魔力はどんなものより、そう、どんな健全な愛の力にも増して強力で、けっして振りほどくことができないから？　僕が求めていたのは魔物だった。そうとも、今眉の上に冷たい玉の汗を浮かべながら、思い出していた。大昔に読んだままなかば忘れかけていた、黒い古びた本の表紙と裏表紙のあいだに隠されていた伝説。それがこの最後の夜になって、記憶の奥底からじわじわと甦ってきた。

　わが闇夜の貴婦人よ！　健やかなる血肉を具えながら、僕と同じ歪んだ趣味に耽溺するような女性などどこにもいない。生ける屍の娘以外には。その瞬間、悟ったのだ。いにしえの伝説の吸血鬼どもが、この現代においても、清らかな地上を依然として蹂躙し、穢《けが》し続けているのだと。

　そのときだった。背後の暗闇でポキリと小枝の折れる音がして、何かが腕をかすった。

　こうしてついに夢がまことになるときが来たのだ。振り返らなくても、あの双眸のらんらんと輝く優美な青白い顔が、僕の顔のすぐ近くにあるのがわかった。この身に抱き寄せたいとあれほど願った娘のほっそりした体が、手を伸ばしさえすればそこにある。待ち焦がれた恍惚の瞬間に酔いしれることだってできたはず。だが、古い運河船を初めて目にしたあの夜と同じように、僕は耐えがたい悪寒

に打ち震えて、髪の毛が根元から逆立っていた。蒸し暑い夜気に重くたちこめる腐臭は、わずかな夜風ぐらいでは吹き散らされもせず、僕は文字どおり圧倒されて、ガチガチ鳴りそうになる歯を必死に食いしばっていた。ここに来るといつも感じる冷気が、小波のように次々に押し寄せてきた。だがそれはけっして風ではない。なにしろ木の葉はこそりとも動かず、梢でしんなりとしおれているようにさえ見えたからだ。

　苦労して首を動かし、振り返る。

　すると両の手が僕の首をつかんだ。蒼白な顔はすぐそこにあり、鼻孔から吹き出す温かな息が頬をくすぐるのを感じる。

　ふいに、歪んだ性格のどこかに潜んでいたまっとうな自分がむくむくと目覚めた。闇の中で開いた不気味な花のごとき深紅の唇。触れたいと思いながら恐れてもいる。ひるんで後ずさりしつつも、僕を捕えておこうとする両手の細い手首をがっちりとつかんだ。負けるな。何かがゆるゆると僕の意識を奪おうとしている。気が遠くなりそうだが、負けちゃいけない。

　そのときは町に続く小径のほうを向いていた。雷鳴が、最初の雷鳴が低く轟き、夏の夜を支配する灼熱の静寂を破る。まぶしい稲光が夜をびりびりと破り、全世界を明るく照らすかのようだった。頭上では、空高くで激しく吹く風に追われて、雲が狂ったように疾走しているが、やはり地上近くでは、空気はぶるりと小さく震えることさえない。そして運河のはるか先では、狂暴な閃光が居並ぶあばら家の上でしばらく戯れていた。殺人の呪いにかかり、死んだ子供の幽霊に取り憑かれたあの集落。

　僕はそのおんぼろの家々を見据えたまま、彼女の蒼褪めた顔から逃れようと努め、抵抗の意志をな

んとか挫《くじ》いて抱きしめようとする腕に抗《あらが》った。争いは長い時間続いた。空を照らしていた雷光もいつしか消え、あたりは広大な闇にすっぽりと包まれていた。しかし近くでは、もっと邪悪な光が今も顔にじっと注がれている。ぎらぎら輝く双眸は、影に沈む家々をぼんやりと眺めている僕の目を、ひたすら見つめ続けるのだった。

僕がしつこくせがんだからこそこちらに来たこの娘、いや女は、拒絶されたそのときから、もう僕を愛するのをやめた。いや、愛するのをやめただけではない。女の暗い過去を知るあの家々を眺めていた僕を見て、心を読んだに違いない。僕があの家々を恐れる気持ちを見抜き、さらには彼女自身にも恐怖を覚え始めたことを見抜いたのだ。それが憎しみを生んだ。どんな人間も、ここまで人を憎めはしないと思う。それほどの悪意をこめて、女は僕を憎んでいた。

そう考えたところで、またぞくっと鳥肌が立ち、髪の毛が逆立った。人間であれば、これほどの憎しみをかき抱けるはずがないだろう。ますます激しく震えながら、僕は女の瞳で激しく燃えている炎の中にその憎しみを見ていた。炎は、女性の瞳ならではの輝きを放つのではなく、地獄の業火のごとく禍々しく見えた。

しかもそうするあいだずっと、二人は一言たりとも言葉を交わさなかったのだ！

ここまではなんとか冷静に書いてきた。この調子で最後まで書き進められればいいのだが。もし完成させられれば、これをどこぞの狂人の記録と考えてくれる者が一人や二人はいて、今から書こうとしている世にも恐ろしい出来事のことも信じてくれるかもしれない。

だが僕だって生身の人間だ。恐怖の一夜の物語もこの時点まで来ると、とても冷静ではいられなくなる。まるで身の毛のよだつ悪夢のただなかに引きずり込まれ、逃げ道もなければ、目覚めることもできないかのようだ。今こうして書いていると、あのときの戦慄がまた襲いかかってきて、ペンを動かすことさえできなくなる。やり遂げねばならない使命さえなければ、今すぐ街に走り出て、わあわあ叫びながらあたりを駆け巡っていただろう。そして逮捕され、世間から隔離されて、堅固な鉄格子の奥に閉じ込められてしまうだろう。いや、そのほうが僕としては安心できるかもしれない——おそらくは。

あのとき、赤く輝く双眸で燃えたぎる憎悪を目の前にして、できれば逃げ出したかった。しかし、また腕をつかんできた痩せ細った両手の力はやけに強く、それを阻んだ。キスはそこまでなんとか回避してきた。だが、彼女に仕えると誓ったあの言葉からは逃れられそうになかった。

「あんたは約束した。誓ったのよ」と耳元で囁く。「今夜その誓いを守ってもらう」

頭がくらくらした。僕は誓った——そのとおりだ、誓いは守らなければならない。夜空に手を高々と上げ、彼女が何を言おうとそのとおりにすると誓った。無理強いされたわけでもなく、みずからの意志で、進んで誓ったのだ。

僕は女から逃れる道を模索した。

「君は船に戻ったほうがいい。その手伝いをさせてくれ」そう頼んでみる。「君はやさしくしてくれるつもりはさらさらないようだし、もうおわかりのとおり、僕ももはや君を愛してはいない。このまま町に戻るから、君もお父上のもとに戻るといい。しつこく言い寄ったことも忘れてもらってかまわな

い」

返事として返ってきた高笑いのことは、永遠に忘れられないだろう。運河のゴミの浮いた水面の下深くにいようと、苦痛に苛まれた僕の魂がさまようことになるこの世とあの世のあいだの空虚な世界にいようと。

「つまりあんたは私を愛していないし、私のほうはあんたを憎んでいるってわけ。馬鹿ね！　水の流れが止まるまでうんざりするような毎日をやり過ごし、待ち続けたあげく、さっさと船に戻るって？　父と私はここにたどり着いたとき、水の引いた運河で腐りかけていた古い船を見つけて、そこに避難することにした。ところが眠っているあいだにまた水が戻されていたのよ。それで水の流れが止まるまで、足止めを食うはめになった。私の正体が正体だからね。そのときでさえ、今夜のことを夢見てたわ。

　ずっと父とここに閉じ込められていたけれど、父にとってはもう待つ意味はなくなってしまった。その勇気があるなら、空っぽになったこの船に明日来て、父がどうなったか見てみるといいわ！　それでも私は一人で今夜のことを夢見続けてきたの。

　ずっと一人孤独で、飢えていた。だけど今やっと全世界が私のものになる！　あんたに手を貸してもらえるおかげでね」

　僕はどうにかこうにか、いったい何をしてほしいのかと尋ねたが、頭が混乱して、答えがほとんど耳に入ってこなかった。それでもかろうじてわかったのは、大河の向こう岸のキャンプ地に女が行きたがっていることだった。恐ろしさのあまり頭がすっかりどうかしていた僕に、女はこんこんと説明

し、命令に従わせようとした。

つまりひとけのない深夜に、彼女を腕に抱いて、川にかかる長い橋を渡らなければならないのだった。

その日、町に続く小径がどれだけ長く感じられたか。女は後ろをついてきた。僕は脇目も振らず、ひたすら前を見て進んだ。ただあのあばら家の集落の横を通りかかったときだけ、運河に映り込むその影が目に入り、激しく身震いして危うく転倒しそうになった。この女が殺したと言われている幼い子供のことが頭に浮かび、そう考えたことが彼女にもきっとわかったに違いなかったからだ。

そして今や僕は恐怖に呑み込まれ、頭がすっかり朦朧としていた。

だが、川に渡された幅広の長い橋に足を踏み出したのは確かだったし、そのとき嵐が巻き起こり、激しく打ちつける雨のなか、そこに命が懸かっているかのように、一歩一歩足を踏みしめたのも確かだった。僕が呼び覚ましてしまった恐怖の権化が腕にしがみつき、肩に顔を埋めていた。その青白い顔の連れがもう恐ろしくて恐ろしくて、今では到底女とは思えなくなっていた——もはや闇夜に住まう物の怪でしかない。

向こう岸にたどり着いて、腕の中にいた女が地面に降り立ったとき、嵐は依然として荒れ狂っていた。そして僕は、いやいやながら、またともに歩きだした。まわりでは樹々がその枝を狂ったように激しく打ちつけてきて、翻《ひるがえ》った薄緑の葉裏が、空を次々に引き裂く鮮やかな閃光で輝いた。

進んでいく僕らめがけて折れた梢が飛んでくるが、悪運のせいか、奇跡的にそれていく。二人とも落ちてきた枝に当たって死なずにすんだのは、そういうわけだった。川で逆巻く白波は、降り注ぐ猛

烈な雨で奇妙な形に押しつぶされている。上空に目を向ければ、雲がさながら空を滑空していく悪魔の群れのようだった。

　暗くなったテントに近づいては通り過ぎたが、キャンバス地の壁の向こうからかすかな光が漏れているテントもいくつかあった。そして最後にたどり着いたのは、古い石切り場だった。女に導かれるまま、人の手が作った渓谷の奥へ分け入り、石壁にできた割れ目に近づく。

「そこに手を入れて、ぐらぐらしている石に触れたら引っぱり出して」彼女が囁いた。「その石が、深い洞窟に続く入口を塞いでいるのよ。石を取り除くのは人間の手でないといけない。あんたの手で動かすの」

　僕はなぜそこで抵抗しようとしたのか？　そして結局、無駄に終わったのか？　まるで、失敗することはあらかじめ決まっていると知っていたかのようだった。なにしろ、誓いを立ててしまったのだから。

　もしこの手記を読んでいるあなたが、ここまで僕が書いてきたことは事実だと信じてくれているなら、正気をなくした物狂いの戯言と呼べるものは、残りあとわずかだ。だがそれは、実際に起きたことなのだ。

　僕は抗えない力に屈して割れ目の奥に腕を伸ばした。ちょうど手の届くあたりに窪みがあり、ぐらぐらしている石があるのがわかった。細長い岩のかけらで、思ったよりずいぶん大きい。それでも簡単に動き、天然の軸心を中心に揺れているような感じだった。ぐらっと動いたかと思うと、こちらに

倒れてきて、次の瞬間、どっしりした重みが勢いよく転がり出てきた。慌てて脇に飛びすさり、その拍子に転んで、岩が額をかすった。

一瞬だけ意識をなくしていたに違いない。でもほんの一瞬のことだ。頭が刺すように痛み、目の前でばちばちっと幻の光が散った。それでも、立ち上がろうとした僕のほうに何かがどっと押し寄せてきたのは幻ではないとわかった。闇の中で、忌まわしい形をした黒っぽい何かが、いくつもそばをすり抜けていったのだ。岩の割れ目から這い出てきたそれらは夜の闇へ一心不乱に羽ばたき、キャンプ場へと飛んでいく。

つまり、僕が外の世界への出口を開放した洞窟は、蝙蝠《こうもり》たちの住処《すみか》だったのだ。灯りのない真っ暗な洞窟の中にいたとき、キーキーという鳴き声が聞こえ、羽の動きも羽ばたきの音も伝わってきた。だが生まれてこのかた、人間サイズの蝙蝠なんて見たことがない！

頭をぶつけたせいで眩暈《めまい》がしたが、気味が悪かったしむかむかしたので、やつらが向かったほうへ這っていった。もしやつらに触れていたら、恐怖のあまりその場で死んでいたかもしれない。

今ではようやく蝙蝠の嵐も収まり、あたりに重たい闇がたち込めて、墓の中にでもいるような気分だった。

テントが列をなして並ぶあたりにいる無数の怪物蝙蝠は、さっきより体が縮んで見えた。そんな恐ろしいことは考えたくないが、やつらは人々が眠るテントの中に忍び込もうとしているらしい。

僕は灯りのともったテントの一つにようやくたどり着き、キャンバス地から漏れる薄明りが届かない影の中にそっとしゃがみ込んだ。そうして待ったが、たいして時間はかからなかった。テントのキャ

ンバス地に黒いシルエットが映っている。テント入口のフラップが動き、カサコソと何かがこすれる音、何だろうと不思議がる声に続いて、また黒いシルエットが現れた。だが今回はさっきとは影法師の様子が違っている。黒いシルエットは今やテントの中にいる。蝙蝠はその羽を、今潜り込んだ入口に広げている。

　恐怖が僕を金縛りにした。そのまま影を見ていると、それはまた変化した。どうやって変わったのか説明したくてもできないくらい、いつの間にか気づかないうちに。

　それはもう蝙蝠ではなく、女の影になっていた。

「本当にひどい嵐でした！　私、道に迷ってしまって、もうへとへとで。ここにお邪魔したのは、できれば明け方まで休ませていただけないか、お願いしたかったからですの」

　シューシューと息の漏れる、人をぞくぞくさせる囁き声。僕が知りすぎるほど知っている声だ。テントの中から、どうぞどうぞというくぐもった声が聞こえてきた。僕はようやく理解し始めていた。

　その女の正体なら知っている。川を渡れないから、わざわざ腕に抱いてここまで運んでやったのだ。女は運河の水さえ、完全に流れを止めるまでは渡れなかった。僕はかつて読んだ『吸血鬼ドラキュラ』をはじめ、その類の本や小説を思い出していた。あれらは実話だったのだともうわかる。あの魔物たちは確かに存在していると、今なら証言できる。

　ここまではあの闇の魔物に対して立てた誓いを守ってきた。指示どおりにお仲間のところに連れていったし、群れと化したやつらをキャンプ地へ解き放った。キャンパーたちは死ぬ運命にある。そし

て彼らからほかの人々へとそれは伝染していき——

僕は恐怖をかなぐり捨てた。隠れ場所から飛び出し、テントのドアに突進すると、大声でわめいた。

「彼女を受け入れちゃだめだ。泊めちゃいけない。彼女だけでなく、ほかのテントに潜り込んだ仲間たちも。キャンパーたちを全員叩き起こせ！　このままじゃ、眠ったまま死ぬことになる。侵入者たちを叩き出せ！　やつらは人間じゃない。だが蝙蝠でもない。聞こえたか？　今言ったこと、わかったか？」

僕は今や吠えていた。声が自分の耳にも妙に聞こえる。

「その女は吸血鬼だ。やつらはみんな吸血鬼なんだ。吸血鬼なんだよ！」

テントの中から新しい声が聞こえた。「かわいそうに、あの人どうしたの？」やさしい女性の声だ。

「頭がおかしいんだ。気が狂ってるんだよ」男の声が答えた。「怖がらなくて大丈夫」

すると僕のよく知っている、本当によく知っている声が続けた。「さっき嵐の中で、落ちてきた岩にぶつかった人を見かけました。よろよろしながら立ち去りましたけど、その人かも。それで正気をなくしたのでしょう」

もはや待てなかった。一目散に駆けだし、そのまま夜道を走って橋を渡り、町へ引き返した。

翌日——もう今日だ——沈みかけた運河船に乗り込んだ。そこは死の住処だった。こんなところで女が暮らせるわけがない——彼女のようなものでもなければ。老人の遺体があったが、死んだのはずいぶん前に違いない。船にたちこめる死臭と腐臭は耐えがたかった。

それでまた、事情が読めた気がした。彼女は、あのあばら家の集落で初めて今のようなものになり

下がったときに、子供に手をかけたのではないか。まだ完全には呪いに侵されていなかった父親は、娘の犯罪を隠すために遺体をバラバラにしてから娘とともに逃げたが、彼女のようなものになりきる前に死んだのだろう。二人で交代で番をしていると女は言っていたが、本当に父親も見張りとして役に立っていたのだろうか？　いや、こう表現したほうがふさわしいのでは？――不死者とともに見張りに立つ死者。たとえ自分をそこから運び出させるためであっても、女がこの死の船に僕を招かなかったのは、なるほど当然だ。

　僕は今も、彼女に命令されれば従わざるを得ない、あの抗いがたい力を感じていた。今のところ女のキスはまだ免《まぬか》れているが、時間の問題だろう。だがけっして負けるものか。誓いの力は僕を女のもとへ引きずり戻そうとする。そうなれば女とともに洞窟に入り、やがては蝙蝠に変身して、人間に這い寄っては餌《え》食《じき》にするだろう。そんなことになるなら、その前に命を絶つしかない。

　今日、僕は町で、昨夜キャンプ地で奇妙な虫か小動物が大発生したと聞いた。なかには恐ろしさに息を殺して、たぶん鼠だろうと囁く者もいた。それが何か目撃した者は誰もいない。だが朝になると、ほとんどのキャンパーが喉に奇妙な刺し傷を負っていたという。僕は大笑いしそうになった。みんなが震え上がっているのは、鼠の大群がテントに侵入して、眠っていたキャンパーたちの喉に噛みついたと思っているからだ。僕が目にしたものを彼らも目にしたとしたら、いったいどうなるか。自分たちにも汚染が広がる運命なのだと知ったとしたら――

　だから僕一人が死ぬだけではだめなのだ。今日、ダイナマイトを山ほど買い込んだ。今夜その爆発

物を、岩壁に僕があけてしまった吸血鬼が出入りする穴から、テントの列に沿ってそのいちばん端まで並べていく。それから導火線に火をつける。夜明け前には片をつけるつもりだ。明日、町は死者たちを悼《いた》み、僕の名を悪《あ》し様《ざま》に貶《おとし》めるだろう。

そうしてようやく、運河の澱んだ水の底の汚泥の中で、僕は安らぎを見つけられる。だが安らぎにはなり得ないかもしれない。なぜなら、あの死を積んだ古い運河船と、女が最初に今のようなものになったときに幼子《おさなご》を死に至らしめた陰鬱な家々の中間あたりに、身を投じるつもりだから。それがせめてもの罪滅ぼしだ。

黒の啓示

カール・ジャコビ

渦巻栗 訳

Revelations in Black

Carl Jacobi

それはみすぼらしく、わびしい店で、ハーバー・ストリートのはずれに建っていた。古びた看板には「ジョヴァンニ・ラーラ　骨董品店」と記されており、薄汚い窓からは、ほこりをかぶった商品が見えた。

あの気の滅入る九月の昼下がり、私はその店の戸口をくぐった。道を離れたのは、雨まじりの突風に押され、古物愛好家ならだれしも覚える魅力に引き寄せられたからだが、そのときでさえ、陰鬱な気分がかたちある闇のようにのしかかってきた。なかは薄暗く、箱がうず高く積まれていた。ばかでかいタペストリーが一枚あり、擦り切れた箇所では縦糸がほつれている。ルネサンス様式のイタリア製ワイン・キャビネットが一台、悄気《しょげ》かえって店の一角に縮こまっており、私が通りすぎると、眉をひそめたように見えた。

「いらっしゃい、旦那《シニョール》。なにかお探しのものでも？　絵画か、指輪か、それとも花瓶ですかな？」

私は目を細めて、イタリア人店主のずんぐり太った巨体を見やった。彼は暗がりでぐずぐずしていた。

「ちょっと見ていただけだよ」私はそう言って、あたりの雑多な品に目を向けた。「これといって特に

は……」
男の脂ぎった顔に笑みが浮かんだ。その言葉は千回も聞かされたと言わんばかりだった。彼はため息をつき、立ったままで、しばしもの思いにふけっていた。雨が窓をたたき、なぶっている。やがて、彼はおもむろに棚へ歩み寄り、上から下まで眺めて考えこんだ。私もそのそばへ行って、所狭しと並ぶ骨董品に目をさまよわせた。しばらくして、彼はある品を取り出した。見たところは色鮮やかな聖餐杯のようだ。

「正真正銘、十六世紀のタンダール*による作です。至高の一品ですよ、旦那《シニョール》」

私は首をふった。「陶器は結構だよ」と言った。「本ならいいけど、陶器は結構だ」

彼はゆっくりと顔をしかめた。「本もございます」と答えた。「稀覯書を取り揃えておりますよ。このわたくし、ジョヴァンニ・ラーラ以外にはだれも扱っていない書物でございます。ですが、ほかのとっておきの品も見ていただかなくては」

そこで気がついたが、この男は急ぐことを知らなかった。十五分もの間、私はグリコーン*を彫りこんだブローチや、どの時代のなんの様式かも定かではない、彫刻入りの椅子を眺めるはめになった。散らかっているなかには、黄ばんだ小像や、小さな油絵があり、わびしいポートランドの壺*もひとつか

タンダール　フランスの磁器絵付師ジャン＝バティスト・タンダール（一七二九―一八一六）。「十六世紀の……」は店主の言い間違いか、作者の誤記か。

グリコーン　古代ギリシアの蛇神。

ふたつあった。何度か、私は腕時計にいらいらと目をやり、このイタリア人と陰鬱な店からどうやって逃げ出そうかと考えた。ほこりと影の魅力はすでに薄れはじめており、外に出たくてたまらなかった。

だが、店のかなり奥のほうへ案内されたとき、好みのものを見つけた。そこで棚から引き抜いたのが、あの恐怖の書の一冊目だった。それから恐ろしい出来事がつづくと知ってさえいたら、九月のあの日に未来を予見できたら、誓ってもいいが、あの本を病み崩れたもののごとく避け、あの不快な骨董屋とそれが建つ通りを祟られた地のごとく拒んだだろう。これまで千回も、あの黒い装幀に目が留まらなければよかったのにと思った。そうすれば、魂の苦悶も、恐怖も、不安も、狂気も、経験せずに済んだはずなのだ！

だが、そのページの忌まわしい秘密など夢にも思わず、私は何気なく本を撫でて言った。

「珍しい本だな。これはなんだね？」

ラーラは目をあげて、顔をしかめた。

「それは売り物じゃないんです」と静かに言った。「どうしてここの棚に入っているんでしょうな。哀れな兄の本なんですよ」

私が手にした本は、たしかに珍しい外見だった。寸法は横四インチ、縦五インチしかなく、黒のビロードで装幀されていて、外側の角はそれぞれ三角形の象牙で保護されており、これまで見た本の装幀でもとびきり美しい。表紙の中心には小さな象牙細工がはめこまれている。緻密に彫られた品で、髑髏をかたどっていた。だが、本の題名こそは、私の好奇心を刺激したものだった。金色の編みひもで

刺繍されて、題名が記されていた。

『五頭の一角獣とひと粒の真珠《パール》』

私はラーラを見た。「値段は？」そう尋ねて、財布に手を伸ばした。

彼は首をふった。「すみません、売り物ではないんです。それは……それは、兄の最後の作品でして。死ぬ直前に施設で書いたのです」

「施設？」私は問うた。

ラーラは答えず、立ったまま本を見つめていた。心ここにあらずといった様子で、もの思いにふけっている。沈黙の瞬間が過ぎていった。目に奇妙な光を宿して、彼はようやく口を開いた。指がかすかに震えているのを見たように思った。

「兄のアレッサンドロは立派な男でした。あの本を書くまでは」彼はゆっくりと言った。「兄は実に見事な文章を書きましたよ、旦那《シニョール》。からだは頑丈で、健康そのものでした。自作の詩を朗読してくれるときは、何時間でも座っていられました。夢想家だったのですよ、アレッサンドロは。あらゆる美しいものを愛し、わたくしたちふたりはとても幸せでした。

すべては……あの恐ろしい夜までのことでした。そのとき、兄は……いや、よしましょう……もう一年になります。忘れるのがいちばんいいのです」片手を目にやり、だしぬけに息を吸った。

「なにが起きたんだね」私は同情するように尋ねた。彼の言葉に好奇心をかき立てられたのだ。

ポートランドの壺　一世紀前半のローマでさかんに作られたカメオガラスの壺。

「なにが起きたかですって、旦那《シニョール》？　わたくしもよくはわからないのですよ。とまどわずにはいられない出来事でした。兄は突然、病にかかりました。原因不明の病です。晴れやかなイタリア人らしい血の色がいつも頬に差していたものですが、それも褪せてしまい、青白く、やつれてしまいました。日を追うごとに体力が失われていったのです。何人もの医者が処方を書き、薬を出してくれましたが、どれも効きませんでした。兄はどんどん弱っていき、ついに……ついに、あの夜を迎えました」

私はおずおずと彼を見た。動揺ぶりに気おされていた。

「それから――？」私は促した。

手を握ったり開いたり、ラーラの心は落ち着きなく揺れているようだった。うるんだ目を眉まで見開いている。張りつめた声で、彼は話をつづけた。

「それから……ああ、もう忘れてしまいたい！　あれは実に恐ろしかった。哀れなアレッサンドロは帰宅して、絶叫し、むせび泣き、髪をかきむしりました。兄は……兄はまったくの狂人と化していたのです！

兄は精神病患者の施設に連れていかれ、絶対安静を命じられました。すさまじい精神的ショックを受けたというのです。兄は……三週間後に、十字架を口にあてたまま死にました」

束の間、私は無言で立ち尽くし、外で降りしきる雨を見つめた。それから口を開いた。

「お兄さんがこの本を書いたのは、その施設に入れられているときだったんだね？」

ラーラはうわの空でうなずいた。

「三冊あります」彼は答えた。「ほかの二冊もお客さんが持っているのとそっくり同じです。装幀はも

ちろん、兄が手がけました。そのころはぴんぴんしていたんです。兄がもともと考えていたのは、いまにして思うと、マリーニ*の詩を手ずから写すことだったのでしょう。兄はそうした作業がとても得意でした。ですが、いまページを埋め尽くしている支離滅裂な考えについては、一度も読んでいません。読むつもりもありません。わたくしが残しておきたい記憶は、兄が幸せだったころのものだけです。この本は手違いで棚にまぎれこんだのでしょう。兄のほかの持ち物といっしょにしておきます」

そのビロード装の本を読んでみたいという思いは、千倍に膨れあがった。手に入らないのがわかったからだ。私は常々、異常心理に関心を寄せてきたし、それに関する数多くの書籍も漁ってきた。そして、ここには、精神病院に収容された男の作品がある。教養ある頭脳が発狂して書きあげた原本がある。直感がはずれていなければ、これは深遠な謎を秘めている。私は心を決めた。あれを手に入れなくてはならない。

私はラーラのほうを向いて、慎重に言葉を選んだ。

「本を持っておきたいというのはよくわかる」と言った。「売るのはお断りだというのなら、せめて一夜だけ貸してはもらえないだろうか？　朝になったら返すという約束では……？」

イタリア人はためらった。決断しかねているように、重たげな金の時計鎖をもてあそんだ。

「いえ、申し訳ありませんが……」

マリーニ　イタリアの詩人ジョヴァン・バティスタ・マリーニ（一五六九―一六二五）ジャンバティスタ・マリーノとも呼ばれる。代表作に長編詩『アドニス』（一六二三）がある。

「十ドル払う。それであしたには無傷で返そう」

ラーラは自分の靴を見つめていた。

「いいでしょう、旦那《シニョール》。信じましょう。ですが、お願いですから、確実に返してください」

その夜、住居であるアパートメントの静寂に包まれて、その本を開いた。ただちに注意を引いたのは、三行の文章だった。柔和な字で表紙の内側に記されている。色褪せた赤い液体で書かれていたが、インクというよりは血のようだった。内容は以下の通りだ。

啓示により死を目論《もくろ》むも、杭なきゆえ束縛に終わる。愚か者よ、読むがよい。わが領域へ来るがよい。なんとなれば、われらはかの地につながれているがゆえに。おお、ラーラに災いあれ。

この解読できぬ文章をしばし吟味したが、意味は明らかにならなかった。しまいに肩をすくめて、最初のページをめくり、アレッサンドロ・ラーラの遺作を読みはじめた。何年も古書を渉猟してきたが、これほど奇妙な物語にはお目にかかったことがなかった。

十月十五日の宵、わたしは寒気のなか出かけ、疲れ果てるまで歩いた。現代の喧騒が遠ざかり、二十六羽の青鵲《あおかけす》が沈黙のうちに廃墟を眺めているところにやってきた。彼らのただなかを通り抜け、骸骨めいた木々のそばをさまよい、好色な目つきの魚が見える場所で腰を下ろした。子どもがひとり、祈りをささげている。ガラスが月光を投げかけている。足元では、草が連禱《れんとう》を唱えている。先細りの影が左へゆっくり移ろっていった。

銀の砂利道を歩いていった先では、五頭の一角獣が過去の水辺を駆けていた。ここでわたしは真珠《パール》

を見つけた。壮麗な真珠、美しいが黒い真珠を。花のように馥郁《ふくいく》たる香りを漂わせており、わたしは一度、その芳香は仮面にすぎぬと考えた。だが、なにゆえ完全な芸術品が仮面を必要とするのか？　流し目を送る魚と疾駆する五頭の一角獣に囲まれて座し、わたしは真珠と狂おしい恋に落ちた。過去は色褪せて消え去り——

　私は本を置き、パイプの煙が渦を巻いて天井へ昇るのを眺めた。この先もつづいていたが、意味をなさなかった。すべてあの奇妙な文体で書かれており、まったく理解できなかった。にもかかわらず、この話が単なる狂人のうわごととは思えなかった。これらすべての背後には、象徴化された実話が潜んでいるようだ。

　この数文から漂うなにかが——なんなのかはいまもってわからないが——ただちに鬱々とした魔力を発揮した。曖昧な文章が頭に重くのしかかり、眼前に模様のごとく浮かびあがった。じわじわと根深い不安にとらわれていくのを感じた。

　部屋の空気が重苦しくなり、息が詰まりそうだった。開いた窓と外気がさし招いているかに思えた。私は窓のところへ行って、カーテンを開けた。立ったままで、やたらとパイプをふかした。ここで言っておくと、習慣は昔から私の人格の一部となっている。夜の散歩をしたり、深更に彷徨してから眠るような悪癖は持っていない。ところが、そのとき、どうにもおかしなことに、あの本の文面はまだ頭に残っていたのだが、突然、正体不明の欲求を覚えた。アパートメントを出て、暗い街路を歩きたい、と。

　私はせっかちに部屋を行き来した。その気分が消えなくていらだっていた。炉棚の上の時計は、静

寂のうちにゆっくりと時を刻んでいた。しばらくすると、私は肩をすくめて、パイプをテーブルに投げ出した。帽子とコートに手を伸ばし、玄関へ向かった。

ばかばかしく思えるだろうが、通りに出て、ふと気がつくと、あの欲求が高まって、まぎれもない引力と化していた。なにがあってもひたすら北へ向かわねばならぬと感じた。その先にあるのはまったく未知の地区だが、私はすぐに歩きはじめた。慎重に通りを選び、なぜかもわからずに、街のはずれを目指した。九月の明るい月夜だった。夏が過ぎ、早霜のおりた草木のにおいがすでに漂っている。議事堂の塔の大鐘が深夜を知らせた。さまざまな建物や店、のちには酒場までもが明かりを消し、静まりかえるなか、私は歩いていった。

さきほど読んだ奇怪な本を記憶から消そうとしてみたが、そこに記された謎は私を打ちのめし、好奇心をかき立てながらも、気力をそいだ。『五頭の一角獣とひと粒の真珠』！　いったいなにを意味しているのか？

進むほどに理解されてきたのは、私の意志ではない力が足を導いているということだった。そんなのはばかげている。私は抗《あらが》い、引き返そうとした。だが、束の間立ち止まると、あの引力が押し寄せてきた。麻薬への渇望のように容赦なかった。

イースタリー・ストリートをずっと行くと、高い石塀が歩道脇にそびえているところに出た。装飾を施したてっぺん越しに、黒々とした建物の影が見えた。敷地の奥まった場所に建っている。塀には錬鉄製の門があり、そこからは、打ち捨てられ、荒れ果てて、野生に還った光景が見て取れた。月の光がすべてを包んでいる。古びた中庭には噴水が点在しており、石のベンチや石像が、繁茂する草や

下生えに絡みつかれて横たわっている。館には窓がいくつもあり、かつては個人の邸宅だったようだが、どこも板でふさがれていた。例外は、正面にある、先のとがった小塔ないしは円頂塔《キューポラ》の窓だけだった。ここでガラスは青灰色の光を浴び、暗がりへ反射していた。

あの門の前で、私の足は死んだように動きを止めた。私を導いてきた霊力は、いまや現実となっていた。まさしくその中庭から、力が発散されていた。

私をそこへ引き寄せた力、ためらいをすべて消し去ったほどの激しい力が。

妙なことに、門は施錠されていなかった。法悦に浸っているような気分で、軋《きし》る蝶番《ちょうつがい》を揺らし、なかに入った。草の生えた小道をたどり、ベンチへ向かった。気のせいか、中庭に入った途端に、遠くの街のざわめきは消え去ったようだ。あとに残されたのは虚ろな静けさで、風が背の高い枯草を吹き抜ける音しか聞こえない。眼前には館がそびえていて、両翼は闇に沈んでいた。キューポラと屋敷の正面は、奇妙なことだが、巨大な猟犬を思わせた。うずくまって、跳躍せんと構えている。

数か所にある噴水は風化しており、奇異な彫刻で装飾されていたが、そのときは図案のことなど気にも留めなかった。遠くには、下生えに埋もれかけて、等身大の子どもの像があり、跪《ひざまず》いた姿勢で祈りをささげていた。軟らかい石が侵食されて、顔が変形している。薄明りのもとで、そこに彫りこまれた相貌は、奇妙なほど醜悪で忌まわしい表情を浮かべていた。

どれほどの間、静寂に包まれて座っていたのか、いまではわからない。月光を浴びている周囲の風景は、私の気分と融けあい、調和していた。だが、それ以上に、からだが動かないようで、進めなかった。

突然、電撃に打たれたように立ちあがったのは、まわりにあるものがいかに重要かを意識しはじめたからだった。身動きもせずに立ち尽くし、こちらからあちらへ、せわしなく目を走らせた。信じたくなかった。夢を見ているに違いない。尋常ならざるものすべての名において、これは……これは絶対にありえない。だが、それでも——

そばにある噴水こそは、最初に私の注意を引いたものだった。水盤のてっぺんに五頭の一角獣がいたのだ。みな同じ姿に彫られている。各々が目の前の一頭を追いかけて、行列をなしているようだ。遠くに目をやると、いまでは狂おしく湧きあがる記憶に駆り立てられていたのだが、あのキューポラが見えた。屋敷の上に高くそびえ、月光を蝕し、長い先細りの影を私の左側に投げかけている。少し離れた別の噴水には、石の魚の装飾があった。魚の空っぽの眼窩《がんか》は、こちらへまっすぐ流し目を送っている。そして極めつけは——あの塀だ！　三フィートの間隔をおいて、通りのてっぺんに乗っているのは、荒削りな石の鳥たちだった。その数をかぞえて、私は理解した。あれは二十六羽の青鷺だ。

疑う余地はない——驚くべきことであり、ありえないように思えるが——私がいるのは、ラーラの本に書かれていた場所なのだ！　呆然とさせられる啓示だった。それを思うと、頭がくらくらした。なんと不思議な、なんと奇妙なことだろうか。これまでかよったこともない街の一角へ引き寄せられ、ほぼ一年前に書かれた物語のただなかへ放りこまれるとは！

そこで、私は悟った。アレッサンドロ・ラーラは、精神病患者の施設に入れられて執筆していたわけだが、個々の細部については承知していても、説明するのは失念してしまったのだ。これは精神科医の研究材料となろう。いまは亡きイタリア人による、狂気と象徴の信じがたい物語。私はとまどい、

混乱していた。答えを求めて熟考した。

　私の動揺を鎮めようとするかのように、かすかな芳香が中庭に忍びこんできた。鼻に快く、月光と混じりあっているように思えた。私はそれを深々と吸いこみながら、あの奇異な噴水のそばに立っていた。だが、だんだんと、そのにおいは鼻につくようになり、強さを増して、むかむかする甘ったるいにおいと化し、煙のように私の肺を這いくだっていった。ぼんやりとその正体に思い至った。ヘリオトロープだ！　蜜のように甘やかな芳香が庭園に覆いかぶさり、空気をねばつかせ、麻薬のごとく私にのしかかってきたかに思われた。

　そのとき、今夜は二度目になるが、またも不意をつかれた。あたりを見まわし、いらだたしい香りの源を探し出そうとして真正面を見ると、もうひとつの石のベンチに、女がひとり腰かけていた。全身を黒い衣装に包んでおり、顔はヴェールで隠されている。私がいることには気がついていないようだ。かすかにうつむいていて、その姿勢からは深い思索にふけっているような印象を受けた。

　また、なにかがそばにうずくまっているのも見て取れた。一頭の犬だ。途方もなく大きな獣で、頭は奇怪なほど均整を欠いており、目は大きなスプーンの先ほどもある。数秒の間、私は両者を見つめて立ち尽くしていた。かなり冷えこんでいたが、女は上着もなく、黒いドレスだけで、白い喉元ばかりが見えている。

　心地よい孤独はこうして破られ、私は無念のため息をひとつつくと、中庭を渡って、彼女のそばに立った。いまだに私の存在を認めていない様子だ。私はせきばらいをしてから、ためらいがちに声をかけた。

「こちらの所有者の方とお見受けします。その……どなたか住んでおられるとは知らなかったものでして。しかも門には……その、門には鍵がかかっていなかったものですから。勝手に入りこんで申し訳ありません」

彼女はなにも答えなかった。犬はただ私を凝視していて、なんの音も発さなかった。上品でていねいな別れの言葉は出てこなかったので、私はおずおずと門へ向かった。

「どうか行かないで」彼女はいきなり言った。目をあげている。「ひとりぼっちなの。ああ、どれほど孤独かわかってくれたらいいんだけど」ベンチの片側に寄ると、横に座るよう身ぶりした。犬は相変わらず、大きな目で私を注視していた。

あのヘリオトロープのにおいに近寄ったからなのか、突然の出来事だったからなのか、それとも月光のせいだったのか、私にはわからなかったが、彼女の言葉を聞くと、よろこびの戦慄がからだを駆け抜けた。私はすすめられた席に座った。

そのあとは沈黙がつづき、私は頭をしぼって、会話のきっかけを探した。だが、不意に、彼女は獣のほうを向き、ドイツ語で言った。

「向こうへ行ってなさい《フォート・ミット・ディーア》、ヨハン！」

犬はおとなしく立ちあがると、こそこそした足取りでゆっくり離れていき、影に混ざった。私がしばらく見守っているうちに、そいつは屋敷のほうへ消えた。すると、女が英語で話しかけてきた。いささかぎこちなく、なまりがあった。

「ひとに話しかけたのは何年ぶりかしら……。わたしたち、他人同士よね。わたしはあなたを知らな

いし、あなたはわたしを知らない。でも……他人同士だって、気づいたら、興味の絆で結ばれていたりするでしょう。もし……もしよかったら、作法とか、格式ばった自己紹介はなしにしましょうよ。いかがかしら？」

　どういうわけか、そう言われて脈が早まるのを感じた。「ええ、よろこんで」私は答えた。「こうした場所は、それだけで自己紹介といってもいいですからね。こちらに住んでいるんですか？」

　彼女はすぐには答えず、私は不安になりはじめた。申し出に飛びつくのが早すぎたのではないか。それから彼女はおもむろに語り出した。

「わたしはペール・フォン・マウレンというの。あなたのお国ではまったくのよそ者だけど、ここには一年以上いるわ。故郷はオーストリアで、いまのチェコスロヴァキア*の国境近くにあたるわね。おわかりでしょうけど、たったひとりの弟を探してアメリカに来たのよ。戦争中、弟はマッケンゼン将軍*麾下の中尉だった。でも、一九一六年、たしか四月だったと思うけど、弟が……弟が失踪したと知らされた。

　戦争は酷いものよ。わが家の財産を奪い、ドナウの川辺に建つわが一族の城を奪い、そして――弟

チェコスロヴァキア　現在のチェコ共和国とスロバキア共和国からなる連邦国家。一九一八年から九二年にかけて存在した。

マッケンゼン将軍　ドイツの軍人アウグスト・フォン・マッケンゼン（一八四九―一九四五）。第一次大戦中の一九一六年には、オーストリア軍との共同作戦でルーマニアを征服した。

を奪った。その後の月日は恐ろしかったわ。ずっと割り切れない思いで暮らし、弟がまだ生きていることを願いつづけた。

停戦協定が結ばれた後、弟の同僚だった士官が、モンプレ近くのフランスの捕虜収容所で、いっしょに墓を掘らされていたと話してくれた。それから、風の便りで、弟がアメリカにいるらしいと知ったの。わたしは手に入るだけのお金をかき集めて、この国へ渡り、弟を探したわ」

声が弱まり、消えた。彼女は無言で座ったまま、褐色の草を見つめた。また話をはじめたとき、その声は低く、震えていた。

「わたしは……弟を見つけたけど……ああ、見つけなければよかったものを！　弟は……弟はもはや生きてはいなかった」

私は目を見張った。「お亡くなりに？」と訊いた。

ヴェールが揺れた。まるで身震いが伝わったかのように、まるで考えこむうちに過去のおぞましい出来事を掘り起こしたかのように。私が挟んだ言葉は聞こえなかったのか、彼女は話をつづけた。

「今夜、ここに来たのは――なぜかはわからないけれど――ただ単に、門に鍵がかかっていなかったからよ。それで入ってみたら、静かな場所だった。でも、わたしの打ち明け話や身の上話なんて、退屈じゃなかったかしら？」

「いやいや、とんでもない」私は答えた。「ぼく自身、ここに来たのは偶然でした。たぶん、この場所の美しさに引き寄せられたんでしょう。たまに趣味で写真を撮るので、珍しい風景を見るとたまらなくなるんです。こんな夜中に散歩をしていたのは、気持ちを鎮めるためでした。ある本を読んだら、悪

い影響を受けましてね」

彼女の返事は奇妙なものだった。話の流れにそぐわない答えで、うっかり口を滑らせたかのようだった。

「本というのは」彼女は言った。「強力なものよ。牢獄の壁以上にひとを束縛できるのだから」

私がその感想にとまどって見つめていると、彼女は視線をとらえて、すぐにつけ加えた。「おかしなものね。ここで出会うことになるなんて」

私はしばらく答えなかった。頭にあったのは、彼女がつけているヘリオトロープの香水のことだった。洗練された見た目の女性にしては使っている量が多すぎて、趣味がよいとはいえなかったのだ。漠然とした印象だが、あの香水はなんらかの秘密を隠しているのではないか。それを取り除いたら、そこで目にするのは……なんだろう？　ばかげた考えだ。私はその印象を払いのけようとした。

何時間か経ったが、私たちはまだそこに座って話をしていた。お互いに交流を楽しんでいた。彼女はヴェールを取らなかった。私は顔立ちを見たいという思いで身を焦がしていたが、そうするよう頼む勇気は出なかった。奇妙な不安がじわじわと強まっていた。この女性は実に話し上手だったが、なにか言い表せぬものを漂わせていた。それが際立った不安感を生み出していたのだ。

あくまで推測だが、曙光の筋が差しはじめる直前に、あの出来事が起きたのだろう。いまふりかえってみると、平凡な物や考えに囲まれていてもなお、あの幻視が恐ろしく重要で、きわめて忌まわしかったことをたやすく実感できる。だが、そのときの私は、頭があまりに目まぐるしく回転していたせいで、理解できなかった。

薄い影が庭をよぎり、私の視線は再びあたりの夜闇へ引きもどされた。目をあげて、荒れ果てた館の尖塔の上を見ると、殴られたかのように驚いた。一瞬だけ、気のせいかもしれないが、奇怪な雲の隊列が低く垂れこめて、頭の真上を飛んでいくのが見えたのだ。黒く、密集した雲で、両端は翼のようであり、奇妙なことに、ばかでかい蝙蝠《こうもり》が飛んでいる姿にそっくりだった。

私はしきりと瞬きして、もう一度見てみた。

「なんだ、あの雲は！」と叫んだ。「おかしな雲だ！　……ほら、見ましたか――」

言葉を切って、呆然と見つめた。

そばのベンチにはだれもいなかった。あの女性は消えていた。

翌日は法律事務所で本業の仕事をしていたが、どうにも集中できなかった。共同経営者は怪訝《けげん》そうに私を見て、何度かやってきてはぶつぶつ言った。昨晩の出来事が激しい奔流となって脳裏を駆けめぐった。答えようのない疑問がいくつも浮かび、私を苛《さいな》んだ。私が出くわした些細な事物は、まさしく狂えるラーラが奇妙な自著で述べていたものだった。流し目を送る魚。祈りをささげる子ども。二十六羽の青鷲《あおかけす》。キューポラの先細の影――説明がつかない。なんとも不気味だ。『五頭の一角獣とひと粒の真珠』。一角獣は古びた噴水を飾る石像だったが――真珠《パール》はどうだ？　突然、驚きとともに、黒衣の女の名前を思い出した。ペール・フォン・マウレン。この啓示で一連の思索は頂点に達した。いったいなにを意味するのだろうか？

その夜のディナーにはほとんど心を惹かれなかった。食事の前に、私は件の骨董品屋に行って、続

篇を、きみの兄アレッサンドロが遺した二冊目を貸してくれと頼んだのだった。一冊目も返していないという理由で断られ、はねつけられると、私のいらだちはいきなり限界に達した。麻薬中毒者のような気分だった。望みの薬を手に入れられないという現実をつきつけられたのだ。やけになったが、その理由もよくわからぬまま、金を払おう、いや、もっと多く払おうと言った。しばらくして店を出たときには、説得と札入れの力が成果をあげていた。

二巻は、外観に関しては前巻と同一だったが、題名がなかった。もっとも、象徴化された告示がさらに読めると思っていたなら、私は失望する運命にあった。曖昧な点では『五頭の一角獣とひと粒の真珠』と同様だが、続篇のテキストはいっそうとりとめがなく、どうみても、狂った頭脳のうわごとでしかなかった。文章を仔細に調べて推測したところでは、アレッサンドロ・ラーラは、二十六羽の青鷺がいる、お気に入りの中庭へ再び赴き、愛する「真珠」と再会したらしい。

終盤のとある段落には困惑させられた。内容は以下の通りだ。

> そんなことがありうるのだろうか？　ありえないと祈りたい。だが、わたしはあれを目にして、あれのうなりを耳にしてしまった。忌まわしいけだものだ！　わたしは信じない。信じてなるものか。

私はぱたんと本を閉じ、注意をよそへそらそうとして、最新の携帯式カメラのレンズを磨いた。ところが、またしても、前回と同様に、あの衝動がこみあげてきた。庭園を訪れたいという、あの欲求だ。ここで白状すると、それまでの間、黒衣の女と再会するときを待ちわびていたのだ。妙なことだが、昨夜の彼女は唐突にいなくなったにもかかわらず、彼女があそこで待っていると信じて疑わなかった。彼女のヴェールをめくりたかった。彼女と話したかった。もう一度、ラーラの物語に飛びこみた

かった。

だが、なにもかも荒唐無稽に思えたので、私はありったけの意志力をふりしぼって、この衝動と戦った。すると、突然、ある考えがひらめいた。彼女を撮ったら、瞠目《どうもく》すべき写真になるのではないか。石のベンチに腰かけ、黒衣に身を包んだ彼女と、古びた中庭という古典的な背景。この光景を乾板*に焼きつけることさえできれば……。

私は磨く手を止め、しばし考えをめぐらせた。新しい電気式閃光ランプ*は、従来の煩《わずら》わしい閃光紛《せんこうふん》にかわる便利な発明品だが、これがあれば庭園を照らし、楽々とスナップ写真を撮れる。満足のいく結果であれば、ジュネーヴで来月開かれる国際カメラコンテストにも相当寄与できるだろう。

この思いつきには心を惹かれた。必要な道具類をまとめると、アルスター外套をはおり（じめじめして肌寒い夜だった）、部屋を抜け出して、北へ向かった。常軌を逸した、迂闊《うかつ》な愚か者めが！　すぐさま立ち止まり、本を骨董品屋に返し、手を引けばよかったものを！　だが、奇妙な磁気めいた力にいよいよ捕らわれて、私はわき目もふらずに先を急ぎ、恐怖のただなかへ飛びこんだ。

降りしきる雨が路面をたたいていた。街路にひと気はない。だが、東のほうでは、重くのしかかる雲が柔らかく光っている。月が現れようとしているのだ。南からは強い風が吹いていて、間もなく空が晴れるのを予感させた。コートの襟を喉元でしっかり立てると、再び、街のいっそう古い区域に入りこみ、忘れられたイースタリー・ストリートを進んでいった。見てみると、地所の門はやはり施錠されていなかった。庭園は滴《しずく》をしたたらせ、影に包まれていた。

女はいなかった。早い時間だったが、彼女がのちのち現れることは一瞬たりと疑わなかった。いま

では自分の計画にすっかり熱中していて、カメラを慎重な手つきで石の噴水に設置すると、ベンチに座ったまま、できるだけうまくレンズを向けた。このベンチは、昨夜、いっしょに腰かけていたものだ。閃光ランプと、電池を収めた握りは、すぐに手が届く場所に置いた。

準備が終わるやいなや、小道の砂利を踏む音がして、私はふりかえった。彼女が石のベンチへ近づいてきた。やはりしっかりとヴェールをつけていて、流れるような黒のドレスも同じだ。

「また来たのね」彼女が言って、私は隣に座を占めた。

「ええ」と答えた。「離れていられませんでした」

その夜の会話は、だんだんと彼女の死んだ弟へ移っていったが、何度か、女がこの話題を避けようとしているように思った。どうやら、彼は一家のもてあまし者だったらしい。程度はともかく、放蕩生活を送っていて、ウィーンの大学から退学処分を受けていた。さまざまな学問の教師に敬意を払わなかっただけでなく、哲学に関して、奇怪で型破りな論文をいくつも書いたためだ。戦争捕虜収容所で受けた苦しみは、すさまじいものだったに違いない。彼女はある種の陰険なよろこびをこめて、弟

乾板　写真用フィルムの前身。ガラス板に感光性の写真乳剤を塗布したもので、化学薬品を用い撮影した画像を定着させる。

電気式閃光ランプ　暗所での写真撮影のため、電球内にアルミニウムまたはジルコニウムを着火剤とともに封じ、通電とともに発光させるもの。旧来のマグネシウムに着火し発光させる閃光粉より安全で、一九三〇年代初頭より普及した。

が墓掘り任務で経験したことを語った。弟の同僚から話を聞いていたのだ。だが、いかにして弟が死に至ったかは、絶対に話そうとしなかった。

昨晩よりも強まっていたのは、あのヘリオトロープの甘いにおいだった。またしても、あの薫香が肺を這いくだり、胸をむかつかせ、同様の不安感を呼び起こした。前と同じように、芳香がなにかを隠しているという印象を受けた。そのなにかを知らねばならない。このときには、ヴェールの下を覗きたくて気も狂わんばかりだったが、それをめくってくれと訊く度胸はやはりなかった。

真夜中ごろ、天空が晴れわたり、月が壮麗な姿を際立たせて、空の高みで輝いた。写真を撮るときが来た。

「そのまま座っていてください」私は言った。「すぐもどりますから」

噴水にすばやく歩み寄ると、閃光ランプを手に取り、一瞬だけ高々と掲げて、カメラのシャッターレバーに指を置いた。女はベンチでじっとしており、私の行動の意味をはかりかねているらしい。距離は完璧だ。かちり。まばゆい白光があたりの中庭を包んだ。ほんの一瞬、彼女の姿が古びた塀を背に浮かびあがった。それから青い月光がもどってきた。私は満足してほほえんだ。

「きっとすばらしい写真になりますよ」と言った。

彼女はだしぬけに立ちあがった。

「愚か者め！」かすれた声で叫んだ。「ろくでなしの愚か者めが！　いったいなにをした？」

ヴェールで顔は隠されていたものの、束の間、彼女の目がねめつけてくるのを感じた。憎しみにくすぶる目だ。私は興味をそそられて彼女を見つめた。まっすぐ立って、頭をそらせており、からだは

針金のように引き締まって見える。震えがのろのろと背筋を伝った。そして、前触れもなく、彼女はドレスをたくしあげると、荒れ果てた館のほうへ小道を走った。あっという間に巨大な茂みの影にまぎれ、消えてしまった。

私は噴水のそばに立ち尽くして、呆然と彼女を見送った。突然、屋敷の正面の暗い影から、動物の低いうなり声があがった。

私が動く間もなく、巨大な灰色の姿が長い草を押しわけ、突進してきた。大きく跳躍しながら、まっすぐ迫ってくる。あの女の犬だ。昨晩、彼女のそばにいるのを見た。だが、もはやおとなしくて静かな獣ではなかった。その顔は悪魔めいた憤怒にゆがみ、顎からは唾液を垂らしている。あの恐怖の瞬間、そいつの前で凍りついたように立ち尽くしていてもなお、白い鼻孔と黒水晶のごとき目は脳裏に焼きつけられた。決して忘れられない画だ。

そいつは勢いよく飛び出し、襲いかかってきた。私にできたのは、閃光ランプを上へつき出して、防御らしき構えを取り、からだを横へ投げ出すことだけだった。反動で腕が跳ねあがった。電球が砕け、歯が握りに食いこむのが感じられた。私は背中から倒れ、濁った絶叫を漏らした。恐ろしい重みがからだにのしかかってきた。

私は狂乱の態で殴りかかり、うなる顔に何度も拳を打ちこんだ。手探りで喉を見つけ、毛深い肉に指を沈めた。そいつの息が自分の息と混ざるのを感じたが、私は必死で耐えた。

両手の力がものを言った。犬はせきこみ、あとずさった。この瞬間をとらえて、私はどうにか立ちあがり、前へ飛び出し、けだものの腹にすさまじい蹴りを入れた。

「向こうへ行け《フォート・ミット・ディーア》、ヨハン！」と声をあげて言った。あの女がドイツ語で命令していたのを思い出したのだ。

そいつは飛びすさった。牙をむき出し、束の間、身動きもせずに私をにらみつけた。それから、不意にからだの向きを変えて、そそくさと立ち去り、草にまぎれた。

消耗して震えながら、私は心を落ち着かせた。カメラを拾いあげ、門を抜けて、帰途についた。

三日が経った。この永遠とも思える間、私はアパートメントに引きこもって過ごし、地獄へ落とされた者の苦しみを味わった。

あの犬に恐ろしい目にあわされた夜の翌日、いまの体調では仕事に行けないと悟った。濃いブラックコーヒーを二杯飲み、からだをむりやり椅子に落ち着け、神経をなだめようとした。だが、テーブルに載ったカメラを見た途端、行動に駆り立てられた。五分後にはスタジオに仕立てた暗室で、昨夜撮った写真を現像していた。熱に浮かされたように作業した。私を突き動かしていたのは、来月ジュネーヴで開かれるアマチュアコンテストに、尋常ならざる写真を出品できるという思いだった。もっとも、結果がよければの話だが。

驚愕の叫びを漏らし、乾ききっていない印画を見つめた。古びた庭園がはっきりと鮮やかに写っており、茂みや、子どもの像や、噴水や、背景の塀も入っている。だが、ベンチには——石のベンチにはだれもいなかった。黒衣の女は影もかたちもなく、にじみさえなかった。

頭が目まぐるしくまわっていた。急いでネガを塩化水銀の飽和水溶液にくぐらせ、シュウ酸鉄で処理した。だが、こうした補力工程を経ても、二度目の印画ははじめと同様だった。あらゆる細部まで

くっきりしていて、ベンチは鮮やかな浮彫となって前景に見えるが、女の痕跡はなかった。

　私は信じがたい気持ちで目をこらした。彼女がはっきり見えているときにシャッターを切ったのだ。それは確信している。カメラも完璧な状態だった。では、なにがだめだったのか？　日光のもとでよくよく見てみるまでは、目を信じられない。説明はなにも浮かばなかった。なにひとつだ。しばらくすると、混乱のあまり消耗して、私はベッドにもどり、重苦しい眠りに落ちた。

　一日中寝こんでいた。数時間後に目を覚ましたときは、漠然とした悪夢を見ていたらしく、枕から起きあがる力さえなかった。からだがひどい衰弱に侵されていた。腕も脚も、死んだように動かない。心臓は弱弱しく拍動していた。あたりはひっそりとしている。あまりに静かで、机に載った時計の音が、一秒ごとにはっきり聞こえた。カーテンは夜風でふくらんでいたが、部屋に入ったときに窓は閉めたはずだった。

　そのとき、私は不意に頭をのけぞらせ、魂の奥底から絶叫した。ゆっくり、ゆっくりと肺を這いくだってきたものこそは、あの忌まわしいヘリオトロープのにおいだった！

　朝になり、すべて夢ではなかったのだとわかった。頭はずきずきしていて、手は震えている。あまりに弱っていて、立つのもやっとだ。医師に来てもらうと、彼は厳粛な面持ちで脈を計った。

「神経衰弱の瀬戸際ですね」彼は言った。「休息しないと、これからずっと、精神に影響が出ます。しばらく気楽に過ごすことですな。それと、もしよければ、首にできている、ふたつの小さな切り傷も焼灼*しておきましょう。思いのほか生々しい傷ですからね。なにをやったんです？」

　手を喉にやってから離すと、血で染まっていた。

「さあ……どうもわかりません」私は口ごもった。

彼は薬のことで没頭していたが、数分後には帽子に手を伸ばした。

「言っておきますが、最低でも一週間はベッドを離れないでください」と言った。「それから徹底的に検査して、貧血の兆候がないか調べてみましょう」だが、彼が玄関から出ていくとき、その顔にとまどいの表情を見たように思った。

それからの数時間は、またしても荒唐無稽なことを考えていた。私は誓いを立て、なにもかも忘れて、仕事にもどり、あの本は二度と見るまいと心に決めた。だが、それが無理なのは承知していた。黒衣の女が頭から離れなかった。彼女がいない時間は一分一分が拷問となった。だが、それよりも、抗いがたい衝動から二巻を読みつづけていたとしたら、三冊目を、三部作の最終巻を見たいという欲求はゆっくりと強まって、執念と化していた。私を虜にし、思考の奥深くまで刻みこまれていた。

ついにこれ以上は耐えられなくなった。三日目の朝、タクシーに乗って骨董店へ行き、ラーラを説得して、彼の兄が遺した三冊目を渡すよう頼んでみた。だが、このイタリア人は頑固だった。私はすでに二冊を借りていたが、どちらも返していなかったからだ。両方とも持ってこないかぎり、彼は聞く耳を持たないだろう。無駄と知りつつ、私は説明を試みた。一冊だけではなんの価値もなくて、続篇がなければだめだ。全体をひとつの物語として読みたいのだ、と。彼はただ肩をすくめ、時計の鎖をもてあそぶだけだった。

冷たい汗が額に噴き出した。望みをないがしろにされてしまった。棍棒の打撃のように、本を手に入れなければという思いが打ちかかってきた。私は理屈をこねた。懇願した。だが、甲斐はなかった。

しばらくして、ラーラはそっぽを向き、私はやけになって、第三巻に手をかけた。棚に載っているのが見えたのだ。ポケットにそれを滑りこませると、うしろめたく思いながら外に出た。自分の行動について謝罪はしない。その後に起きたことを鑑《かんが》みれば、誘惑を植えつけられたとも考えられる。なにしろ、当時の私の意志は、あの奇妙な魅力をまとったものに支配されていたのだから。

アパートメントにもどると、椅子に倒れこみ、はやる気持ちでビロードの表紙を開いた。ここには、一連の奇妙な出来事の最後の記録がある。ここ五日で、そうした出来事は私の人生と完全に同化してしまった。ラーラの第三巻。ここですべてが解き明かされるのか？　もしそうなら、どんな秘密が明らかになるのか？

読書灯のぎらつく光を肩に浴びながら、私は本を開いた。ゆっくりと拾い読みしながら、精緻な手書きの文字に改めて驚嘆した。そうして座っていると、張りつめた静寂が雲となってかぶさり、ほとんど触知できるかに思えた。精神の瘴気が遠くの街路の音をくぐもらせた。おぼろげながら、ある種の気配を意識した。重く、濃密な気配で、本以外の物体は焦点からはずれるとともにぼやけた。

一瞬、私は躊躇した。心霊的ななにかが、定かならぬなにかが、それ以上読むのを妨げているようだ。良心か、それとも好奇心か、あの妙な衝動は読みつづけるように命じていた。ゆっくりと、催眠術をかけられた者がふたつの意志のはざまで揺れるように、私はページを繰りはじめた。一ページずつ、うしろから前へめくっていった。

焼灼　病気の組織や傷を電気や薬品で焼いて治療すること。止血にも用いた。

またしても象徴主義*だ。漠然としたうわごとで、まともな意味はない。

だが、ふと指が止まった！　私の目がとらえたのは、最後のページの最後の段落だった。アレッサンドロ・ラーラが遺した最後の文章だ。下へ進むと、すさまじいショックが頭からつま先へ走り抜けた。これらの文言を一度読み、読み返し、もう一度読んだ。冒瀆的な文言だ。私は本を引き寄せた。ランプの光で一語一語を追った。じっくりと、慎重に、一文字ずつ読んだ。目を開けて、また閉じた。心のなかで、おぞましい恐れが爆弾のように炸裂した。

血のように赤いインクで記されていたのは、以下の文章だった。

どうすればよいのか？　彼女はわたしの血を飲み干し、魂を腐らせた。わたしの真珠は黒い。あらゆる邪悪と同様に黒い。呪われるべきは彼女の弟だ。彼こそは、姉をこんな目に遭わせた張本人なのだ。これらのページに記された真実が、彼らを永久に滅ぼすことを願ってやまない。

だが、わたしの頭脳は自らを打ち砕きつつある。おお、神よ。ペール・フォン・マウレンとその弟ヨハンは、吸血鬼なのだ！

私は悲鳴をあげて立ちあがった。

「吸血鬼！」甲高い声で叫んだ。「吸血鬼だと！　ああ、なんたることだ！」

テーブルの縁を握ったまま、ふらふらと立っていた。文章が一気に理解されて、溶鉱炉から突風が押し寄せてきたかのようだった。吸血鬼！　人間の血を欲するおぞましい生物にして、地獄の悪鬼。人間や蝙蝠や犬の姿に変身する怪物ども。そのとき、私はすべてを悟った。恐怖のあまり、頭がくらくらした。

ああ、なぜこれほど愚かだったのか。なぜうわべしか見なかったのか。ヴェールを取り去り、芳香の先へ踏みこまなかったのか。あの忌々しいヘリオトロープは仮面だった。到底言い表せぬ墓穴の腐臭を隠す仮面だったのだ。

さまざまな感情があふれ出し、抑えようがなかった。叫びをあげて、グラスも本も花瓶もテーブルから払いのけた。平らな天板に何度も何度も拳を打ちつけ、しまいには無数の小さな痛みが肉を刺した。

「吸血鬼！」私は絶叫した。「いや、ありえない――真実であるはずがない！」

だが、真実なのはわかっていた。ここ数日の出来事が眼前に浮かびあがり、恐怖がまざまざとよみがえった。あらゆる細部に黒々とした意味が読み取れた。

弟のヨハンは――戦争以降のどこかの時点で吸血鬼になった。あの女が数年後に彼を探し出したとき、彼はこの恐るべきあり方を彼女にも強いたのだ。そうだ。そうに違いない。

一年前、庭園を住みかとして、ふたりは哀れなアレッサンドロ・ラーラを罠にかけ、大蛇めいたとぐろに巻きこんだ。彼は女を愛し、狂おしく崇めた。それから真相を悟った。あまりに恐ろしい真相で、彼がよろめきながら家へもどったときには、まったくの狂人と化していた。

そう、狂人だった。だが、すっかり狂っていたわけではなかったので、ビロード装の三冊の本に真

象徴主義　一九世紀末のフランスに興った芸術思潮。文学、ことに詩にはじまり、内面的な世界を象徴的に表現することを目指した。詩人としてはボードレール、ヴェルレーヌらが挙げられる。

実を記し、世に知らしめようとしたのだ。彼の望みは、これらの告示によって、女とその弟を永久に追放することだった。だが、そこまではいかなかった。

考えをたどりながら、第一巻を卓上スタンドから取りあげ、表表紙を開いた。そこで再び、なぐり書きされた文章を目にした。以前の私には、なんの意味もなかった文章だ。

啓示により死を目論むも、杭なきゆえ束縛に終わる。愚か者よ、読むがよい。わが領域へ来るがよい。なんとなれば、われらはかの地につながれているがゆえに。おお、ラーラに災いあれ。

ペール・フォン・マウレンがこれを書いたのだ。私はなんという愚か者だ。なんと迂闊な愚か者だったのだ！　これらの本は、彼女の、あるいはその弟の、邪《よこしま》な人生を終わらせたわけではなかった。そうだ。それができる方法はひとつしかない。だが、こうした暴露は無駄に書かれたのではない。後代の人間に供するべく記録されたのだ。

これらの本は、ふたりの吸血鬼、ペール・フォン・マウレンとその弟ヨハンを古い庭園に縛りつけ、夜の街路をさまようのを防ぎ、獲物を探させないようにしている。門を通った者以外は、追跡したり、攻撃したりできないのだ。

古い形而上学の法則にもある通り、悪は真実を前にしてひるむのだ。

だが、本はふたりの力を縛ったにしても、彼らも新たな攻撃手段を編み出していた。三部作のページに没頭するやいなや、読者はなすすべもなく彼らの手中に陥ってしまう。ここに記された文章は、ふたりが張りめぐらした網の外縁にあたる。脱出のかなわぬ網であり、その内部では吸血鬼の魔力が常に待ちかまえている。

だからこそ、私の人生は、ラーラの物語とひどく奇妙に混じりあったのだ。冒頭の段落に視線を向けた瞬間、ふたりのとぐろに落ちこみ、巻きこまれた。一年前、彼らがラーラを巻きこんだのも同様だった。私はおびき出され、容赦なく引き寄せられ、黒衣の女の触手にからめとられた。庭園の門を抜けた途端、本による束縛の力が消え、彼らは自由の身となり、私を追跡し、そして――

めまいが湧きあがってきた。そのとき、なぜ科学的な医師がとまどっていたのかを理解した。からだが衰弱している理由を理解した。ああ、なんと汚らわしいことか！　彼女は――私の血をむさぼっていたのだ！

むせび泣きながら、本を向こうへ放り投げた。背を向けて、狂ったように部屋を行ったり来たりした。冷たい汗が全身の毛穴からしみ出した。心臓は走ったときのように脈打っていた。頭はでたらめに回転していた。

ラーラが死んだように、私も終わりなのか？　このおぞましい存在が持つ力の、いまひとりの犠牲者となるのか？　彼女はこの先も私の生命で腹を満たし、生きつづけるのか？　ほかにも餌食《えじき》になる者が出てきて、絶望の奥底へ突き落とされるのか？　否、断じて否《いな》！　ラーラがこの手の化け物を始末する唯一の方法を知らなかったとしても、私は違う。南欧で休暇を過ごしたのだから、こうしたいにしえの邪悪について、少しは学んだはずだ。

死に物狂いで部屋を見まわし、あたりにあるものを目に収めた。椅子が一脚、テーブルがひとつ、スツールがひとつ。カメラのうち一台は長い三脚につけてある。後者を見つめていると、恐怖に打ちのめされた頭のなかで、ある計画が実行段階に移された。急いで部屋をよぎり、三脚の木製の脚を一本、

両手でつかんだ。片膝の上でそれを折った。まっぷたつにした脚を手に取ると、どちらも端がささくれ、鋭く折れていた。私は帽子もかぶらずに玄関を飛び出し、街路へ出た。

一瞬後、私はタクシーに乗って、北へ疾走していた。行き先はイースタリー・ストリートだ。「急いでくれ！」運転手にそう言って、西へ傾きつつある太陽を見やった。「もっと速くしてくれと言っているんだ」

横町を走り抜け、古びた郊外に入り、街のはずれを目指した。停車するたびに、私は遅れにいらいらした。だが、ようやく、庭園の門の前にやってきた。

運転手に勘定を投げ渡し、錬鉄製の門を勢いよく開けると、三脚の木片を脇に抱えたまま飛びこんだ。陽光を浴びる中庭は幻想味のない場所だったが、崩れかけた石造建築や絡みあう草は、前と同様、沈黙に浸っていた。

まっすぐ屋敷を目指し、朽ちた段々をのぼり、正面玄関についた。扉には板が打ちつけてあり、鍵もかかっていた。叫びたい衝動を押さえつけると、踵《きびす》を返して走り出し、円を描くようにして南側の壁にまわった。女がこちらへ向かうのを見ていたのだ。私がスナップ写真を撮ろうとしたあとで、彼女が逃げていったときのことだ。塀に乗った二十六羽の青鵥《あおかけす》は横目で私を見ていて、人面鳥《ハーピー》の群れのようだった。

建物の裏手近くで、半開きの小さな扉にたどり着いた。その先は地下室へつづいている。束の間、その場でためらった。目の前になにがあるかはわかっているが、それを恐れるあまり、気分が悪かった。それから、二本の木製三脚の杭を握りしめ、足を踏み入れた。

なかは薄闇に包まれていて、狭い廊下が正面へ伸びている。床には瓦礫《がれき》や剝落した建材が散らばっており、天井には千もの蜘蛛の巣が張りめぐらされている。

　私はよろめきながら前へ進んだ。目はすぐに薄明りに慣れた。ほとんど不透明の窓からかすかな光が差しこんでいる。なにもかも投げ出して、陽光のもとへ逃げたいという狂おしい衝動がこみあげてきた。私は抗った。やりそこなえば、恐怖がつづき――じわじわと殺され――門戸が大勢に対して開かれたままになるのだ。

　廊下の突き当りには第二の扉があり、私の進路をふさいでいた。それを押し開けると――ふらつきながら戸口に立ち尽くし、内部に目をこらした。すさまじい嫌悪感が広がった。あまりのおぞましさに息が詰まった。熱い血が頭にのぼった。空気が上方へ動き、触知できる渦巻きと化したようだった。なかは小部屋になっていた。かろうじて十フィート四方という狭さで、天井の垂木は低い。そして、開けた扉からの光で見えたのは、部屋の中央で隣り合って並んでいる――ふたつの白い木棺だった。

　どれほどの間、石壁に弱弱しくもたれて立っていたのか、いまではわからない。深い静寂に包まれていて、心臓の鼓動さえも廊下に響きわたり、木槌を打ちつけているかに思えた。遅効性の強いにおいが小部屋から漂ってきて、私の鼻孔に入った。たちまち正体を悟った。ヘリオトロープだ！　だが、そのヘリオトロープはいにしえの墓所の腐臭に汚染されていた。

　それから、不意に、絶望ゆえの決意を胸にして、前へ飛び出した。手近の棺に走り寄り、ふたをつかんで、一気に開いた。

　ああ、そこで目の当たりにした光景を忘れることさえできたら。そこに横たわっていたのは、ペー

ル・フォン・マウレンだった。あの黒衣の女だが——ヴェールはつけていなかった。

あの顔は——到底言葉にできない。神々しい美しさで、髪は黒貂のように黒く、頬は見事に白かった。だが、唇は——ああ、なんたることだ！　あの唇は！　目にした途端に気分が悪くなった。唇は緋色、いや真紅色で……人間の血がこびりついていた。

私の動きは自動人形のようだった。低くむせび泣きながら、三脚の杭の片方に手を伸ばし、床から敷石をつかみ取った。木片のとがった端を女の心臓の真上にあて、強烈な一撃を加えた。杭はずぶりと沈んだ。胸のむかつく、砕けるような音がして——激しくのたうつ動きで棺が震えた。私の顔めがけて吹きあがってきたのは、生ぬるくて、吐き気を催す、腐朽の息だった。

私は向きを変え、彼女の弟の棺を乱暴に開けた。ほんの一瞬だけ、若々しくて力強い、チュートン人らしい顔に目を留めてから、もう一本の杭を高々と掲げ、右腕に出せるありったけの力で突き刺した。赤い血がだしぬけに流れ出し、床にねばつく液だまりをつくった。

一瞬、私は根が生えたように立ち尽くした。この上ないおぞましさが、焼きつく痛みを伴って脳に達した。まるで熱した剣だった。あの純然たる恐怖の瞬間にあっても、私は理解していた。〈時〉のもっとも霊妙な抹消作用でさえ、あの冒瀆的な光景を内なる目から取り除くことはできないのだ、と。あの光景は計り知れぬほど汚らわしかった——あれが夢に出ないよう、あの瀆聖の山場を再び見たりしないよう、祈るばかりだ。私の眼前では、開けた扉からひと筋の光が差しこんでおり、あたかも熱病の沼から立ち昇る瘴気のように、その光を浴びて、ふたつの白い棺桶が浮かびあがっていた。

そのなかに収まって、眼球のない眼窩から私を見あげていたものこそは——くすんで朽ちかけた、二

体の骸骨だった。ふたつの死の髑髏は、忌まわしい流し目を送っていた。

その先は漠然とした夢でしかない。おぼろげに覚えているだけだが、狂乱の態で外へ駆け出し、小道を通って門まで行き、街路を、イースタリーを進み、青鵥《あおかけす》の呪われた庭園から逃げたらしい。ようやく、疲弊しきった状態で、アパートメントにたどり着いた。玄関を手荒に開け、よろよろとなかに入った。平凡な環境に出迎えられたが、焼けそうな目には香膏のようだった。ところが、あたかも皮肉に嘲笑っているかのように、私の視線を引き寄せたのは、さきほど置いたのと同じ場所にある、三つの物体だった。ラーラの三冊の本だ。

私はそこに近づくと、本を取りあげて、黒い表紙をぼんやり見おろした。これらの地獄めいた作品がすべてのはじまりだった。これらのページこそは責めを負うべきものなのだ……。

低い叫びをあげて、部屋の反対側にある暖炉のほうを向き、いまだに白熱している石炭めがけて、三冊とも放り投げた。

一瞬だけしゅっという音がした。黄色い炎の線が上へ伸びていき、ビロードを侵しはじめた。私が見ている前で、炎は高く……高くなり……ゆっくりしぼんでいった。

最後のまばゆい火花が消え、黒ずんだ灰になるとともに、すばらしく穏やかな安堵感が広がった。

クレア・ド・ルナ――月影――

シーベリー・クイン
植草昌実 訳

Clair de Lune
Seabury Quinn

　わが友ド・グランダンは私に顔を向けると、眉を上げ、口笛を吹くかのように唇をすぼめた。

「なんだね《クモン》？」彼は尋ねた。「何か言いたいようだが」

「気づかれたか」私は笑って答えた。「なに、きみができるかぎり女性を避けていることを知らなかったら、あのご婦人とこっそり親密になる策を講じていると読むところだ。ここに来てからずっと、きみの目は離れていないからな」

　青い目を笑みにきらめかせると、満腹した猫が食後にひげを整えるように、彼は小ぶりな金色の口ひげの端をひねった。「いかにも、わが友よ、あのご婦人が気になるものでね――」

「言うまでもないさ」

「男であれば目を離せなくなるだろう？」

「まちがいないね」私は認めた。「彼女は完璧と言っていいが、きみの目つきときたら、まるで月の光に浮かれた牛か――」

「あら、トローブリッジ先生。ド・グランダン先生も！」このホテルの経営者で、娯楽催事の企画も一手に仕切っているミス・テンプルトンが、ホテルのベランダを横切り、踊るような足取りで近づい

てきた。「わくわくしますわ」

「それはそれは、マドモワゼル！」ド・グランダンは立ち上がると、ひときわにこやかな笑みを彼女に向けた。「慶賀の至りです。そのわくわくはどこから来たものですかな」

「マデロン・ルロイよ！」会話のざわめきや、さんざめく笑い声の中でも、ドット・テンプルトンの声は感嘆符が目に見えるほどにはっきりと響いた。続く言葉も、イタリック体の文字で宙に書いたように、くっきりと耳に届いた。「今夜、舞踏会に御出席になるの。あの方、こちらに着いてからずっと、お部屋にこもりっきりだったでしょう――海辺には保養に来ただけなので誰にも会いたくない、なんておっしゃって。でも、だいぶ落ち着いたご様子におなりで、このぶんならきっと、お発ちになるまでに気のおけないパーティを催されることでしょう――」

「ほう《ティアン》、それはまた興味深いことですな」ド・グランダンが口を挟んだ。「そのゆうべには、私たちもお招きいただければ光栄ですな、マドモワゼル。ぜひとも」

ミス・テンプルトンが、この喜びをさらに多くの客と分かち合うため、踊るような足取りで去っていくと、ド・グランダンは腕時計に目を落とした。「いやはや《モン・デュー》、トローブリッジ君」彼は声をあげた。「もうすぐ一時だというのに、まだ昼食を済ませていない。いざ食堂へ。これは命にかかわる。目がくらんで足がふらつくよ。空腹にもほどがある」

海に面した広い窓から心地よい風が入る食堂の、私たちからテーブルを二卓隔てた先で、マデロン・ルロイは静かに、冷ややかなほどまっすぐ前を向いて座っていた。ド・グランダンが言うように、男

であれば目を離せなくなる女性だ。初の舞台主演はエリック・マックスウェル監督の『月影《クレア・ド・ルナ》』で、批評家たちは彼女の俳優としての才能だけでなく、この世のものとは思えないほど繊細な、妖精に喩《たと》うべき美しさをも絶賛したものだ。ブロードウェイでの記録的なロングランのあと、ミス・ルロイはハリウッドからの驚くほど好条件の申し出をあっさり断ったばかりか、演劇界の広報担当者たちが文句をどよめかせそうなことを言いだして一騒動が起きた。彼女を絵描きがスケッチするのは認めたが、写真撮影はきっぱり拒絶し、人前に出るときは修道女か、あるいはハーレムの侍女《オダリスク》よろしく慎ましげにヴェールを被って、取材陣、ことにカメラマンたちを切歯扼腕させたものだ。『月影』は夏期は休演し、美しくも謎めいた主演女優は海辺の〈アドロン・ホテル〉で休暇を過ごすのだが、ジュール・ド・グランダンと私はちょうどその時期に投宿したのだった。

　私はメニューを見るふりをして、こっそり彼女を見た。ド・グランダンはといえば、フランス人にしかできない、相手の気にさわらない程度の眼差しを、遠慮なく彼女に向けていた。たしかに美しい。透けてみえるほどに白い肌、小さな頭を金の糸のように包んで輝く長い髪、心を引き込むような大きな目の、緑みを帯びた青い瞳。細い首筋と繊細な横顔は、妖精よりもむしろ天使に喩うべき、はかなさを浮かべていた。実際は見た目ほど小柄ではないにしても、ヴァトー*描く羊飼いの女よりは、むしろ幼い少女と言いたくなる。だが、立ち居振る舞いはゆったりと、かつ優美で、風にそよぐ麦の穂のようだった。窓を背にして浮かぶ姿は、おとぎばなしの姫君が現実の世界にやってきたようにも、これまで詩歌にうたわれてきた女性たちの精粋が顕現したようにも見えた。

「なんと美しい」ウェイターが注文を取りにくると、ド・グランダンはそう言ったきり、近くの席の

美女への興味をすっかり失ったようだった。彼にとって女性は、人生の旅路で折々に目にする、路傍の花のようなものだが、料理と酒については一度だけだが、本人の口からこんなことを聞いたことがある。「まったく《モン・デュー》、美味なくして何の人生かね」

その晩、舞踏会の前のレセプションに現れるや、ミス・ルロイは姫君の御来駕さながらの歓迎を受けた。宴席の奥の目立たないところでも、ホテルの広いヴェランダでも、白いサテンの水着でナイアス*のように海から上がってきても、どこにいてもその夜の主役だった。ぴったりとした、小柄なりに優美な曲線を際立たせている、袖のない白い絹のロングドレスが、彼女を別の世界からの来訪者のように見せていた。ウエストに巻いた細い金色のベルトは、房飾りのついた端が床に触れるほど長く、足を運ぶたびに翻《ひるがえ》る裳裾《もすそ》から、素足に履いた小さな金色のサンダルが見えた。

彼女はプラチナブロンドの髪をゆるく束ね、細い白いリボンを結んでいた。左上の肘の上に、ギリシア風の意匠を施した金のブレスレットがあるほかは、装身具も宝石も身につけていなかった。

その美しさだけを見ても、これほど魅力ある女性はいないだろうに、私はミス・ルロイに敬遠したくなるような雰囲気を感じた。たぶん、謙遜しているようでいて、親しみも温かみも感じられない、曖

ヴァトー　ロココ期フランスの画家アントワーヌ・ヴァトー（一六八四―一七二一）。『シテール島への巡礼』『田園の恋人たち』などの作がある。

ナイアス　ギリシア神話の泉や小川の精。

味な笑顔のせいかもしれないし、目に浮かぶつかみどころのない表情がそう思わせるのかもしれない——相手が面白くない人で、付き合うほどでもないとすぐ見てとり、退屈しているような哀れんでいるような目つきだ。こちらの思い過ごしか、化粧のせいかもしれない。お抱えの美容師の腕の良さも努力のほどもわかるが、レースのように細かい目尻のしわは隠しきれず、うっすらと緑のアイシャドウをのせた瞼《まぶた》は、古い絹布のような光沢を浮かべていたからだ。目のまわりを見たかぎりでは、若く見積もっても三十代なかばだろう。

「ドクター・トローブリッジ」彼女はほっそりした、子供のように小さな手を差し伸べた。ほのかに薔薇色を帯びた、白いアイリスのような手。「ドクター・ド・グランダン」声をかけられ、彼は音をたてて踵《かかと》を合わせた。

「はじめまして《アンシャンテ》、マドモワゼル」ド・グランダンは彼女の手をとり、頭を下げて唇を寄せた。

「お会いできて光栄です《メ・ジュ・スィ・トレジュー・ド・ヴ・ヴォワー》」

言葉ではうまく表せないのだが、居住まいを正したド・グランダンがミス・ルロイとまっすぐに目を合わせたとき、どちらも瞬きひとつせず、二人を冷気のようなものが包み込んだのを、私は感じた。フェンシングやボクシングの選手が、相手の力量を計り、互いの手の内を読んでいるようだった。いや、触媒が加えられれば爆発する二種類の化学物質というべきだろう。じきに他の客が来たので私たちはその場を辞したが、そのときは冷蔵室から夏の外気に踏み出したような心地さえした。

「いったい——」と言いかけたところで、知人シェイファー夫妻の娘メイジーが来たので、私は言葉を切った。

「ねえ、ドクター・トローブリッジ、なんて素敵なかたなんでしょう」メイジーは言った。「世界でいちばんきれいで、いちばんすばらしい女優よ！　二人といない人ね。パパやママからモード・アダムズ*やベルナール*やドゥーゼ*の話は聞いているけれど、マデロン・ルロイが最高だわ。『月影《クレア・ド・ルナ》』のラストシーンを覚えてらっしゃるかしら。修道院の門の前で恋人に別れを告げるとき、あの人は黙ったまま月あかりの下に立ち尽くしているだけ――なのに、張り裂けそうな胸のうちが伝わってくるの！」

ド・グランダンは彼女に笑みを向けた。「マドモワゼル、あのかたは演技を磨くために長い年月を重ねてきたのでしょう――」

「長い年月ですって？」メイジーの声が、何を馬鹿なこと言っているの、と言いたげに響いた。「どれだけ？　あの人はまだ若いのに――それどころか、ほとんど子供じゃないの。わたしは八月に二十一歳《にじゅういち》になるけれど、あの人はわたしより二歳《ふたつ》は若いわ。才能よ、ドクター・ド・グランダン、あの人は本当の天才なの。一時代に一人の、まぎれもない天才女優だわ」

モード・アダムズ　アメリカの舞台女優（一八七二―一九五三）。『ピーター・パン』に主演し、ブロードウェイでロングランを記録した。

ベルナール　フランスの舞台女優サラ・ベルナール（一八四四？―一九二三）。オスカー・ワイルドの「サロメ」は彼女のために書かれた。演劇だけでなく美術や文学にも大きな影響を与えた。

ドゥーゼ　イタリアの舞台女優エレオノーラ・ドゥーゼ（一八五八―一九二四）。サラ・ベルナールとはライバルと目された。ダヌンツィオは彼女のために戯曲を書いている。

小柄なフランス人は、彼女にじっと目を向けた。「あのかたにお目にかかったのですな」

「もちろんですとも」メイジーは失神しそうな様子だった。彼女はときめきを抑えるかのように、胸に手を当てた。「とってもやさしいかたよ。明日、ホテルのお部屋でお茶を御一緒するの――」

「それはそれは《モン・デュー》!」ド・グランダンは声をあげた。「打ち解けるのが早いですな。あちらからのお誘いなのですね、マドモワゼル?」

「もちろんよ。こんな素敵なことってあるかしら。まさか自分のことだなんて、素敵すぎて怖いくらいよ」

「おっしゃるとおり」ド・グランダンはうなずいた。「素敵なことは怖くもあるものです。マドモワゼル、良きゆうべをお過ごしになりますよう」

込みあった舞踏場から出て、良い風の来るヴェランダに出ると、私は彼に尋ねた。「きみ、今の会話の意味は?」

「私も知りたいところだ」ド・グランダンは真顔で答えた。

「おいおい、頼むよ」私は苛立ちを抑えきれなくなってきた。「煙《けむ》に巻くのはよしてくれ。きみとあの女とのあいだに何かがあるのは気づいているんだ。それが何なのか――」

「それを知りたいのさ」彼も苛立ったような口調で繰り返した。「疑うことと知ることは別だが、なんたることか《エラース》、今の私にはただの疑念しかない。清廉潔白な相手を疑っているだけなのかもしれないのだ。だが《オー》、その一方で《コントレール》、もし黙っていたら、誰かが苦しむことになることもありうる。友よ、いかにも《パルブルー》、今の私は何をすればいいのかわからない。我ながら惨めなものさ」

私は腕時計に目をやった。「部屋で寝《やす》むことにしよう。もう十一時をまわった、明日の朝また考えればいい。ゆっくり眠れるのも今夜くらいかもしれないぞ。患者に起こされることもなさそうだが――」

「今時分に産まれる赤ん坊も、世を去る年寄り《ヴィエイヤール》もいまい」ド・グランダンは笑って同意した。「心配事は夢の国に置いていくとしよう」

　翌朝、ベルボーイたちに荷物を運ばせ、ホテルを出ようとしたとき、ビーチに向かう二人の女性に、私は道をあけた。一人は長い鼻筋と鋭い目つきをした、浅黒い肌の中年婦人で、黒い髪には白いものが交じっていた。麻の帽子をかぶっているから、小間使いなのだろう。制服の生地は黒の綾織りで、白いカフスとエプロンを着けていた。片腕にかけた大きなバスタオルが揺れていた。育ちは良いが落魄して一度身を持ち崩し、更生した人のように見える。人に気を許すことがなさそうだ。

　そのあとを、アラビアの婦人よろしくタオル地のフードつきローブに身を包んだ小柄な人が、木のサンダルを鳴らして歩いてきた。ローブを押さえる手は、長く尖った爪に赤いマニキュアをしていたが、指は今にも干からびてしまいそうなほど細かった。フードの下の顔が見えた。まちがいなくマデロン・ルロイだったが、昨夜の輝かんばかりの美しさはすっかり影をひそめてしまっていた。顔色は春の月のようにただ白く、頬は影が落ちるほどにこけて、生気というものがすっかりなくなっていた。開きかけた唇も乾いたように色褪せ、鼻も尖ってみえるばかりで、空を映したかのような青い眼も窪んでいた。その顔は、何かを渇望しているようにも見えたが、何を望んでいるのかはわからなかった。だが、身のこなしの優雅さは変わることなく、細い腰がかすかに揺れるほかは、足取りもなめらかな

ものだった。

彼女が通りすぎるさいに、ド・グランダンは帽子に手をかけ、小声で彼女に挨拶をした。「これはこれは《グラン・デュー》、マドモワゼル」

彼女はそこに誰もいないかのように通りすぎた。暗く落ちくぼんだ目は、さざ波がレースのように白く砂に打ち寄せ、日が燦々と照りつける浜辺にまっすぐ向いていた。

「なんということだ」送迎車に向かいながら、私は声をあげた。「彼女はいちどきに十歳、いや二十歳も老け込んだようだ。きみはどう考える？」

ド・グランダンは暗い目を私に向けた。「わからないね、わが友トローブリッジ君。ゆうべ、私は疑念を抱いた。今日は確信した。明日になればわかるだろうが、そのときは手遅れかもしれない」

「このことをどう思う？」私は尋ねた。「この謎は……」

「この言葉を知っているかな」彼は尋ね返した。「ものごとは変われば変わるほど、なおも同じでありつづける*」

私はしばし考えた。「ヴォルテールが歴史について語ったことじゃなかったかな」

「いかにも」彼は真顔でうなずいた。「一面の真理だ。歴史は繰り返すものだが、だからといってどこまで悲劇的な結果をもたらすかは、予測できない」

「悲劇的な結果？　誰に？」

「誰が知ろう？《オン・ネ・セ・パ》」彼は肩をすくめた。「雷がどこに落ちるか、わからないのと同じさ」

海辺から帰ってきて一週間ほどしたある夕方、仕事を終えるところに、電話が鳴った。「サム、ジェーン・シェーファーです」声の様子で、何かあったとすぐに察した。「すぐに来てもらいたいの」

「どうしました」私はためらった。暑い一日でひときわ疲れていた。われらが料理人ノーラ・マッギニスは今晩、スイート・アンド・サワーソースで仕立てた仔牛肉の料理を用意してくれている。カクテルと晩餐の愉しみを、二マイルの移動に替えたくはなかった。

「メイジーが大変なの。日に日に具合が悪くなって――」

「日に日に？」私は言った。「海辺ではそんな様子もなかったのに。コオロギみたいに元気で――」

「そう。帰ってきたときは仔馬ほども元気だったのに、じきに様子がおかしくなって、見るたびに弱ってきて。肺結核か、白血病かと思うと――」

「まあ、落ち着いて」私は言った。「毎晩遅くまでダンスをして、次の日の午後にはテニスを欠かさずしていれば、疲れもたまりますよ。夕食はトーストとお茶くらいのごく軽いものにして、一晩ゆっくり眠ってもらい、明日の朝に連れてきてください――」

「サム・トローブリッジ、ちゃんと聞いて！　うちの娘《こ》は死にそうなの！　今も立ち上がれないほど弱っているのに、トーストとお茶だなんて！　今すぐ来てくれないと――」

ものごとは変われば変わるほど、さらに同じでありつづける　ヴォルテールではなく、フランスの文筆家ジャン・バティスト・アルフォンス・カール（一八〇八―九〇）の言葉。出典は、小説『私の庭をめぐる旅』*Voyage autour de mon jardin*（一八四五）。

「わかりました」私は彼女をなだめようとした。「まずは寝かせておいてください。私は――」

「なに呆《ぼ》けてるの、寝たきりなのよ！　起き上がれないの。もう弱りきっていて――」

「最初からそう言ってください」私は彼女の言葉を遮った。「待っていてください。今すぐ向かいますから――」

「何が起きたのかね、わが友《モン・ヴュー》よ」冷たく結露したカクテル・シェイカーを手に、ド・グランダンが顔を出した。「これから往診だなんて言わないでくれよ。今宵のマティーニは完璧だぞ」

「それどころじゃない」我ながら悲しい声になった。「ジェーン・シェイファーが電話で、メイジーが大変だと言ってきたんだ。このままじゃ、明日の朝までもたないと――」

「悪魔の黒い火《フー・ノワール・ド・ディアブル》め！　あの娘《こ》に目をつけたか。畜生《マーブル》、気づかずにいたとは不覚だ！」

「なんの話だ？」私は強い口調で尋ねた。「きみは何を知っているんだ――」

「悲しいかな《エラ》、何も知らないんだ。皆目見当もつかない。だが、私の疑念に裏付けが取れるのであれば――さあ、急ごう。空を飛びたいくらいだよ。すぐにあの娘を診《み》にいくんだ。夕食？　それどころじゃない、一大事だ！」

　母親の話に誇張はなかった。メイジーはほぼ昏睡状態で、頬骨が尖ってみえるほど頬がこけ、目の下には紫の隈《くま》が浮かんでいた。目は熱病に罹《かか》ったかのような光を帯びているのに、手を取ると死んでいるかのように冷たく、体温計の目盛りは華氏八〇度*にも届かなかった。脈拍もごく弱く、一分間に七〇あるかないかだった。ベッドの脇の椅子に私が座ると、彼女はだるそうに顔を向けたが、浮かん

だ笑みは普段の見た者もつられて笑うようなものではなく、目はうつろで唇がかすかに動くだけの、笑顔の幽霊のようだった。

「いったい、どうしたんだ」ひび割れができそうなほど乾いた彼女の手に目を落とし、わたしは尋ねた。「何をどうすれば、こんなに弱ってしまえるものか」

熱に浮かされた目を眠たげに閉ざして、彼女は何かつぶやいたが、あまりに小さな声だったので、ほとんど聞こえなかった。「なんだね？」私は尋ねた。

「い――いかないと――いかせて――いかなくちゃ――」弱々しい懇願だった。「あのひとがまってる――そばにいてあげないと――」

「譫言《うわごと》かな」と私が問うと、ド・グランダンはかぶりを振った。

「そうは思えないな、わが友よ。まちがいなく、彼女は衰弱している。だが、頭ははっきりしている。もっとも、私が言うべきことではないがね。容態を見てわからないのかい？」

「二週間ばかり前の、元気で血色のよい様子を覚えていなかったら、飢餓による衰弱と診断するところだ。前の戦争のあと、ベルギーの難民救済所で見てきた患者たちとそっくりで――」

「友よ、知識と経験が役にたったな。まさに飢餓状態だ――今は栄養失調と言っておこうか。ストリキニーネ*を処方すべきだろうが、まずはその前にシェリーを加えた濃いビーフ・スープを与えるのがいいだろう。そのあとで、卵黄を落とした牛乳にブランデーを加えて――」

華氏八〇度　摂氏で約二六・七度。

「だが、ほんの数日のあいだに、ここまで症状が進んだのは――」

「そうとも、そこが問題なんだ！　その原因を突き止めなくては」

「あの子、どうなんでしょう」私たちが階段を下りると、ジェーン・シェイファーが尋ねた。「海辺で病気を拾ってしまったのでしょうか」

ド・グランダンは唇をすぼめ、顎に手を当てた。「ありえません《パ・ポシーブレ》な、マダム。この症状は、どのくらい前から？」

「ほとんど、帰ってきてからすぐでした。海辺で女優のマデロン・ルロイに会ったら、もう夢中になってしまって。朝起きたらすぐにホテルのミス・ルロイのお部屋におじゃましては、遅くに帰ってきて――二日目か、三日目だったかしら、たぶん三日目かと思うんですが、帰ってきたときにはひどく疲れている様子で、すぐに寝ついてしまいました。次の日は昼近くまで眠っていて、起きても疲れの抜けないぼうっとした様子で、それでもびっくりするほどたくさん昼食《おひる》を食べて、またミス・ルロイのところに行きました。その夜は帰るやいなや倒れ込んでしまって、それ以来、日に日に弱っていったんです」

ド・グランダンは彼女にまっすぐ目を向けた。「おおいに食欲があった、とおっしゃいましたね」

「おおいにどころか、おかしなほどよ。まるで、おなかの中の虫があの娘《こ》の分まで食べているみたいでした」

彼はうなずいた。「ご心配はもっともです、マダム」そのあとで、ずれたようなことを尋ねた。「ミス・ルロイはどちらのホテルに御投宿中か、ご存じですか」

「〈ザカリー・テイラー・ホテル〉こに続き部屋《スイート》を取っているそうです。なぜニューヨークでなく、この町に滞在しているのか、わからないのですが――」

「ここがお気に召したのかもしれませんな、マダム・シェイファー。承知しました。ありがとうございます。ミス・ルロイは〈ザカリー・テイラー〉に滞在中、と」

「で、メイジーは毎日、あの人に会いに行っていたんです」

「結構《トレボン》。いくらかはわかりました。お嬢さんの病気は治りますが、私たちが考えていたよりは症状が重いようです。すぐサイドウェル療養所に入院していただきましょう。設備は申し分ありませんし、看護婦がいつもついていてくれます。ですが、マダム、面会は謝絶になりますし、人に聞かれてもどこかを教えてはいけません。誰であっても。おわかりいただけますか」

「はい、承知しました。でも――」

「でも、とおっしゃるのは？」

「ミス・ルロイが今日、二度も電話をくださって、メイジーが寝込んでしまったと言ったら、心配していらっしゃったので――」

「面会謝絶ですよ、マダム。これだけは守っていただきます。御理解を」

ストリキニーネ　馬銭《まちん》の種子から採取されるアルカロイドの一種。過量に用いれば毒薬になるが、中枢神経の興奮や胃液の分泌のため使用される。

「きみが何をしようとしているのか、私にはわからないよ」シェイファー家を辞去したあと、私はこぼした。「診断と処置には異論はないが、どうしてそこまで秘密めかすのか。考えがあるなら——」

「ああ、友よ、考えというほどのものはないんだ」ド・グランダンは答えた。「秘密めかしているんじゃない、わからないだけなんだ。悪童どもにからかわれる盲人さながらにね。言われるほうに手を伸ばしてみるが、何も摑めない。歴史は繰り返す、と話したのを覚えているかい？」

「ああ、海辺から帰る日の朝だったね」

「そうだとも。では、友よ、これからの話をよく聞いてくれ。まったく馬鹿げたことかもしれないし、そうではないかもしれない。考えてもらいたいんだ。

いつだったか、ずいぶん昔の話だが、私は〈テアトル・フランセ〉で、マデロン・ラルーという踊り子を見た。パリじゅうが彼女の噂でもちきりだった。世間が今よりもずっとお堅かった時代に、大胆にも生まれたままの姿《オー・ナトゥレール》で舞踊を披露したのだからね。まったく《パープルー》彼女の舞台を見たときの私たるや、心ここにあらずだったよ」彼は重々しくうなずいた。「実に美しかったよ。もっともそれは、ヴィーナス*やミネルヴァ*ではなく、ヘーベー*やクリュティエ*の美しさで、繊細優美なうえほとんど子供のような可愛らしさを具え、その肉体は熱情よりはむしろ自然の美しさに溢れていた。ところで《アー・ビエン》、私の祖父《グラン・ペール》も——彼の魂に安らぎあれ！——人後に落ちない舞台好きだった。その年、ナルボンヌ*の近くに避暑に来ていた祖父を、新しく立派な別荘に訪ねたとき、私がマデロン・ラルーのことを話すと、彼はたいそう驚いた。

なぜ驚いたか。まさに第二帝政*の頃に、やはりパリで評判になった踊り子がいて、その名がマデロ

ン・ラルーズだったからだ。彼女もまた、ナポレオン三世*の取り巻きの貴公子たちを前に、肌も露な姿《ア・デコヴェール》で舞踊を披露したという。祖父はそれを見て、密かに彼女を崇拝し、命を捧げても惜しくないと思ったそうだ。その繊細な、子供のような美しさが、男たちの心を燃え立たせたと語ってくれたので、私はマデロン・ラルーズとマデロン・ラルーが母娘《おやこ》でなければ同一人物かと思うところだった。ところが、祖父の話にはまだ続きがあったんだよ。いいかい。祖父は法医学者で、パリ警視庁とも深いつながりをもっていたんだ。

ヴィーナス　ローマ神話の女神。愛と美を司る。

ミネルヴァ　ローマ神話の女神。知恵、戦争、美術を司る。

ヘーベー　ギリシア神話の青春の女神。ヘラクレスの妻。

クリュティエ　ギリシア神話の水の精。太陽神ヘーリオスを愛したが叶わず、死んで花となった。

ナルボンヌ　フランス南西部、スペイン国境に近い都市。

第二帝政　一八五二年、ナポレオン三世の皇帝即位から、七〇年の普仏戦争敗北による失脚までの政治体制。

ナポレオン三世　シャルル・ルイ＝ナポレオン・ボナパルト（一八〇八―七三）。ナポレオン・ボナパルトの甥。フランス第二共和政大統領（一八四八―五二）を経て、第二帝政の皇帝となる。

さて、この繊細で子供のように美しいマデロン・ラルーズが、まったく突然に老け込みだした。ひと月もたたないあいだに、十年、いや二十年とね。六十日後には、老いさらばえ病み衰えて、舞台に立つどころではなくなったんだ。そのあと、どうなったと思う？」

「彼女は引退した」私はそっけなく言った。

「それが大違いさ。彼女は秘書兼付き人に、真面目で見目よいブルターニュ出身の女性を雇ったんだ。ここからは気をつけて聞いていてくれ。二カ月もしないうちに、その女性は飢餓状態を呈して死んだ。そしてマデロン・ラルーズはまたも肌着も着けない《サン・シミーズ》姿で舞台に立ち、パリじゅうの若い男たちを夢中にさせたのさ。

　当然だが、怪しい噂がたった。警視庁はもちろん捜査をした。だが、何も見つけられなかった。死んだ女性は健康で体力もあった。なのに、死因は明らかに栄養失調だった。そしてラルーズは、彼女を雇うまでは急に老け込んで死にそうだったのに、その前よりも若く美しく、健康になった。そこまではわかったんだがね。だが、それを犯罪の証拠として立件するまでには至らなかった。結局《アンファン》、ブルターニュの女性はペール・ラシェーズ墓地に埋葬され、ラルーズは——警察につきまとわれるのに飽き飽きしたのだろう——イタリアに行ってしまった。その後のことはわからない。

　では、これから私の話をするから、祖父の話と比べてみてほしい。私がラルーを見たのは一九〇五年だ。五年後、法医学会の会員になっていた私は、彼女が非常に珍しい病気で、一週間のうちに十年も歳をとり、二週間後には舞台に立てなくなった、と聞いた。いったい彼女に何が起きたのか、いいかね、それをこれから話すよ。

療養中の彼女はマッサージ師を雇った。若く健康で、丈夫な体をもつ女性をね。二週間もしないうちに、その女性は死んでしまった——そしてラルーは、ちくしょう《モルディユー》、薔薇とは言わないが、百合よろしく返り咲いた、というわけさ。

私はこの事件で、予審判事補に任じられた。捜査は細微に至ったよ。まさに水も漏らさずにね。で、何を見つけたか。死んだ若い女性は健康で体力もあった。そして、栄養失調による衰弱で死んだ。畜生《マーブル》、たったこれだけさ。ラルーは未知の奇病で老衰し、死にかけていた。その彼女が、再び若く健康になり、さらに以前より美しくなった。これでおしまい《セ・トゥー》。これを証拠にして告訴などできやしない。結局《アンファン》、あわれなマッサージ師はサン・シュルピス教会の墓地に葬られ、ラルーは——警察につきまとわれるのに飽き飽きしたのだろう——ブエノス・アイレスに行ってしまった。その後のことはわからない。

では、ここまでで私たちが知っていることを考えてみよう。物的証拠はないが、状況証拠は得られるだろう。ラルーズ、ラルー、ルロイ。名前は同一ではないが、よく似ている。マデロン・ラルーズは、おそらく老衰に似た奇妙な病状で死に瀕し、健康な若い女性と接することで回復したが、その女性は果汁を搾りつくされたオレンジのようになって死んだ。それが一八六七年のことだ。ひと世代ののち、マデロン・ラルーという、ラルーズに似た女性が、そっくり同じ病状に苦しみ、ラルーズの場合とよく似た回復をしたが、彼女のそばにいた若く健康な、そして強健な女性が、飢えやつれて見る影もない姿で死んだ。これは一九一〇年のことだった。今、マデロン・ルロイという女性が——」

「荒唐無稽にもほどがある！」私は口をはさんだ。「それは憶測にすぎない。どうやってマデロン・ルロイと過去の二人を——」

「もう少し話を聞いてくれ」彼は言った。「はじめてルロイに会ったとき、私が気を惹かれていたのを覚えているだろう」

「もちろんさ。目が離せないようだったね」

「まさしく《プレチーズメン》。なぜかわかるかい？　そのとおり《パーブルー》、彼女から目が離せないまま、私は自問せずにはいられなくなった。『なあ、ジュール・ド・グランダン、あの女に見覚えはないか？』そして、自答した。『おいおい、ジュール・ド・グランダン、私もなめられたものだな。どこで会ったか、忘れようもない。わが青春時代に、〈テアトル・フランセ〉で悩ましい舞踊を披露し、私を骨抜きにしたマデロン・ラルーその人だ。マッサージ師の変死事件は遠い昔だというのに、あの頃と変わらぬ美しさじゃないか。忘れるはずもないだろう？』

『いかにも』と私は答えた。

『よろしい。では、ジュール・ド・グランダン』私は自問を続けた。『かの美しい御婦人は、一九一〇年、いや一九〇五年から変わらぬままの姿で、何のために今ここに現れたのか。私はもとより、朋友《ともがら》も齢《よわい》を重ねたというのに、彼女ばかりがなぜ若いままでいられるのか。なぜ月の光のように変わらないのか』

『その問いに私が答えられるものか。答えうるは悪魔のみだろう、ジュール・ド・グランダン』私は自分に言った。

そのあと、何があったかは、きみも知ってのとおりだ。パーティが賑々しく開かれ、マドモワゼル・ルロイが人前に姿を現した。私も会った。互いに目を見合わせて、相手が誰なのか気づいた。そうとも《パルデュー》！

大昔のこととはいえ、自分を追いつめた予審判事補を忘れる女ではないだろう。こちらは言うまでもない。覚えていても、お互いにとって愉快なことではなかった。そう、まちがいなくね」

翌日の午後、二人でサイドウェル療養所にメイジーを見舞うと、衰弱には回復の様子は見えたものの、彼女は落ち着きがなかった。

「ねえ先生、いつ出してもらえるの。わたし、具合はずっと良くなっているし、守らないといけない約束もあるし――」

「おっしゃるとおりですな、マドモワゼル」ド・グランダンが答えた。「たしかにお元気そうだ。ここで体を休め、スポンジよろしく栄養を十分に吸収して、それから――」

「でも――」

「その『でも』というのは」ド・グランダンは眉を上げた。「お約束のことでしょうな。お相手は？」

「マデロン・ルロイよ。あの人を助けてあげないと――」

「それは感心な」ド・グランダンの顔が曇った。「どのようにして？」

「わたしが若くて元気だから、生きる勇気になるんですって――あのかた、たいへん弱ってて、わたしがそばにいるだけで大きな力づけになるって――」

ド・グランダンの顔が硬くなったので、メイジーは言葉を止めた。「どうかしたの？」彼女はおずおずと言った。

「マドモワゼル、ホテルのあのかたの部屋では、何をしておられたのですかな」

「べつに、何も。マデロンは——あの人は、そう呼んでほしいって。素敵よね——話すこともできないほど疲れていたの。きれいな寝間着で、居間の寝椅子に横になっていて、わたしはあの人の手を握っていたり、本や雑誌の記事を読んであげたりしたくらい。それから、お茶を飲んだり、ちょっとのあいだ一緒にお昼寝したり。そんなときは、あの人を赤ちゃんみたいに抱えて眠ったわ。眠っているあいだのマデロンって、ときどき笑顔になって、天使がとてもいい夢を見ているみたいなの」

「お付き合いを楽しんでおられたんですな」

「もちろんよ。こんな素敵なこと、生まれてはじめて」

メイジーに笑いかけると、ド・グランダンは立ち上がった。「それは結構《ビアン》。良い思い出になることでしょう。さて、私たちには次のお約束がありますので、これで失礼しますが、もし二、三日のうちにお具合がよくなるようでしたら——」

「マデロンにはどう伝えれば？」

「お伝えしておきますとも、お嬢さん。ご安心を」

「嬉しいわ。親切ね！」メイジーは笑顔を返すと、そのまま目を閉じ、子供のように寝ついた。

「ミス・ルロイのメイドさんから、今日は三度も電話があったの」療養所の帰途、シェイファー家に立ち寄ると、ジェーンが話しだした。「ミス・ルロイはお具合が悪くて、とてもメイジーに会いたがっていると——」

「やはり、そう言ってきましたか」ド・グランダンはそっけなく言った。

「うちの子のことがとてもお気に召しているようだし、お話ししているうちにかわいそうになって、メイジーの入院先をお知らせしました」

「なんてことを！」と言ったときのド・グランダンの顔は、熱いものを飲み下そうとして苦しんでいるように見えた。

「いけませんでしたか。わたしはてっきり――」

「手違いでしたな、マダム。面会は一切謝絶とお願いしたのを、思い出していただければよかったのですが。大至急、手を打ちますが、失敗しても責めを負うのは私たちではありませんぞ。では、失礼します」と言うや、ド・グランダンは踵を合わせて一礼したが、そのさまは堅苦しいのではなく、冷ややかだった。「行こう、トローブリッジ君、義務の遂行には一瞬の猶予もない」

外に出るや、堰を切ったように彼はまくしたてた。「猫め、犬め、雄鶏め！　私たちは邪悪な企みをもつ敵を防ぐことはできても、迂闊な味方にはまったくお手上げだ！　行こう、友よ。今はスピードだけが頼りだ」

「どこへ？」車のエンジンをかけながら、私は尋ねた。

「療養所だ！　手遅れになる前に戻ろう」

夏の午後、オレンジ山地の稜線が青く霞《かす》み、幹線道路は灰色のリボンをほどくように、私たちの後ろへと飛んでいった。「速く、もっと速く！」ド・グランダンの声は急《せ》いていた。「早く着かなくてはならないんだ、トローブリッジ君」

半マイルほど先に、きれいではあるが霊柩車を思わせる黒い車が、療養所の方角に向かって走っているのを捉え、青い眼が輝いた。「彼女だ！」彼は叫んだ。「追い越しさえすればこちらのものだ。もっとスピードを上げられないか」

アクセルを踏み込むと、速度計の針がじりじりと上がっていった。時速六五マイル、七〇マイル、七五マイル――距離は次第に狭まっていった。

先行車の運転手か、あるいは乗っている誰かが、私たちの車に気づいたようだった。どちらの意思かは知らないが、車は私たちを引き離し、砂煙を上げながら道を曲がった先に消えた。

「そうは問屋が卸さない！」グランダンがわめいた。「ここで逃がしてなるものか。あの女、なめたまねを――」

ブレーキの虚しい悲鳴とガラスの砕ける音に彼は黙り込み、私はあとを追って道を曲がると、大型の黒いセダンが横倒しになり、車輪を空転させているのが目に入った。どのウィンドウにも蜘蛛の巣のようなひびが走り、ヘッドライトも左右とも砕けている。エンジンから煙が細く立ちのぼっていた。ド・グランダンは「やった《トリヨーンフ》！」と一声あげて車を飛びおりると、倒れた車に駆け寄った。「いまや御本人がわれらが手の中だ！」

運転手はハンドルとシートのあいだに挟まれて気を失っていたが外傷はなく、後部座席には二人の女性が身を縮めていた。黒い服の大柄な女性はミス・ルロイの小間使いだと気づいた。ヴェールで顔を覆った、灰色の亡霊のように見える小柄なほうは、マデロン・ルロイ本人だった。「トローブリッジ君、運転手を頼む」と私に声をかけると、ド・グランダンは後部ドアをぐいと引き開けた。「御婦人二

人は私に任せてくれたまえ」彼は力を振り絞って、気絶した小間使いを車から出すと、安全な場所まで移動させ、マデロン・ルロイを出すためにすぐ戻ってきた。

私は運転手を引きずって、道ばたの木立の陰に運んだ。わずかな間をおいてセダンが炎を噴き上げたかと思うや、燃料タンクが爆発した。ガラスや金属の破片とともに、火の粉が飛び散った。「やれやれ、危ないところだったな」私は息を切らせた。「十秒遅かったら、三人とも焼け死んでいた」

ド・グランダンはうなずいたが、別のことを考えているようだった。「私は電話を見つけて、救急車を呼ぶ。そのあいだ、三人を見ていてくれるかね、友よ。みな手当が必要だ。ことにマドモワゼル・ルロイは。きみ、マーシー病院に知り合いはいるかい」

「いったい、なんの話だね」

「顔がきくか、ということさ。きみの名を借りて頼みたい。この三人をそれぞれ個室に入院させられれば、万事好都合だ」

私たち二人は、彼女のベッドの脇に座っていた。運転手と小間使いは準個室に、マデロン・ルロイはド・グランダンの主張が通って、病院の最上階にある個室に収容されていた。日は傾いて海を薔薇色に染める真紅の玉となり、そよ風が白いカーテンを弄んでいた。今ベッドに横たわっている女性が、華やかで美しいかの女優マデロン・ルロイであると、見て気づく人はいないことだろう。

緑がかって見えるほど青ざめた顔は肉が落ちて、ほとんど頭蓋骨を見るようだった——こめかみも目も落ちくぼみ、鼻は細く尖って、顎の骨の形さえ見てとれた。血の気をなくした頬に血管が青く走

るさまは精巧な蠟人形のようで、耳は透明なほどだった。ふっくらとしていた唇は見るかげもなく、小さな白い歯をのぞかせてめくれあがったさまは、息をするのもやっとのように見えた。「メイジー」か細い声で彼女は言った。「どこにいるの。お昼寝の時間よ。わたしを抱きしめて。あなたの若い、強い腕で――」

　ド・グランダンは立ち上がると、ベッドに身を屈めた。彼女に向けた目は冷徹で、患者を診る医師のものでも、苦しんでいる女性を前にした紳士のものでもなく、死刑囚に向ける刑吏の目にほど近かった。「ラルーズ、ラルー、ルロイ――どの名を名乗ろうと、あなたはもうこれで終わりです。偽りの若さを取り戻すための犠牲者はもういない。あなたが生を受けたのはいったいどれだけ昔のことか、知るのは神のみでしょうが、もう終わりです。観念しなさい」

　鈍く光る目で力なくド・グランダンを見上げた女は、萎《しお》れきった顔に相手が誰か思い出したような表情を浮かべた。「あなたね！」その声は弱々しいなりに驚きをおびていた。「ついに敵の手におちたのね」

「お察しのとおりです、懐かしい人よ《マ・ヴィエイレ》」ド・グランダンは気負いもなく言った。「長い年月《としつき》がかかりました。ナポレオン三世の時代はさておき、一九一〇年には哀れな御婦人を救うことはできませんでしたが、ようやくあなたを取り押さえました。今度こそ命運尽きましたな」

「許して」身を震わせ、彼女は懇願した。「あなたには人情というものがないの？　ひどいかたね。わたしは女優、芸術家です。何千人もの人たちを幸せにすることができます。長きにわたって、些末で退屈な人生をおくっている人たちに、喜びを与えてきました。わたしに比べれば、亡くなった人たち

などたいした存在ではありません。たかが農家の女、商家の娘、小市民《ブルジョワ》の子供たちでしょう。わたしは月影《クレア・ド・ルナ》、静かに流れる水を夜ごと照らし、かなわぬ愛を結ぶ光――」

「ほほう《ティアン》。月の光は翳り、昇った月は沈むものですがね、マドモワゼル」彼はそっけなく口を挟んだ。

「司祭を呼んできましょうか」

「馬鹿を言わないで《ニグー・ベット・ソー》」叫んだつもりだろうが、聞こえるのは囁きだった。「あなた、どこまでお馬鹿なの。懺悔《ざんげ》だの赦《ゆる》しだの、たわごとを聞かされるのはまっぴら。また若く美しくなりたいだけ。呼んでくるなら元気な女の子――」

　彼女はド・グランダンの厳しい視線に気づいて言葉を切ったが、血色の失せた唇で弱々しく息をつくと、マルセイユのかみさん連中でさえ口喧嘩で使うにもはばかるような悪罵を吐き散らした。ド・グランダンは笑いも怒りもせず、顕微鏡の下に珍しい微生物を見つけたかのような目を彼女に向けたまま、落ち着きはらって罵詈雑言を受け止めていた。「犬にも豚にも劣る下司野郎！　臭いラクダの子供！　野良猫と悪魔の落とし子！」彼女は耳障りな声でわめいた。

　医師という仕事をしていると、人の死には慣れてしまうものだ。若いうちは臨終に立ち会うのが辛くても、この稼業を続けるうちに、感覚が鈍くなっていく。私もその例には漏れないのだが、それでも彼女を見舞った変化には身震いを覚えた。皮膚の下で微生物が腐敗を促したかのように、青白い肌に緑のまだらが浮かび、氷にひびが走るように、顔に細かいしわが広がった。プラチナブロンドの髪はくすんだ黄土色に変わり、シーツを摑んでいた両手は死んだ鳥の足のように痩せ細っていった。彼女が枕から頭を上げたとき、加齢で視力の弱まった目が、赤くただれた縁に目やにをためているのが

わかった。人形のようにぎこちなく上体を起こし、干からびた両手を痩せこけた胸に当てると、傷ついた獣が悲鳴をあげるように咳込んだ。そして身を倒すと、動かなくなった。

病室は静まりかえった。窓の外からも音は聞こえなかった。夕暮れの中で、すべてが息を止めているようだった。

ノーラ・マッギニスが腕をふるった晩餐は、このうえないねぎらいとなった。彼女は食通の夢に出てきそうな料理を並べた。牛肉の上でスイート・アンド・サワーソースがきらきらと光り、ダンプリング*は雲のようにふんわりと軽やかで、デザートはチーズとか、杏《あんず》や李《すもも》のジャムとかを包んだ、小さなパンケーキだった。コーヒーカップを空けたド・グランダンは、日曜学校を抜け出して遊びにいく子供のような笑みを満面に浮かべて、グラスを手にシャルトリューズ*の強い香気を楽しんでいた。

「そうそう」と、彼は口を切った。「この件については、まだ自分にも説明はできていないんだ。日頃使う電気がどんなものか知っているつもりで、説明しようとすると何も知らないのに気づくようにね。話したように、彼女をひと目見て、誰なのかすぐに気づいたが、向こうがこちらに気づくまでは、自分の目が信じられなかった。そして、私たちが邪悪な、経験を越えた、だが超自然的とは呼べないものに直面していると知った。彼女は吸血鬼そのものとは言えないが、きわめて近い存在だ。吸血鬼はいわば命ある死人、生きているようで死んでいる。彼女は生きているが、生命力を保つためには犠牲者のものを奪わなくてはならない。なぜそのような力を得られたか、知るのは神でなければ悪魔のみだろうが、彼女は人間の生命力を吸収する能力をもって、若い健康な女性をからっぽの抜け殻同然にすることで、自分が衰えるたび若さと健康を取り戻し、生き続けてきた」

彼はここで言葉を切り、葉巻に火をつけた。「子供が老人や病人のそばで眠ると体力を取られる、なんて話を聞いたことがあるだろう。イスラエルの王ダビデが年老いて衰弱したとき、そのようにして力を取り戻したと、『列王紀』には書かれている。* おそらくは、これらに近いものなのだろうが、彼女の能力はきわめて強いものだった。

一八六七年には、彼女の見せかけの若さが衰えだすまでには、六十日の余裕があった。一九一〇年には、それが十日か二週間ほどにまで短くなっていた。この夏は、パーティの夜までは若かったが、翌朝には別人に見えるほどだった。祖父《グラン・ペール》が目にした時から今に至るまで、彼女がいったい何人の不運な娘さんたちから、若さと生気を吸収してきたか、もう確かめる術《すべ》もない。イタリアや南アメリカで、さらには神のみぞ知る他の土地でね。だが、若さを回復しても、彼女自身は次第に弱くなっていったのは確かだ。あのままでは、やがて生気の吸収よりも加齢のほうが勝り、犠牲者を見つけることもできなくなったにちがいない。もっとも、私の想像だがね。マドモワゼル・メイジーが彼女に魅入られたことを、私たちが気づかなかったとしたら——怖ろしいことだが、教会墓地に新しい墓碑が立ち、マ

ダンプリング　小麦粉を練って作る団子に似た料理。

シャルトリューズ　フランスのカルトジオ会修道院で作られるリキュール。ブランデーにアンゼリカ、シナモン、ナツメグなど多種類のハーブを加え蒸留したもの。

イスラエルの王ダビデが……　旧約聖書「列王紀」上の第一章、老いたダビデのため若い乙女を付き添わせた故事のことか。

ドモワゼル・ルロイはこの秋の舞台に立ったことだろう。まちがいなくね」

　私が黙って聞いているので、彼は尋ねてきた。「質問はあるかい？」

「わからないことが一つ、いや二つある」私は言った。「人の生気を奪って若返るという彼女の超自然的な力と、写真撮影を拒んでいたことは関係があったのだろうか。あるいは、たんなる宣伝のためだったと思うかい？」

　彼はしばし考えた。「私はそうは思わないな。カメラは私たち人間の目よりも鋭い。巧みな化粧で人間の目はごまかせるが、カメラのレンズはごくわずかな衰えでも明らかにしかねない。彼女はそれを怖れて、撮影させなかったのだろう。こんな説明でどうかな」

　私はうなずいた。「もう一つ。今日の午後、きみはメイジーに、ルロイとの付き合いが良い思い出になる、なんてことを言っていた。すでにあの女の冷酷さも、蜘蛛のように獲物の命を吸い尽くしてしまうことも知っていたというのに――」

「もちろんさ」彼は私に最後まで言わせなかった。「今はきみも知っている。だが、メイジーは知らないままだ。弱りきっていてさえ、彼女はあの奇妙にして美しい怪物に心を奪われていた。多感な少女が、洗練された大人の女性を崇拝するようにね。もし本当のことを言ったら、私は彼女の夢を壊してしまうし、信頼を失いもする。夢は夢の、思い出は思い出のままにしておこうじゃないか。友達と呼んでいた人の正体を知らないでいたほうが、幸せでいられるだろう。私たちが黙っていれば、メイジーは良い思い出をずっと持っていられるのだから、わざわざ取り上げることもない」

　私はまたうなずいた。「自分の目で一部始終を見ていても、いまだこの事件を信じることができない

よ」と、正直に言った。「きみの推理には納得したが、それでも彼女があのような死に方をしたのは、哀れでならない。たとえ——」

「私を信じてくれ、友よ」彼はさえぎった。「彼女はこの世界にいるべき人ではなかった。死ぬ前に、彼女が言ったことを覚えているかい。月影《クレア・ド・ルナ》——年月を経ても変わることのない、冷たい光。あの女《ひと》は、この世界の摂理にはそぐわない自我であり、他人の考えも思いも受け入れることのない、自己愛のみの存在だったのだ。正邪や善悪の概念もない、いにしえの魔書に記されている牧神や妖精のような、私たちとは相容れない奇妙な生き物だったのだよ」

　彼はシャルトリューズのグラスを空けると、私に差し出して言った。「すまないが、注いでもらえるかな」

飢えた目の女

フリッツ・ライバー

山田蘭 訳

The Girl With the Hungry Eyes

Fritz Leiber

　わかったよ、なぜあの女にぞっとしてしまうのか、その理由を話そう。ダウンタウンに繰り出すと、高層ビルの頂《いただき》に掲げられた広告には、清涼飲料水やらタバコやらの商品と並んであの女が写り、よだれを垂らさんばかりの顔でそれを見あげる連中に出くわす。いまや雑誌を開いたって、ブラジャーやら入浴剤やらの広告に、あの女は必ず載ってる、それがどうにも耐えられない。何百万もの米国人が、毒気の匂いたつあの薄笑いに目を吸いつけられてるだなんて、考えたくもないな。その理由となると、これはちょっとやそっとの話じゃないんだ――あんたには、とうてい想像もできないだろうが。

　とはいえ、ああいう広告の悪辣なやりくちや、色っぽさが売りの女に国をあげて骨抜きになってるような風潮に、いきなり知識人ぶって憤《いきどお》ってみせてるわけじゃない。こういう仕事で食ってる人間が、そんなことを言い出しちゃお笑いぐさだろう、ええ？　まあ、こんなふうに色気を売って金を稼ごうとすること自体、いささか邪道なのはわかってる。だが、それは別にかまわない。うちの業界はずっと、魅力的な顔や豊満な肉体、色っぽい目つきだけを追いもとめてきた。だとしたら、その三拍子が完璧にそろった存在が現れたとき、これこそは理想の女だとばかり巨大な看板に仕立てて、タイムズ・スクエアやテレグラフ・ヒルに麗々しく掲げたくなるのが当然のなりゆきだろう？

だが、あの女だけは、そんなふうにあつかっちゃいけない。気味の悪い女なんだ。ぞっとする。呪われてるんだよ。

よくもまあ、そんな時代錯誤なことを、って思われちまうかもしれないな。まるで、魔女の存在が信じられてたころの話に聞こえるからね。まあ、おれだって、そこまで確信があるわけじゃない。ただ、ひと口に吸血鬼といってもいろいろいてね、みながみな、実際に血を吸うわけじゃないんだ。

実のところ、人も殺されてる――あれを殺しというんならな。だが、まずはこれを考えてみてほしい。米国じゅうがあの女に夢中になってるってのに、具体的な情報が何ひとつ出てこないなんて、おかしいとは思わないか？　あれだけの人気なら、興味本位にこれまでの生い立ちを書きたてた記事といっしょに、とっくに《タイム》誌の表紙を飾ってるはずだろう？　《ライフ》誌や《ニューヨーク・ポスト》紙に大きくとりあげられてたっておかしくない。《ザ・ニューヨーカー》誌が紹介記事を載せてたっていいはずだ。《チャーム》誌や《マドモワゼル》誌に、華麗なる経歴が載ってて当然じゃないか。まだまだこれからだろうって？　馬鹿げてる！

映画界からだって、本来ならスカウトが殺到してるはずだろう。ラジオの『あれこれ聞かせて《インフォメーション・プリーズ》』にも、いまだに出演してないなんて。選挙運動で、候補者にキスしてる光景も撮られたことはない。いろんな企業の催しで〝何々の女王〟とやらに選ばれ、華やいだ宣伝が繰りひろげられたって話も聞かないとは、不思議だとは思わないか？

好物は何だとか、どんな趣味があるとか、ソ連の情勢についてどう思うとか、そんな記事も読んだことはない。これだけの売れっ子なら、どこかのコラムニストが企画を立て、あの女がキモノでも着

たところをマンハッタンの高層ホテル最上階で撮影し、恋人は誰なのかインタビューしたっていいだろう？

　そして、最後に――これこそが決定打だが――いまだかつて誰ひとり、どんな形式であれあの女の絵を描いたことがないのは、いったいどんな理由なんだ？

　そう、本当に、誰も描いてはいないんだ。商業美術に詳しい人間なら、ひと目でわかる。あの華やかな看板の絵はどれもみな、写真を見て描いたものでね。すばらしい手並みだって？　そりゃそうさ。一流の絵師にやらせてるからな。だが、種を明かせばそういうことだ。

　さあ、ここまでの疑問に答えようか。広告業界にも、マスコミにも、広告主となってる企業のほうにも、あの女の居場所を知ってる人間はひとりもいないんだ。どこに住んでて、何をしてるのか、どういう身の上で、名前は何というのかさえも、誰も知らない。

　これでわかっただろう。そればかりか、あの女を自分の目で見た人間すら存在しない――たったひとり、生涯かけても望むべくもない大金を、あの女のおかげで稼ぎながら、つねにびくびくと怯《おび》えつづけ、一時たりとも心の安らぐひまのない毎日を送ってる、哀れな写真家をのぞいてはね。

　いや、その男が誰なのか、どこにスタジオをかまえてるかなんて、おれはまったく知らないな。ただ、そういう男が存在するのはまちがいないし、きっとそんな思いをしてるだろうことも確かだ。

　そうだな、その気になりさえすりゃ、おれならあの女の居所をつきとめることができるかもしれない。いや、どうだろう――いまはもう、向こうも何か別の手を講じて、さらに厳重に身を隠してるかもな。そもそもおれ自身、そんな気はさらさらないんだが。

おやおや、おれの頭がどうかしてるんじゃないかって？　原子力の時代に、そんなことが起きるはずはないだろうというんだな。たとえグレタ・ガルボ*でさえ、居所を完璧に隠しとおすなんて芸当はできない、ってね。

それが、できてしまうんだ。どうして知ってるかというと、さっき話した哀れな写真家ってのは、実は昨年のおれのことでね。巨大なようでちっぽけなこの街に、毒気のにじむ魅力をあの女が最初に振りまいてみせたのは、実はつい去年のことだった。

ああ、あんたは昨年ここにいなかったから、そのあたりのことは何も知らないんだな。さすがにあの女も、最初は地味な仕事から始めたよ。それでも、昨年の地元紙を探してみれば、いくつか広告が見つかるんじゃないかな。古い看板だって、いくつかは教えてやれるかもしれない――《ラブリーベルト》社は、まだひとつ出してるはずだ。おれも山ほど撮ったんだが、みんな燃やしちまってね。たしかに、それなりに稼がせてはもらったよ。後を引き継いだ写真家に比べりゃ雀の涙だが、おかげでこうしてウイスキーだって飲める。金についちゃ、あの女は変わっててね。まあ、そのことは後で話そう。

まずは、昨年のおれがどんなだったか説明するよ。アードリー・パークからすぐのところにハウザー・ビルディングってのがあって、そこの四階の狭くて汚らしい部屋が、おれの写真スタジオだっ

グレタ・ガルボ　アメリカの映画女優（一九〇五―九〇）スウェーデン出身。代表作に『アンナ・クリスティ』（三〇）、『椿姫』（三九）。四一年の引退後は、人前に姿を現すことはなかった。

た。

　以前は《マーシュ＝メイスン》のスタジオに雇われてたんだが、もうほとほとうんざりしちまってね、ここらで独立しようと決心したんだ。ハウザー・ビルディングはどうしようもなくおんぼろでね――あの階段のきしむ音は、いまでもまざまざと思い出せるよ――だが、家賃は安かったし、何より天窓から採光があったからね。

　だが、商売はまったく軌道に乗らなかった。思いつくかぎりの広告主や代理店に、さんざん足を運んでね、中には話を聞いてくれるところもあったが、契約はひとつも取れなくて。おれはもう、破産寸前のところまで追いつめられたよ。家賃は何ヵ月も未払いだった。くそっ、女と遊ぶ金すらなかったんだ。

　そんな、とあるどんよりした午後のことだった。建物は怖ろしいほど静まりかえってて――おれは、ちょうど《ラブリーベルト・ガードル》社と《バドフォード遊園地＆プール》社に売りこむための見本写真を何枚か現像しおえたところでね。モデルはもう帰った後だった。ミス・リオンって名の、高校で公民を教えてる先生でね、小遣い稼ぎにおれの売りこみ写真のモデルになってもらってたんだ。だが、仕上がりをひと目見て、このモデルじゃ《ラブリーベルト》社は見向きもしないだろうとわかったよ――まあ、おれの腕がお粗末だったのかもしれないが。それで、きょうはもう終わりにしようと思ったところだった。

　そのとき、通りに面した建物の入口の扉がばたんと閉まり、誰かが階段を上ってくる音がして、あの女が姿を現したんだ。

着ているのは、てらてらと安っぽく光る黒いワンピース。黒いパンプス。ストッキングはなし。片腕には灰色の布のコートを抱えてるものの、おそろしく痩せた腕を肩からむき出しにしてた。ほんとに、がりがりに痩せた腕でね。いまはもう、そんな写真は出まわってないかもしれないが。

華奢な首、いくらか頬のこけた、つんと気どった顔、たっぷりと渦巻く黒髪。そして、その髪の陰から、誰ひとり真似のできないほど飢えたまなざしでこちらを見る両の目。

いまや国じゅうにあの女の写真が貼り出されてる、本当の原因はそれなんだ——あの目だよ。けっして卑猥な目つきってわけじゃないんだが、飢えたようにこちらを見つめるまなざしには、セックスのすべてが、そして、それ以上の何かがこめられていた。人類が生まれた太古の昔から、誰もが追いもとめてきたもの——セックスの、ほんのわずか先にある何かが。

さてと、男性諸君、そのときおれはほとんど無人の建物の中、しだいに薄暗くなりつつあるスタジオで、あの女とふたりきりだったってわけだ。米国じゅうの何百万の男どもが、それぞれ存分に想像力をはばたかせ、微に入り細をうがって思いえがいたであろう状況だよ。いったい、おれはどんなふうに感じてたと思う？　怯えてたんだ。

そもそも、セックスってのは怖いときもあるよな。女とふたりだけになり、これからこの肌に触れるのかと思うと、心臓がばくばくして指先が冷たくなる。だが、そのとき、おれの心にのしかかっていたのはセックスじゃない、何か別のものだ。

少なくとも、セックスのことなんか考えてもいなかった。

思わず一歩後ずさり、手にしてた写真を床にばらまいちまったのは憶えてる。

そして、かすかに頭がくらくらするのがわかった。まるで、何かがおれの中から吸い出されていったような。そう、ほんのわずかではあったが。

それだけだ。女が口を開いた瞬間、すべてはまた、しばらくは普通に戻ったんだ。

「ねえ、あなた、写真家なんでしょ」女はそう話しかけてきた。「モデル、ほしくない？」

さほど育ちがよさそうには聞こえなかった。

「さあ、どうかな」落とした写真を拾いながら、おれは答えた。つまり、さほど興味を惹かれなかったんだ。あの目つきがどれくらい金になるかなんて、そのときはさらさら気づいてなかったしな。「これまでは、どんなモデルをやってきた？」

だが、曖昧な答えしか返ってこなかったので、今度はこの女がモデルの事務所や写真スタジオ、報酬の相場なんかについて、どれくらい知識があるのか試してみた。見切りは早かったよ。「なるほど、きみは生まれてこのかた、モデルなんか一度だってやったことはないんだな。思いつきで、いきなりここに飛びこんできただけなんだろう」

まあ、そんなところ、と女は認めた。

話してるうちに、おれは女の様子に気がついた。まるで、まったくなじみのない場所に迷いこみ、どう話を進めたものか、とまどいながらこっちの出かたを探っているかのような。自分に自信が持てないわけじゃない、おれをあやしんでるわけでもない、ただ、こういう場に慣れてない、って雰囲気だったんだ。

「それで、モデルくらい誰にだってできると思ってるわけだな？」哀れみさえ感じながら、おれは尋

ねた。

「まかせて」

「そうはいっても、そこらの女性をまあまあ見られる姿に撮るまでには、フィルムを十本以上も無駄にすることだってあるんだ。ましてや、ぱっとみなの目を惹くような華のある写真に仕上げようと思ったら、いったいどれだけ撮るはめになるか……」

「あたしなら、きっとうまくいくはず」

そうだな、そのときにとっとと追い出しちまえばよかったんだ。だが、何を言われようと動じる様子もなく、おちつきはらって自分を売りこむ態度に感心しちまったのかな。あるいは、あの飢えたような目つきに心を動かされちまったのかもしれない。いや、きっと、写真をどこへ持ちこんでも鼻であしらわれ、すっかりみじめな気分になってたから、単なるやつあたりにすぎないんだが、あの女にも恥をかかせてやろうって気になったんだろう。

「わかった、そっちから音をあげても知らんからな。これから何枚か、きみを撮ってやるよ。言っとくが、単なる試し撮りだ。もしも、きみの写真を使いたいって顧客が現れたら、まあ二百万分の一ってところだろうが、基準どおりの時給を払う。買い手がなけりゃ、それっきりだ」

女はにこっとした。笑みを見せたのは初めてだ。「望むところよ」

そう、三、四枚も撮ったかな。安っぽいワンピースは気に入らなくて、首から上の構図で。女のほうも、おれの嫌味にもめげずよく頑張ったよ。そこでふと、《ラブリーベルト》の商品見本が手もとにあったのを思い出した。いまだ意地悪な気分が残ってたせいか、おれはそれを女に手渡し、今度は仕

切りの陰でこれを着けてくれ、なんて指示してやってね。だが、予想に反して女はうろたえる様子も見せず、淡々と言われたとおりにしたよ。ここまできたら、ついでにこれもってことで、最後に水着姿の見本も撮った。その日は、それで終わったんだ。

撮ってる間は、とりたてて何も感じなかったが、ときどきさっきと同じく、かすかにくらくらするような気分に見舞われた。腹具合のせいか、それともうっかり化学薬品の揮発成分を吸いこんじまったせいかと、そのときはあまり気にしなかったがね。

とはいえ、どうにもならない居心地悪さが、ずっと心にのしかかってたのは確かだ。

撮影が終わると、おれは女に紙片と鉛筆を渡した。「名前と住所、電話番号を書いといてくれ」そして、自分はさっさと暗室にこもった。

しばらくして、女が出てく気配がした。おれはさよならも言わなかったよ。どんなポーズをとらせても、嫌がりもしなきゃ不安そうな顔もしない、そのうえ礼のひとこともなかったことが、どうにも気に入らなくてね。反応といったら、あのとき一度にっこりしただけだった。

フィルムを現像し、ひととおり焼いてみると、ミス・リオンのと比べても、なかなか悪くなかった。だから、とくに深い意味はないが、翌朝に客先へ持ちこむ見本写真の中に、まとめて突っこんでおいたんだ。

そんな時間まで働いたんで、さすがにおれもへとへとだったし、苛立ってたのもそのせいなんだろう。気をまぎらすのに一杯やりたいところだったが、そんな無駄遣いをする勇気はなかった。腹もそんなに減ってなかったしな。たしか、安い映画でも観にいったんじゃなかったか。

あの女のことは、とくに何も考えなかった。そうだな、いまはつきあってる女もいないのに、どうして誘いのひとつもかけなかったんだろうとか、それくらいはぼんやりと思ったかもしれない。ほら、見たところ――そう、ミス・リオンよりはまちがいなく気軽に声をかけられる階層の女だったしな。とはいえ、まあ、そうしなかったのには、おれなりの理由があったんだよ。

翌朝は、また売りこみに出かけた。最初に寄ったのは、《ムンシュ醸造所》だ。以前から、うちのビールの宣伝にぴったりの女の子がどこかにいないかと相談されててね。醸造所を切りまわしてるムンシュのおやじさんは、ずっとおれに目をかけてくれてたんだが、写真についちゃ手厳しかったな。なかなか目の肥えた人物なんだ。五十年前なら、ハリウッドで身ひとつからのし上がってたかもな。

だが、おやじさんが選んだのは、ビールの醸造所を作りあげ、自分の好きな仕事に打ちこむ道だった。水滴のついたジョッキをテーブルに置き、唇を鳴らすと、何やらホップについての細かい指示を部下に出し、肉の厚い手を大きなエプロンで拭ってから、おれが持ってきたささやかな写真の束をつかむ。

しきりに舌打ちしながら、おやじさんが半分ほど目を通したあたりで、あの女の写真が出てきた。なんでこんなものを持ってきちまったのか、おれは自分に腹が立ったよ。

「この娘だ」おやじさんは言った。「写真の腕はたいしたこたあないが、この娘はいい」

迷わず決めた口ぶりだった。いま思うと、ムンシュのおやじさんはひと目であの女を見つけ出したのに、どうしておれは気づかなかったんだろう。そうだな、たぶん、最初に見たのが生身の姿だったからかもしれない、こんな言いかたで伝わるかな。

その瞬間、おれは頭がくらっとするのを感じた。

「誰なんだ？」おやじさんが尋ねる。

「うちの新しいモデルのひとりなんですよ」いかにも何気ない口調で、おれは答えた。

「明日の朝、ここに連れてきてくれ。機材も一式、忘れるんじゃないぞ。ここで撮影するんだからな」おれの様子を見て、おやじさんはつけくわえた。「おいおい、えらく滅入った顔をしてるじゃないか。ほら、一杯やってけよ」

醸造所を後にしながら、おれは自分に言いきかせた。こんなのはただのまぐれにすぎない、どうせ明日はぼろが出るに決まってる、しょせん素人なんだからな、と。

それでも、次に《ラブリーベルト》社のフィッチ氏を訪ね、机に敷かれたバラ色のマットの上にうやうやしく見本写真を置いたときには、いちばん上にあの女の写真を重ねておいた。

どこか美術評論家を思わせるしぐさで、フィッチ氏はおれの写真を見はじめた。背もたれに身体を預け、距離をとってじっと眺めたり、目をすがめたりしては、長い指を振りながらつぶやく。「ふーむ。きみはどう思うね、ミス・ウィロウ？　そうだな、この光の当てかただと、せっかくの斜めの裁断が生きないな。そもそも、こうした清楚系の商品より、小悪魔系のほうが映えるかもしれん。だが、それにしても、この娘は……ちょっと来てくれ、ビンズ」さらに指を振る。「既婚者の男として、意見を聞かせてほしいんだ」

あの女にすっかり夢中になってることは、はっきりと見てとれた。

同じことが、《バドフォード遊園地＆プール》社でも起きた。ちがいといったら、ダ・コスタ氏が既

婚者の男に同意を求めなかったことくらいだ。

「こりゃあ、すごい」氏は唇を舐めた。「いやはや、まったく、これが仕事とは羨ましいね！」

おれは大急ぎでスタジオに戻り、昨日あの女に連絡先を書くよう渡した紙片を引っつかんだ。

何も書かれてはいなかった。

それから五日間にわたって、あんなに追いつめられた気分を味わった経験もないな。翌朝になってもあの女の居所はつかめず、おれはただ時間を稼ぐしかなかった。

「いや、それが、病気になっちまったらしくて」ムンシュのおやじさんに、おれは電話で説明したよ。

「入院でもしてるのか？」

「まあ、そこまで深刻じゃなさそうですが」

「だったら連れてこい。頭痛くらい、どうにでもなる」

「すみません、それはちょっと」

さすがに、おやじさんもあやしいと思ったらしい。「あの娘、本当におまえんとこのモデルなんだろうな？」

「もちろんですよ」

「さあ、どうだかな。ニューヨークで鳴らしてる売れっ子に見えたぞ。お粗末な写真は、たしかにおまえの腕前だったが」

こちらとしては、笑うしかない。

「とにかく、いいか、明日の朝には絶対に連れてくるんだ。わかったな？」

「やってみますよ」

「何だ、その返事は。いいな、絶対だぞ」

　おれがどれだけ必死に探しまわってたか、おやじさんは知るよしもなかった。モデル事務所や派遣会社はしらみつぶしに当たってみたんだ。よその写真家や画家のスタジオにだって、探偵のまねごとをして探りを入れたし、わずかばかりの持ち金をはたいて、新聞三紙にも広告を出してみたよ。高校の卒業アルバムも見まくったし、地元企業の従業員名簿の顔写真も見た。レストランのウェイトレスや、ドラッグストアの店員の顔も見てまわったし、安売り雑貨店やデパートの売り子の顔も確かめた。映画館から出てくる客の顔も見たし、そのへんの道もたいがい歩きまわったんだ。

　夜は、娼婦が客引きをしてる通りで粘ってみた。なんとなく、あの女には似つかわしい場所だって気がしてね。

　だが、五日めの午後には、さすがに万策尽きはてちまった。ムンシュのおやじさんも、もうこれ以上は待っちゃくれない。そこまでも何度か期限を延ばしてくれてたんだが、これが最後の最後だと言われてたんだ——その日の午後六時が。フィッチ氏からは、もうとっくに断られてた。

　おれはスタジオの窓から、アードリー・パークを眺めてた。

　そこへ、あの女が入ってきたんだ。

　こうなったときのことは何度となく思いえがいてたから、平然としたそぶりを崩さずにすんだ。またしてもかすかに頭がくらくらしたが、そんな様子を見せたりするもんか。

「やあ」女のほうを見もせずに、おれは声をかけた。

「こんにちは」

「まだくじけてないんだね？」

「ええ」不安げでもなければ、反発したふうでもない。ただ事実を述べただけ、という口調だ。

ちらりと腕時計に目をやると、おれは立ちあがり、ぶっきらぼうに言いわたした。「じゃ、こうしよう。きみにチャンスをやるよ。おれの顧客のひとりが探してるモデルの条件が、きみにまあまあ当てはまっててね。ここでいいところを見せたら、きみもモデルとしてやっていけるようになるかもな」

撮影用の機材を手にとりながら、先を続ける。「急げば、この午後に顔合わせができる。さあ、行こう。そうそう、次も仕事がほしかったら、ちゃんと電話番号を書いといてくれよ」

「それは、ちょっとね」女は動こうとしなかった。

「どういう意味だ？」

「お客さんになんか、会うつもりはないってこと」

「こいつは驚いたな。頭がどうかしちまったのか？　せっかく、いい話を持ってきてやったのに」

女はゆっくりとかぶりを振った。「嘘をついたってだめ。あたしには通用しないんだから。お客はみんな、あたしに夢中なのよ」そして、二度めの笑みを浮かべる。

おれが出した新聞広告を見たから強気なんだろうと、そのときは思ったよ。いまふりかえってみると、そう、なんともいえないが。

「どんなふうに仕事を進めるか、あたしが教えてあげる」女は続けた。「名前も、住所も、電話番号も、あなたには教えない。ほかの誰にもね。写真を撮るのは、ここでだけ。あなたとあたし、ふたりきり

でね」

おれがどんなうなり声をあげたか、あんたにも想像がつくだろう。頭の中はぐちゃぐちゃだったよ――思いきりどなりつけたい、皮肉を浴びせてやりたい、それとも辛抱づよく説明すべきか、ああ、もう正気じゃいられない、脅してみようか、それとも、泣きつくしかないのか。

いっそ頬っぺたを引っぱたいてやりたかったが、言うまでもなく、顔はモデルの商品だ。

結局のところ、おれはムンシュのおやじさんに電話をして、この条件を伝えるしかなかった。こんな要求が通るわけはないんだが、とにかく言ってみるしかない。

おやじさんは怒りに震えるわめき声をあげ、何度も「だめだ」をくりかえして電話を切った。

だが、女はいっこうに動じなかった。「じゃ、撮影は明日の朝十時から」

どこまでも自分の流儀を押しとおしたあげく、まるで映画雑誌から拾ってきたような月並みなひとことだ。

真夜中ごろだったか、ムンシュのおやじさんからの電話で、おれは叩き起こされた。

「どこの精神病院から借りてきたか知らんが、やっぱりあの娘でないと。明日の朝、うちに寄ってくれりゃ、どんな構図がほしいか説明するよ。やれやれ、おまえを寝床から引きずり出してやれて、少しはせいせいしたぜ！」

そこから先は、何もかもがうまくいった。フィッチ氏さえも考えなおし、そんなやりかたはありえないだの何だの、二日間にわたって文句を並べてはいたものの、最終的にはこっちの条件を呑んだんだ。

当然ながら、みなあの女の魔法にかかっちまってたってわけだ。結局、小悪魔系だか妖艶系だかの商品を身につけることになった、あの女の撮影現場に立ち会うことさえ許されず、涙を呑んで身を引いたフィッチ氏の無念といったら、もう、想像もつかないね。

翌朝、あの女は自分で予告したとおりの時間に現れた。すぐに撮影を開始する。ひとつだけ褒めるとするなら、あの女はけっして疲れた様子を見せないし、おれがどれだけ口うるさく指示を飛ばしても、文句ひとつ口にしなかったよ。おれともまあまあ息は合ってたが、それでもやはり、自分の中で何かがそっと脇へ押しやられていくような感覚があった。ひょっとして、あの女の写真を見ると、誰でもかすかに同じような感覚を憶えてるんじゃないかな。

撮影が終わったところで、ほかにもまだ守るべき条件があることを、おれは思い知らされた。そう、ちょうど午後三時くらいだったかな。あの女が帰るんで、おれもついでに外に出て、サンドウィッチとコーヒーでも買ってこようと思ったんだ。

「それは、ちょっとね」女は言った。「あたしはひとりで帰りたいの。いい、もしもあたしを尾《つ》けようとしたり、その窓から身を乗り出して、あたしがどっちへ帰るのか見とどけようとしたりするんなら、もうあたしとはおしまいよ。別のモデルを雇ってちょうだい」

こんなとんでもない要求をされて、おれのほうは、もう腹が立つやら――よけい好奇心がそそられるやら。あの女が帰った後、おれは窓を開けたのを憶えてる――言われたとおり、数分は待ってからな――そして、新鮮な空気を吸いこみながら、いったいこれにはどういう事情があるんだろうと考えてみたよ。たとえば、何かやらかして警察から追われてるのか、あるいは身を持ちくずしたどこかの

お嬢さまなのか、ひょっとして気まぐれな女を演出してるだけなのか、いや、結局はムンシュのおやじさんの言うとおり、本当に頭がどうかしてるのか、ってね。

まあ、そのときのおれは、とにかく注文の写真を仕上げることが最優先だった。

いま思うと、この街はあっという間にあの女の魔力にからめとられちまった。さらに国全体が——ひょっとして世界じゅうがその後を追ってることを思うと、本当に背筋が冷たくなるよ。昨日読んだ《タイム》誌の記事によると、あの女の看板は、どうやらエジプトにまで現れたっていうんだから。

この続きを話せば、どうしておれがこんなに怖がってるのか、大まかにでもわかってもらえるはずだ。おれも仮説は立ててみたんだよ、どうにか説明をつけられるように。だが、どうしても常識の範囲内に収まりきらない部分が出てきちまう。あの女の正体についてね。まあ、とにかく、かいつまんで話してみるよ。

現代の広告ってやつが、どんなふうに消費者の心を同じほうへ向かせ、同じものをほしがり、同じものを思いうかべさせるかは、あんたも知ってるだろう。そして、昔はテレパシーなんかただの嘘っぱちだと思われてたが、現代の心理学者はその認識を改めつつあるってことも。

そして、このふたつを考えあわせてみる。テレパシー能力を持ったひとりの人間に対して、何百万もの人々が同じ欲望を抱いたとしたら。そう、たとえばひとりの女に。その女は、みなの心に自分の姿を映し出すんだ。

では、何百万人もの男たちが心の奥底に隠し持つ貪欲な飢えを、その女が読みとることができるとしたら？　その男たち本人よりも、飢えた欲望の中身をはっきりと見抜いてるんだ、肉欲の奥深くに

隠された、憎しみや死への欲求さえも。そんな連中の心の中に、女はどこまでも大理石のように超然と冷たい自分の姿を描き出す。だが、実際は男たちの飢えに呼応するように、その女もまた、飢えを感じているのだとしたら。

まあ、ここまで言っちまうと、おれのしたい話の中身とはだいぶ離れるけどな。おれの話は、なにしろおそろしく具体的でね。たとえば、金だ。おれたちは、かなりの金を稼いだ。

ここがどうにも笑える話なんだ。おれはあの女に、分け前をたっぷりふんだくられるんじゃないかと心配してた。ほら、おれはもう、あの女の言いなりだったからな。

だが、女はごくまっとうな報酬しか要求してこなかった。売れるようになってから、もっとたっぷり取ってくれと、こっちから押しつけたくらいだ。だが、あの女はいつも、蔑《さげす》むような目で金を受けとってたもんだ。外に出たとたん、目の前のどぶに投げ捨ててもしかねない顔だったよ。

実際、そうしてたのかもな。

とにかく、おれはけっこうな金を稼いだ。しこたま飲んで酔いつぶれたり、新しい服を買ったり、タクシーに乗ったり、そんな余裕ができたのは何ヵ月ぶりだったかな。好みの女を見つくろって、お手軽に遊ぶことだってできる。

そうだよ、だから、さっさと見つくろいに出かけりゃよかったんだが……

その前に、まずはムンシュのおやじさんの話をしよう。

おれのモデルに会おうとしたのは、別におやじさんが最初ってわけじゃない。だが、あの女に本気でのぼせあがっちまったのは、たぶんおやじさんが初めてだったんだろうな。あの女の写真を見る目

つきがだんだん変わってったのは、見ててわかったよ。なんだかみょうに切なげな、あの女を崇めたててでもいるような表情を浮かべるようになってね。おかみさんは、もう二年ほど前に亡くなってたんだ。

　おやじさんのとった方法は、なかなか巧妙だった。次の撮影がいつか、それとなくおれから聞き出しておいて、その日の朝、予定時間の数分前にスタジオのドアを叩いたってわけだ。

「どうしてもあの娘に会わせてくれ、デイヴ」

　おれはおやじさんと言いあいになり、冗談ですまそうとし、それから、あの女がどれだけ真剣に、あの馬鹿げた条件にこだわってるかを説明した。こんなことをしたら、おれもおやじさんも自分の首を絞めることになるんだ、ってね。おやじさんをどなりつけまでしちまって、自分でも驚いたよ。

　だが、あのときばかりはおやじさんもみょうに頑固で、まったく引き下がろうとしなくてね。「そう言うなよ、デイヴ、どうしても会いたいんだ」

　ビルの入口の扉が、ばたんと音をたてた。

「ほら、来ちまった」おれは声をひそめた。「頼むから、出てってください」

　だが、それでもおやじさんは動こうとしない。仕方なく、おれはあの人を暗室に押しこんだよ。「静かにしててくださいよ」おれはささやいた。「きょうは撮影できなくなったって、あいつには言っときますから」

　おやじさんがこっそりのぞこうとするのはわかってた。きっと、我慢できなくなって飛び出してきちまうだろう。だが、ほかの手を思いつかなかったんだ。

足音は四階まで上がってきた。だが、あの女は入ってこない。おれは不安になった。

「その男をそこから追い出して！」ふいに、ドアの向こうで女が叫んだ。といっても、さほどの大声じゃない。どこまでも平静な、いつもの声だ。

「あたしは上の踊り場で待ってる。もし、そのでぶっちょがさっさとビルを出てかないなら、あたしの写真は二度と使えないって覚悟してね。まあ、そいつのお粗末なビールに唾吐いてるところなら撮らせてあげるけど」

ムンシュのおやじさんは暗室から出てきた。すっかり血の気の引いた顔でね。おれのほうを見もせずに、スタジオを出ていったよ。それっきり、おれの前ではあの女の写真を見ようとはしなかった。

これで、おやじさんの話は終わり。次はおれの話だ。おれもやっぱり、あの女に遠まわしに水を向けてはみた。いろいろとほのめかし、最後にははっきりと誘いをかけたよ。
だが、あの女はまるで濡れたぼろ雑巾《ぞうきん》をつまみあげるような手つきで、おれの手をどけた。

「やめてよ。仕事中じゃないの」

「じゃ、終わってからでも……」おれは押してみた。

「決まりは守ってちょうだい」あのとき見せた笑みは、せいぜい五度めくらいだっただろうか。

信じられない話だが、結局、あの女は例の正気とは思えない条件を、最後まで一歩も譲ることはなかった。仕事場では、おれはけっして女に誘いをかけたりしちゃいけないことになってたんだ。おれたちの仕事はきわめて重要で、あの女自身も真剣にとりくんでる、だからこそ、集中力を削《そ》ぐようなことはするな、と。といって、スタジオ以外の場所で会えるわけじゃない。そんなことを目論《もくろ》んだら、

おれはもう、一枚たりとも撮らせちゃもらえなくなっただろう——そうこうする間にも、金はどんどん流れこんできてた。おれもそこまでおめでたくはないから、売れてるのが自分の腕のおかげじゃないことくらい、ちゃんとわきまえてたよ。

だけど、おれだって人間だ、当然ながらさらに何度か誘いをかけてはみたさ。だが、いつだってぼろ雑巾みたいなあつかいを受けて、あれっきり笑顔も見せてもらえなくなった。

自分が変わってくのがわかったよ。まともにものが考えられなくなって、なんだか意識がぼうっとして——ときには、頭が破裂するんじゃないかと思うこともあった。気がつくと、おれはあの女に向かって、ずっとしゃべりつづけてたんだ。自分のことをね。

まるで、ずっとうわごとをつぶやいてたような気がするよ。仕事には、まったく影響なかった。頭がくらくらする感覚は、もう気にもならなかったな。いつの間にか、普通のことになっちまってたんだ。

スタジオ内を動きながら撮影していると、ふとレフ板が白熱した鋼鉄の板に見えたり、何かの影が蛾の大群に見えたり、カメラが大きな黒い炭車に見えたりすることもあった。次の瞬間には、何もかも普通に戻るんだが。

ときには、あの女がどうしようもなく怖くなったりもした。こんなに奇妙で、こんなに気味の悪い人間もいないだろうって気がして。だが、そんなふうに見えないときもあって……

そして、おれはとにかくしゃべりつづけた。何をしてる最中でもおかまいなしに——光を調整しながら、ポーズをとらせながら、小道具をいじりながら、シャッターをばしばし切りながら。あの女が

どこにいようと、それもかまわない――撮影台の上でも、仕切りの向こう側でも、雑誌を読んで休憩してるときでも――おれのおしゃべりが止まることはなかった。

おれ自身について、思いつくことは片っ端から話していったよ。最初につきあった女のこと。兄貴のボブが乗ってた自転車のこと。貨物列車で家出して、戻ったらおやじにぶん殴られたこと。南米まで船で渡って、見あげた夜空が青かったこと。ベティのことだって話した。がんで死んだおふくろのことも。酒場の裏通りで喧嘩になり、叩きのめされて伸びちまったときのこと。ミルドレッドのこと。初めておれの写真が売れたときのこと。ヨットから見えたシカゴの景色のこと。一度だけ、とめどなく飲みつづけて酔いつぶれたときのこと。《マーシュ＝メイスン》に雇われてたときのこと。グウェンのこと。ムンシュのおやじさんと知りあったときのこと。きみがどこの誰なのか、さんざん探したときのこと。いま、おれがどんなふうに感じてるか。

何を話そうと、あの女はこれっぽっちも関心を示さなかった。おれの声が聞こえてたかどうかさえ、わかったもんじゃない。

全国規模の広告主が、初めて声をかけてきたときのことだった。おれは、あの女がどこへ帰ってくのか、後を尾けてやろうと決心したんだ。

おっと、こっちの話を先にしたほうがいいかな。ひょっとして、あんたも記憶にあるんじゃないか、よその新聞にはいっぱい載ってたっていうから――最初におれがちらっと話した、殺しのことだ。たしか、六人が殺されてる。

まあ、いちおう〝殺しかもしれない事件〟と言っておこう。あれが心臓発作じゃなかったとは、警察でも断定はできなかったんだ。とはいえ、それまで心臓に何の問題もなかった人間ばかり、たったひとり夜中に自宅から離れた場所で死を迎え、そのとき何をしてたのかもわからないとなると、そんな疑いが浮上しても仕方ない。

その六人の相次ぐ死に、世間じゃ〝謎の毒殺魔〟が跳梁してるんじゃないかって噂が流れた。いまだに、事件はまだ終息してない、もっと目立たない形でいまだ犠牲者が出つづけてる、とも言われてる。

いまとなってみると、これもおれが怯えてる理由のひとつではある。

だが、当時は、ついにあの女の行先をつきとめてやると決心した、そのことでふっと心が軽くなったもんだ。

ある日の午後、おれは暗くなるまで女を引きとめて撮影を続けた。とくに口実を作る必要もなかったよ、そのころは注文が殺到してたからな。女が階段を下りていき、建物の扉がばたんと閉まるのを待って、おれも階段を駆け下りる。足音が聞こえないように、その日はゴム底の靴をはいてきたんだ。そして、あの女が見たことのない、黒っぽいコートと黒っぽい帽子に身を包んでね。

おれはそのまま建物の入口にたたずみ、あの女の行方を目で追った。ちょうどアードリー・パークの脇を、街なかへ向かって歩いてくところだったよ。秋の、けっこう暖かい夜でね。おれは道の反対側を歩いて、その後を追った。その夜は、まずあの女の住処をつきとめようと思ってたんだ。何かひとつでも、あいつのことをつかんでおきたくて。

あの女は《エヴァリー・デパート》のショーウィンドウの前で立ちどまり、通行人の流れからはいくらか離れた位置にたたずんだ。そのまま、じっとショーウィンドウに見入ってる。

そういや、ちょうどこのデパートのために、おれはあの女の写真を撮ったところだったんだ。下着を陳列するのに使う、大きなポスターを作るためにね。女がじっと見入っているのは、自分の姿だった。

まあ、自分の写真にうっとり見とれるくらい、別にかまやしないさ。そのときはそう思ったんだ、本当にそれだけのことならな。

人が通りかかるたび、あの女はわずかに顔をそむけ、じわじわと暗がりのほうへ身を引いた。

そのとき、男がひとり、ふらっと通りかかった。顔はよく見えなかったが、まあ中年くらいの年恰好だろうか。男もそこで立ちどまり、ショーウィンドウをのぞきこむ。

女は暗がりから進み出て、その隣に立った。

なあ、どうする、あんたが理想の女のポスターを眺めてたら、ふいに当の本人が隣に寄りそってきて、腕なんかからめてきたとしたら？

男が見せた反応は、当然すぎるほど当然だった。かなうはずもない夢が、いきなり現実になっちまったんだから。

ふたりは何ごとか言葉を交わし、それから男が手を振ってタクシーを止めた。いっしょに乗りこみ、車が発進する。

その夜、おれはしこたま酒をあおったよ。あれじゃ、まるでおれが尾けてたのに気づき、当てつけ

に行きずりの男を引っかけたも同然じゃないか。いや、本当にそうなのかもしれない。これで、あの女とはもう終わりなんだろうか。

だが、翌朝、女はいつもと同じ時間にスタジオに現れた。おれもまた、熱に浮かされたような気分に逆戻りだ。まあ、いろいろと思うところもないわけじゃなかったが。

その夜も、おれはまた女の後を尾けたよ。今度は自分が大写しになった《ムンシュ・ビール》の看板の足もとで女は足を止め、向かいの街灯の下に立った。

ああやって、あの女が待ち伏せしてる姿を思い出すと、いまでも背筋がぞくりとするよ。

二十分ほど経ったころ、一台のコンバーチブルがその脇を通りすぎようとして速度を落とし、バックして歩道に寄せた。

前回よりも、おれは近くで見てたね。男の顔もよく見えた。昨夜よりはいくらか若く、ちょうどおれくらいの年齢だったよ。

翌朝、新聞に目をやると、忘れもしないその顔が一面からこちらを見つめてた。どこかの裏通りにあのコンバーチブルが駐まってて、その中で死んでるのが発見されたんだ。ほかの〝殺しかもしれない事件〟と同じく、死因は特定できなかった。

その日は、ありとあらゆる思いが頭の中を渦巻いてね。だが、おれにとって、揺らぎない事実がふたつだけあった。全国規模の広告主から、初めて正式に依頼があったこと。そして、きょうの撮影が終わったら、絶対にあの女の腕をとり、いっしょに階段を下りていこうということ。

女は動じる様子もなかった。「何をしてるか、自分でわかってるの？」

「ああ」

それを聞いて、女はにっこりしたよ。「いつ決心してくれるのかと思ってた」

ふいに、気分が明るくなってくる。もう何もかもすべて手放したっていい、この女の身体に、こうして腕を回していられるなら。

その夜も、やはり暖かかったよ。おれたちはアードリー・パークを突っ切ることにした。公園の中は暗かったが、きらびやかなネオンの輝きを映してか、夜空は澱《よど》んだピンクに染まってる。

そのまま、おれたちは長いこと公園を歩きまわった。女は何も言わなかったし、こちらを見ようともしなかったが、その唇がぴくぴくと震えるのは見えた。やがて、おれの腕にかけた手に、ふいに力がこもる。

おれたちは足を止めた。ずっと、草地を歩いてたんだ。女はふいに地面に坐りこみ、おれを引き寄せた。そして、両手をおれの肩に置いたよ。おれは、その顔をのぞきこんだ。夜空の色を反射して、ほんのり澱んだピンクに染まった顔を。あの飢えた目は、黒くにじんだふたつの染みのように見えた。

おれはぎこちない手つきで、女のブラウスを脱がせようとしたよ。だが、女はその手をどかした。スタジオにいたときのような、邪険な手つきじゃなかったけどな。「そうじゃないの」と言いながら。

まずは、それからおれがどうしたかを話すよ。そして、その理由もな。最後に、そのとき女が口にした言葉を。

おれは、その場から走って逃げたんだ。頭がくらくらして、澱んだピンクの空が暗い木立の向こう

で揺れてたこと以外、あまりはっきりとは憶えてない。しばらく走った後、よろよろしながら明るい街路にたどりついたよ。翌日、おれはもうスタジオを閉めちまった。電話が鳴り、開けてない郵便が床に落ちてるのもかまわず、ドアの鍵をかけてね。そのとき以来、あの女の生身の姿は見ちゃいない、こんな言いかたで伝わるかわからんが。

逃げた理由は、おれが死にたくなかったからだ。自分の生命が吸いとられるなんて、とうてい我慢できなかった。吸血鬼にもいろいろいてね、いちばん怖ろしいのは、実際に血を吸うわけじゃないんだ。頭がくらくらするあの感覚や、ムンシュのおやじさんのこと、朝刊の一面に載ってた顔なんかが警告を与えてくれてなかったら、おれもきっとほかの連中と同じ運命をたどってただろう。自分が相手にしてるものが何なのか、気づいたときにはまだ間に合った、ってわけだ。あの女がどこから来たのか、正体が何なのかは知らないが、華やかな広告の裏にひそむ恐怖が形をとったような存在なのは確かだよ。あの笑みがあんたを突き動かして、金を、そして生命までをも投げ出させる。あの目つきがあんたをどこまでも駆りたて、最後には死を突きつけるんだ。あの女のためなら何を差し出しても惜しくないとあんたは思うだろうけど、引き換えに何が得られるわけでもない。すべてを奪いとっておきながら、何ひとつ与えてくれやしないんだ。看板を見あげ、あの女の顔に目を惹かれたら、これだけは忘れるな。あれは罠なんだ。あんたをおびき寄せるためのな。あれは、そういう女なんだよ。

あのとき、女はこう言ったんだ。「あなたがほしい。あなたの人生の、素敵だった思い出すべて。幸せだったこと、傷ついたことすべて。初めての恋人。お兄さんのぴかぴかの自転車。お父さんに殴られたこと。ピンホール・カメラ。ベティの脚。星いっぱいの、青い夜空。お母さんの死。裏通りの敷

石を汚した、あなたの血。ミルドレッドの唇。初めて売れた、あなたの写真。シカゴの街を彩る明かり。あなたの飲んだジン。グウェンの手。いまあたしに感じてる、その欲望。あなたの生命。何もかも飲みつくしたいの、ね、お願い」

血の末裔
白い絹のドレス

リチャード・マシスン
植草昌実 訳

Blood Son / Dress of White Silk
Richard Matheson

血の末裔

ジュールズが書いた作文のことを聞いて、やはりあの子は頭がおかしかったのだ、と、町の人たちは納得した。

だいぶ前から、そうではないかと思っていたからだ。

うつろなくせに、ぞっとするような視線を向けてくる目。見るからにひ弱な体とは不釣り合いな、嗄《か》れた低い声。ほかの子供たちが怖がるほど血の気のない顔色。青白いばかりか、たるんでいるように見える肌。日にあたるのが嫌いなのだ。

さらに、ものの考え方も、町の人たちとはいささかずれていた。

ジュールズは、吸血鬼になりたかった。

あの子が生まれた夜は、立木が倒れるほど強い風が吹いたなどと、もっともらしく吹聴する人たちがいた。かれらの話によると、ジュールズは生まれたとき、すでに歯が三本も生えていたそうだ。そして、その歯で母親の乳首を咬んで、母乳ばかりか血も吸ったのだとか。

夜泣きはせず、ベビーベッドではけたたましく笑っているか、吠えるような声をあげているかだった。二か月で歩き、月が昇ると座ってじっと見ていた。

もちろん、どれも根も葉もない噂だ。

両親は彼を心配してばかりだった。一人息子なだけに、欠点はなおさら目についた。目つきがぼんやりしているだけ、と医者から言われるまでは、目が見えていないのではないか、と心配した。並外れて大きな頭を指して、この子は天才になるか、知的障害があるかだ、とその医者は言った。のちに、それはあとのほうだとわかった。

彼は五歳になるまで言葉を口にしなかった。だが、ある晩、夕食のテーブルにつくと、「死」とだけ言った。

その声を聞いた両親は、嬉しくもあったが、気味悪くも思った。結局は、そのどちらでもないところに気持ちを落ち着かせた。ジュールズは言葉の意味を知らないのだ、と。

だが、彼は知っていた。

その晩から、周囲の人々が驚くほどの語彙《ごい》を、彼は蓄えだした。語りかけられたあらゆる言葉や、看板や雑誌や本で見た言葉を吸収するだけではなく、自分でも言葉を作りはじめた。たとえば「夜触《よざわ》り」とか、「殺好《ころす》き」とか。ただ単語を組み合わせただけのものだったが。自分が感じはしても言い表しようのないことを、ジュールズが表現しようとした言葉だった。

ほかの子供たちが石蹴りとか三角ベースとかで遊んでいるあいだ、彼はいつも玄関先に座っていた。道端を眺めながら、頭の中で言葉をいじっていた。

その後、たいした面倒を起こすこともなく、ジュールズは十二歳を迎えた。

もっとも、それまでに路地でオリーヴ・ジョーンズを裸にしかけて見とがめられたり、ベッドで子

猫を解剖しているところを見つかったりはしたが。

だが、何年かの間《ま》を置いて起きたことだった。悪いことは時とともに忘れられていく。

そのあいだも、彼はだいたい、人に嫌われるようなことをしてきた。

学校には行ったが、勉強はしなかった。学期を通して出席することはなかった。それでも、どの教師も彼の名前を覚えていた。国語、ことに作文では、彼は抜きん出て優秀だった。

他の学科は目も当てられなかったが。

十二歳になった年のある土曜日、ジュールズは映画を見にいった。『魔人ドラキュラ』*だ。

映画が終わったとき、彼は神経を昂《たか》ぶらせたまま、子供たちのあいだを縫って歩いた。

家に帰ると、バスルームに二時間も閉じこもった。

両親はドアを叩き、叱りつけたが、彼は出ようとしなかった。

ようやくドアの錠を外すと、彼は出てきて、夕食のテーブルについた。親指に包帯を巻き、顔には満足げな表情が浮かんでいた。

翌朝、彼は図書館に行った。が、日曜日は休館だった。彼は玄関の階段に座って、開くのを一日待っていた。結局、その日は帰った。

翌朝、彼は学校ではなく図書館に行った。

書棚には『吸血鬼ドラキュラ』*があった。だが、利用者登録をしていないから、借りられなかった。登録するには両親のどちらかを連れて来なくてはならない。

そこで、彼は本をズボンのポケットに押し込むと、そのまま図書館を出た。返す気はなかった。

公園に座り、本を最後まで読んだ。読み終えた頃には、あたりはもう暗くなっていた。

街灯から街灯へと足早にたどり、その光を頼りに最初から読み返しつつ、家に帰った。

母親の小言も耳に入らず、忘れていた昼食と夕食を一度にとった。食べ終えると、自分の部屋にこもって、最後まで読んだ。どこでその本を手に入れたのか、両親は尋ねた。彼はただ、拾ったとだけ答えた。

それから毎日、ジュールズはその本だけを読んで過ごした。学校へは行かなくなった。

夜遅く、読み疲れた息子が眠ってしまうと、母親はその本を居間に持っていき、父親に見せた。

二人は、ジュールズが鉛筆で、ページのあちこちに震えるような下線を引いているのに気づいた。

たとえば「その光で、われわれはそこに、生々しいまっかな血に濡れた唇と、その血潮が顎から経《きょう》帷子《かたびら》の白い裾にかけて、タラタラ垂れて染まっているのを見た」

あるいは「血がサッとほとばしると、いきなりあいつは私の両手を一つ手《で》に握って、片手で私の襟《えり》髪《がみ》をおさえ、むりやり、私の口をその胸の傷口に押しつけました」

母親はそれを目にするやいなや、本をダストシュートに投げ込んだ。

『魔人ドラキュラ』　一九三一年公開のアメリカ映画。トッド・ブラウニング監督、ベラ・ルゴシ主演。ブラム・ストーカー『吸血鬼ドラキュラ』の、初の正規の映画化作品。

『吸血鬼ドラキュラ』　ブラム・ストーカー作の小説。一八九七年発表。訳文中の引用は平井呈一訳（東京創元社刊）による。

翌朝、本がないのに気づいたジュールズはわめきたて、母親が白状するまで、その腕をひねり続けた。

そして、地下室に駆け込むと、ごみの山を掘り返し、本を取り戻した。

コーヒーの滓《かす》や卵の黄身などで手首まで汚れたままだったが、彼は公園に行って、また本を読みはじめた。

まるまる一と月のあいだ、彼は本にのめり込んだ。すっかり覚えてしまい、頭の中で思い浮かべるだけで済むようになったので、本は捨ててしまった。

学校からは欠席通知書がひっきりなしに届いた。母親も黙ってはいなかった。少しなら戻ってみてもいいや、とジュールズは腹を決めた。

作文を書いてみたくなったのだ。

作文の授業の日のことだ。子供たちがみな書き終えたのを見て、みんなの前で読みたい人は手をあげて、と先生が言った。

ジュールズは手をあげた。

先生は驚いた。が、それは嬉しさゆえにだった。この子の励みになるだろう、と彼女は思った。そして、こぢんまりした顎をうなずかせると、笑みを浮かべた。

「いいでしょう。では、みなさん、静かにしてください。ジュールズが作文を読みます」

ジュールズは立ち上がった。ぞくぞくしていた。作文用紙を持った手が震えていた。「『将来の夢』ジュールズ……」

「前に出ていらっしゃい、ジュールズ」

黒板の前に立った。先生はやさしい笑みを浮かべていた。彼はあらためて読みはじめた。

「『将来の夢』ジュールズ・ドラキュラ」

先生の笑みが消えた。

「ぼくの将来の夢は、吸血鬼だ」

先生は口をぽかんと開けた。目が飛び出しそうになっていた。

「吸血鬼になったら永遠に生きて、みんなに仕返しをして、女子はみんな吸血鬼にしてやりたい。それから、死の臭いがする息をふりまきたい」

「ジュールズ！」

「墓場の土や、納骨堂や、きれいな柩《ひつぎ》の臭いのする息だ」

先生は身震いしだした。指先が学級記録簿の緑の表紙に食い込み、ぴくぴく震えていた。自分の耳が信じられない。教室の子供たちに目をやった。みな呆然としている。笑っている子も何人かはいる。だが、女子は一人も笑ってはいない。

「ぼくの体は冷たく、腐りかけていて、流れている血は他人から吸い取ったものだ」

「そこまで……」

そう言いかけて、先生は大きく咳払いをした。

「もういいわ、ジュールズ」

ジュールズはむきになって、さらに声を張り上げた。

「ぼくは白い鋭い歯で、喉に咬みつきたい。それから……」

「ジュールズ！　すぐに席につきなさい！」

「剃刀《かみそり》みたいに肉を切り裂いて、血管を突き破りたい」読み上げる声は、何かに取り憑かれているようだった。

先生の足は震えていた。子供たちは怯えていた。笑っている子はもういなかった。

「血が口の中にあふれ、喉に流れ込んでいく。そして……」

先生は彼の腕を摑んだ。ジュールズはその手を振り払い、教室の隅に逃げた。椅子を盾にして、彼は叫んだ。

「喉に舌を押しつけ、唇で吸いつくんだ！　ぼくは女の子の血が飲みたいんだ！」

先生は彼に詰め寄った。教室の隅から廊下に引きずり出した。引きずられて校長室に着くまで、彼はずっとわめいていた。

「将来の夢だ！　ぼくの夢だ！　夢なんだ！」

気味の悪い出来事だった。

ジュールズは自分の部屋に閉じ込められた。校長と担任の先生は、両親と向かいあった。それから、沈んだ声で話しはじめた。

二人は何があったかを伝えた。

この出来事は、町内の子供のいる家庭に知れ渡った。だが、ほとんどの親たちは信じようとしなかった。子供の作りごとだと思っていた。

ほどなくして、我が子がこんなひどい嘘をつくように育ててはいないと、親たちは考えた。

この話を信じないわけにはいかない。

それ以来、町の人たちはジュールズを見張るようになった。接するばかりか、目を合わせるのも避けた。彼を見かけると、親たちは子供を外に出さないようにした。誰もが彼のことを伝えあった。

欠席通知書はさらにたまっていった。

もう学校には行かない、とジュールズは母親に言った。彼の決心は固かった。それ以来、学校には行かなかった。

欠席生徒補導員が家に来ると、ジュールズは屋根に逃げ、指導員が帰るまで下りてこなかった。

一年が過ぎた。

ジュールズは何かを探して、町中を歩きまわっていた。何かは自分でもわからなかった。路地を覗き込んだ。ごみ箱を開けてみた。空き地を眺めた。町の東の端から西の端、真ん中もくまなく歩いた。探しているものは見つからなかった。

彼はほとんど眠らなくなった。ものをまったく言わなくなった。ただじっと見ているだけだった。自分が作った言葉さえも忘れてしまった。

だが、それがとうとう見つかった。

ある日、彼は公園の中の動物園を散策していた。

吸血蝙蝠《こうもり》を目にしたとき、体を電流が走り抜けたような気がした。

彼は目を大きく見開き、汚れた歯を剝き出して、にかっと笑った。

その日から毎日、彼は動物園に行っては、蝙蝠を見ていた。「伯爵」と名づけ、話しかけた。本当は人の姿なのだが、今は変身しているのだ、と信じた。

彼はふたたび、探究心に取り憑かれた。

また図書館から本を盗み出した。野生動物についての本だ。

吸血蝙蝠について書かれたページを見つけると、そこだけ切り取って、本は投げ捨てた。

そして、そのページを熱心に読んだ。

獲物の体への傷のつけ方。子猫がクリームを舐めるときのような、血の吸い方。折りたたんだ翼と、毛むくじゃらの蜘蛛にも似た後肢を使った歩き方。そして、血液だけを食物とする理由も。

何カ月ものあいだ、彼は蝙蝠を見に来ては、話しかけた。そのときにだけ心の安らぎがあった。夢が叶った姿が目の前にあるのだから。

ある日、蝙蝠の檻を囲う金網の下のほうが綻《ほころ》びているのに、ジュールズは気づいた。

彼は黒い目であたりをうかがった。近くには誰もいなかった。今日は曇りだ。客はあまり来ていない。

ジュールズは金網を引っぱってみた。

少し動いた。

猿の檻のほうから一人、人が来るのが見えた。彼は手を引っ込め、でたらめな曲を口笛で吹きなが

ら、蝙蝠の檻から離れた。

その日から、夜遅くなると彼は寝たふりをやめて、裸足で両親の部屋の前を通り過ぎるようになった。そのたびに、父親と母親のいびきが聞こえた。急いで外に出ると靴を履き、動物園に走った。

いつものように警備員の姿はなく、ジュールズは金網をひっぱりはじめた。

緩《ゆる》むまで、ひっぱり続けた。

その夜の作業を終えると、金網を元どおりに見えるように戻して、急いで家に帰った。誰にも見とがめられることなく。

そして毎日、ジュールズは蝙蝠の檻の前で、伯爵を相手にしのび笑いをしては、もうすぐ自由にしてあげられる、と語りかけた。

彼は自分の知っていることを残らず伯爵に話した。頭を下にして壁を這い下りる練習をするつもりでいることまで。

心配することはない、とも話しかけた。もうすぐ外に出られる。外に出たら一緒に獲物を探して、女の子を捕まえたら生き血を吸おう。

ある夜、ジュールズは金網を外して、檻の中に入り込んだ。

中は真っ暗だった。

檻の中で膝をつき、小さな木製の巣箱に這い寄った。伯爵の鳴き声が聞こえるかと、耳を澄ませた。

暗い巣箱の穴に手を差し入れた。声をかけながら。

指先に針で刺されたような痛みを覚えて、彼はびくっとした。

そして、痩せこけた顔にこのうえない喜びを浮かべて、翼をはためかせる毛むくじゃらの蝙蝠を外に出した。

そして、蝙蝠をかかえたまま檻を抜け出し、動物園を、公園をあとにした。静まり返った通りをひた走った。

もうすぐ夜が明ける。暗い空は白みはじめ、灰色に変わりつつあった。家に帰るわけにはいかない。どこかで落ち着かなくては。

路地に踏み込み、塀を乗り越えた。蝙蝠をしっかり抱きかかえたまま。蝙蝠は、彼の指先に滲む血を舐めていた。

庭を横切り、納屋に踏み込んだ。

中は暗く、じめじめしていた。瓦礫《がれき》や空き缶や、濡れた段ボール箱や、野良猫の糞《ふん》がいたるところに転がっている。

ここなら蝙蝠が逃げることはない、とジュールズは確信した。

そして、ドアをきっちり閉めると、閂《かんぬき》を金属の受けに通した。

心臓は激しく脈打ち、手足は震えている。手を放した。蝙蝠は羽ばたくと、暗い隅の梁《はり》にぶら下がった。

ジュールズは引きはがすようにシャツを脱いだ。唇が震えていた。気がふれたような笑みを抑えられなかった。

ズボンのポケットに手をつっこみ、母親から盗んだ小さなペンナイフを取り出した。

刃を出した上に、指の腹を滑らせた。すっと肉まで切れた。

震える手に握ったナイフで、彼は喉を突いた。そのまま抉《えぐ》った。指を伝って血が流れ落ちる。

「伯爵！　伯爵！」彼は熱狂のあまり叫び声をあげた。「ぼくの赤い血を吸って！　ぼくの血だよ！早く！」

空き缶にけつまずき、足を滑らせながら、蝙蝠を捜して手を泳がせた。蝙蝠は梁から飛びたち、屋内を横切って反対側にとまった。

ジュールズの頬を涙が流れ落ちた。

彼は歯咬みをした。血は肩を伝い、まだ毛も生えていない薄い胸に流れた。

体じゅうが震えていた。後ろによろめいた。そのひょうしに、空き缶の鋭い縁《へり》がかすめ、脇腹を切った。

彼は手を伸ばした。蝙蝠を捕まえた。喉にとまらせると、冷たく湿った地面に仰向けになった。彼は溜息をついた。

呻き、胸元の蝙蝠を押さえる。腹がずんと重くなってきた。黒い蝙蝠は彼の喉に顔を埋め、血を静かに舐めている。

ジュールズは命がぬけだしていくのを感じた。

これまでのことを思い出す。何かを待っていたこと。父親と母親のこと。学校。ドラキュラ。そして、今。この突然の栄光。

ジュールズは目をしばたたかせ、見開いた。

悪臭のこもる納屋の中が揺らいだ。

息ができない。彼は口を開き、喘《あえ》いだ。息を吸い込んだ。空気は汚れていた。彼は咳《せき》こんだ。冷たい地面の上、痩せこけた体でもがいた。

頭の中の霧が晴れていく。

薄紙を一枚いちまい剝がすように。

急に意識が、怖ろしいほどにはっきりした。

脇腹に痛みを感じる。

自分が半ば裸で、ごみの上に横になり、蝙蝠に血を与えているのに気づいた。

彼は悲鳴を圧し殺し、ぴくぴく動く毛むくじゃらの蝙蝠を摑むと、引き離した。蝙蝠はいったんは飛んで離れた。だが、舞い戻ってくると、翼で彼の顔をはたいた。

ジュールズはふらつきながらも立ち上がった。

ドアのほうに手を伸ばした。目が見えなくなってきた。喉元から流れる血を止めようと手で押さえた。

なんとかドアを開けた。

のめるようにまだ暗い庭に出ると、丈高く茂った草むらに、うつぶせに倒れ込んだ。

助けを求めて声をあげようとした、

だが、口をついて出る声は言葉にならず、喉をごぼごぼと鳴らすばかりだった。

羽ばたきの音が聞こえた。

だが、すぐに止んだ。

力強い両手がジュールズをそっと抱き上げた。霞んでいく目で彼が見たのは、ルビーのように赤く輝く目をした、背の高い黒衣の男だった。

「わが子よ」男は言った。

白い絹のドレス

ここは静かで、わたしは一人。

おばあちゃんは、わたしを部屋に閉じ込めて、出してくれない。あのことが起きたからと言って。わたしが悪いのかも。ドレスのことだけなのに。ママが着ていたドレス。ママは遠くに行ってしまって、もう帰ってこない。今は天国にいるって、おばあちゃんは言っていた。わたしにはわからない。ママは死んでしまったから天国に行けたの？

おばあちゃんが何かしている音がする。ママの部屋で。ママのドレスを箱にしまっている。なぜだかいつもしまっちゃう。箱に鍵もかける。開けておいてほしいのに。とてもきれいなドレスで、いい匂いがするんだから。温かいし。ママのドレスにほっぺを押しつけるのが好き。でも、できない。おばあちゃんが怒っているのは、わたしがいつもそうしているからなのかも。

本当にそうかは、わからない。毎日、いつもこんな感じ。メアリ・ジェーンが遊びにきた。メアリ・ジェーンはお向かいに住んでいる。毎日うちに来て遊んでいく。今日も来た。

わたしは、お人形を七つと、消防車を一つ持っている。今日はそのおもちゃで遊んでいなさい、とおばあちゃんは言った。それから、ママの部屋に入ってはいけません、と言った。おばあちゃんはい

つも同じことを言う。ちらかしちゃいけないってことだと思う。ふだんから、そればかり言っている
から。ママの部屋に入ってはいけません。そればっかり。

　でも、ママの部屋はすてき。雨の日にはかならず行く。おばあちゃんがお昼寝しているときにも。音をたてないように。ベッドに座って、白いカバーをさわっているだけ。もっと小さい頃にしていたように。ママの部屋はいい匂いがする。

　ママが部屋でお着替えしていて、わたしに入っていいと言ってくれたところを想像する。白い絹のドレスの匂いがする。ドレスを着たママを待っている。ママがそのドレスを寝間着《ナイトドレス》と呼んでいたのは覚えているけれど、それを聞いたのがいつだったか、思い出せない。

　耳をすますと、ドレスの音が聞こえる。ママが化粧台の前に座っているのを想像する。香水瓶か何かをいじっているところを。黒い目を。わたしはママの目をよく覚えている。

　雨が降ると、窓ガラスに自分の目が映るのが好き。雨の音がすると、とても大きな大男が外にいるみたい。みんなが静かにするように、しーっ、しーっと言っている。そんなふうに、ママの部屋で考えごとをするのが好き。

　それよりもっと、たぶんいちばん好きなのは、ママの化粧台の前に座ること。ピンクの、大きな化粧台も、いい匂いがする。椅子にはクッションがついている。先の丸い蓋のついた、いろんな色の香水を入れた瓶が、たくさん、たくさん並んでいる。鏡は、体がそっくり映ってしまうほど大きい。

　化粧台の前に座ると、ママになったような気分になる。黙って、お母さま、わたしは行くわ、止めても無駄よ。自分の声がそう言うのが聞こえるけれど、なぜそんなことを言っているのか、わたしに

はわからない。ねえ、泣くのはやめて、お母さま、魔法のドレスがあるんだもの、あの人たちに捕まりはしないわ。

ママのまねをしながら、わたしはゆっくり髪をとく。でも、使うのは持ってきた自分のブラシ。ママのはぜったい使わない。ママのブラシを使ったからって、おばあちゃんが怒ることはないと思うけれど。でも、使わない。

ときどき、わたしは箱を開ける。おばあちゃんが鍵をしまっているところを知っているから。しまうのを見ていたけれど、おばあちゃんはわたしに気づかなかった。ママのクローゼットの中にひっかけていた。扉の裏のフックに。

だから、いつだって好きなときに箱を開けられる。ママのドレスを見るのが好きだから。とてもきれいで、柔らかくて、すべすべしている。百万年だってさわっていたいくらい。

薔薇の模様の敷物に膝をつく。両手でドレスを持って、匂いを吸い込む。ほっぺに押し当てる。このままずっと持っていて、眠るときも一緒でいたい。でも、できない。おばあちゃんが許してくれないから。おばあちゃんはときどき、燃やしてしまいたいけれどあの子のものだから、と言う。おばあちゃんがそんなふうにドレスのことを話すときは、きまって泣いている。

わたしはドレスを乱暴にあつかったりしない。誰も触らなかったみたいに、きちんと元に戻しておく。おばあちゃんが気づきもしないのがおかしかった。でも、今は気づいていると思う。だからお仕置きされたのかもしれない。悪いことはしていないのに。ママのドレスに触っちゃいけないの？

ママの部屋でとても好きなことがもうひとつ、ママの絵が見られること。絵は金色の囲みの中にあ

る。それは額って言うんだって、おばあちゃんが教えてくれた。額は簞笥《たんす》の上の壁にかかっている。

ママはきれい。あなたのママはきれいだったのよ、とおばあちゃんは言う。どうしてそんな言い方をするのかな。絵の中から笑いかけてくるママはきれいなのに。いつ見ても。

ママの髪は黒い。わたしと一緒。目もとてもきれいな黒。口は真っ赤。着ているのは、わたしが好きな白いドレス。肩からすうっと下がっている。肌はドレスと同じくらい白い。手も白い。ママはとてもきれい。もう帰ってきてくれないのはわかっているけれど、それでも好き。ママ、大好き。

だから、わたしは悪いことをしちゃったんだと思う。メアリ・ジェーンに。

メアリ・ジェーンは、いつものようにお昼を食べたあと、遊びにきた。おばあちゃんはお昼寝するところだった。その前に、ママの部屋には入ってはいけません、と言った。はい、おばあちゃん、とわたしはこたえた。言いつけを守るつもりだったのに、消防車で遊んでいるときに、メアリ・ジェーンがこんなことを言った。おかあさんがいないのに、いるふりをしているんでしょう。

わたしは怒った。ママはちゃんといる。いるふりをしているなんて言うんだから、怒るのはあたりまえ。嘘つきだなんて。ベッドも化粧台も、絵もドレスも、ママのものはなんだってあるんだから。

そんなに言うんなら見せてあげる、とわたしは言った。

おばあちゃんの部屋を覗いてみた。お昼寝中だった。一階に下りて、おばあちゃんは寝ていて気づかないから行こう、とメアリ・ジェーンに言った。

そのあとのメアリ・ジェーンはおりこうさんじゃなかった。ずっとくすくす笑っていて。階段を上って、踊り場のテーブルにぶつかったときは、びっくりして大声をあげたくらい。何をこわがってるの

よ、とわたしはいった。あの子は、うちはこんなに暗くないもん、と言い返した。ママの部屋に行くのが嫌になったみたいだった。

でも、二人でママの部屋に入った。部屋はとても暗かった。ここがママの部屋よ。それでも嘘つきって言う？　わたしは言った。

メアリ・ジェーンはドアから離れずにいて、さっきよりももっとおりこうでなくなっていた。ひとこともしゃべらなかった。部屋の中を見まわすばかりだった。わたしが腕に手をかけたら、びくっとした。入ろうよ、とわたしは言った。

ベッドに座ってよ。ママのベッド、ふかふかだよ、とわたしは言った。メアリ・ジェーンはだまったままだった。こわいの？　とわたしは言った。こわくないもん、とあの子は言い張った。

座ってみないと、どんなにふかふかか、わからないよ。あの子は隣に座った。ね、さわってみて。いい匂いもするし。

目を閉じてみたけれど、いつもと違っていて、どこかおかしかった。メアリ・ジェーンが一緒だからかも。ベッドにさわらないで、とわたしは言った。さわれっていったのに、とあの子は言った。でも、さわらないで。

あれを見て、と言って、わたしはメアリ・ジェーンを立たせた。化粧台よ。手を引いて、前まで連れていった。放して、とあの子は言った。部屋はいつものように、しんとしていた。でも、嫌な感じがしてきた。メアリ・ジェーンがいるから。ここはママの部屋で、ママはあの子にいてほしくないから。

でも、ママのものをちゃんと見せてあげないと。鏡を見せた。鏡の前に並んだ。あの子の顔は青かった。怖がりね、とわたしは言った。怖がってないもん、とメアリ・ジェーンは言った。部屋が暗すぎて静かすぎるだけだもん。それから、この部屋はへんなにおいがする、と言った。

わたしは怒った。へんなにおいなんかしない。する、とあの子は言い張った。だからわたしはもっと怒った。お砂糖みたいなにおいもするけど、とあの子は言った。あんたのママのお部屋、病気の人がいるみたいなにおい。

病気の人のにおいなんかしないもん！　わたしは言った、

でも、ドレスを見せてくれないのは、本当はないからじゃないの、とメアリ・ジェーンは言った、わたしはかっとなって、あの子の髪の毛を引っぱった。ママのドレスを見せてあげれば、もう嘘つきなんて言わないよね。

メアリ・ジェーンから離れて、わたしはフックから鍵を取った。下に膝をついた。それから、箱を開けた。

メアリ・ジェーンは、げー、ゴミ箱みたいな臭い、と言った。

つねってやったら、あの子は飛びさがってぶんむくれた。とても怒って、つねるんじゃないよ、と言った。おかあさんに言いつけてやる。そのドレス、白くもきれいでもないじゃない。

きれいだもん！　うっかり大声になって、おばあちゃんを起こしてしまうかと思った。箱からドレスを出した。真っ白だってことをメアリ・ジェーンに見せようとして。裾が敷物に落ちると、さあっと雨みたいな音がした。

真っ白で、すべすべで、きれいよ。

そんなことない、とあの子は顔を真っ赤にして怒った。穴もあいてるし。わたしも怒った。もしママがここにいたら、許さないよ。本当はいないいんじゃない、とあの子は憎らしい顔で言った。メアリ・ジェーンなんて大嫌い。

いるもん！　また大きな声でわたしは言った。ママの絵を指さした。こんなに暗いんだから見えない、とあの子は言った。わたしはメアリ・ジェーンを突きとばして、箪笥にぶつけた。あの絵を見ればいい。あれがわたしのママ、世界でいちばんきれいな人よ。

ぜんぜんきれいじゃないし、手も変、とメアリ・ジェーンは言った。ちがうわ、世界でいちばんきれいよ、とわたしは言った。

きれいじゃないし、歯がギザギザ！　メアリ・ジェーンは言った。

そのあとのことは覚えていない。手の中でドレスが動いた。メアリ・ジェーンが悲鳴をあげた。何があったのかわからない。部屋が暗くなったのは、カーテンが閉まったからだと思う。何も見えなくなった。誰も何も言っていないのに、歯がギザギザ、手も変、歯がギザギザ、手も変、とばかり繰り返し聞こえた。

そのあと、こんな声が聞こえた。この子を黙らせなさい！　ドレスが手から離れた。よくわからないけれど、ドレスを着ていたような気がする。大きく、強くなったみたいだった。わたしはまだ子供なのに。見た目だけは。

そのとき、悪いことをしてしまったんだ。

おばあちゃんがママの部屋から出してくれたんだと思う。覚えていないけれど。おばあちゃんは、起きてしまった、起きてしまった、神様お助けください、と大声で言っていた。何度も、何度も。どうしてそんなことを言うのか、わからない。わたしはママの部屋から引っぱり出されて、自分の部屋に入れられて、おばあちゃんがドアに錠を下ろした。もう出してもらえないみたい。でも、怖くない。一万年も、一億年も閉じ込められても、気にしない。おばあちゃんは夕ごはんを持ってきてくれない。おなかが空《す》いていないから、いいんだけど。

空いていないどころか、いっぱいだから。

不十分な答え

ロバート・エイクマン

若島正 訳

The Insufficient Answer

Robert Aickman

その日、芸術担当がどういうわけか出社しなかったので、アーヴィング像[*]の近くにあるベンソン・ギャラリーで開かれている新しい展覧会の記事を書くために、ロンドンの編集長が派遣したのは若いサイムズだった。ミッドランド地方の週刊紙で六年間あくせく勤めたばかりの有能な若手記者サイムズは、芸術や芸術家、それに美術商のことなどなにも知らず、ギャラリーの入口を入ってすぐにある事務室の戸口に立っていた、小柄で太った男がベンソン本人だとは気づいていなかった。閉館まであと三十分もない時間だったので（サイムズはこの仕事をいちばん後まわしにしていた）、人は誰もいなかった。ギャラリーには、いちばん混雑する時間帯に一斉にやってくるのを除くと、人がめったにいないものである。ベンソンは、全世界の人間を分け隔てなく内緒話のできる相手として扱う、この職業では珍しくないタイプであり、気さくで芝居がかった話の切り出し方をするのもふつう好印象を与え、相手におもねるところは少しもなかった。礼儀や配慮に欠けているのはどうかと思えても、専門知識にはそれを補って余るものがあった。自信たっぷりにとはいかないまでも、サイムズはさも専門家らしいそぶりでゆっくりと見てまわり、ちょうど中途まで来てベンソンの事務室の戸口に近づいたとき、ベンソンが口を開いた。

「いかんなあ。これじゃいかん」

もしかすると自分の批評能力を問われているのかと思って、サイムズはあわててとりつくろった。

「いや、そんなに悪くないんじゃないですか。四十二番はなかなかいいと思いましたよ。ほら、『酔いどれ船乗り』」

「これ」ベンソンが意気込んで言った。「読んでみてくれ」

突き出されたのは電報だった。サイムズは読んでみた。「残念ながらお申し出の件は不可。収穫が差し迫り発つこと能《あた》わず。ヘイスティングス」

「ヘイスティングスってどなたですか？」

「ローラ・ヘイスティングスだよ。言い逃れをしたと思ったら、また言い逃れだ。どれも根拠薄弱な」

サイムズはしばらく、ローラ・ヘイスティングスについて知っていることを思い出そうとした。「どんな申し出をされてるんですか？」

「彼女はもう十五年もイギリスにご無沙汰してる」

「そんなに長いあいだ？」

「ずっと彼女の作品を売ってきたが、ものには限度がある。ときどき本人が顔を見せないと、いつま

アーヴィング　イギリスの名優ヘンリー・アーヴィング（一八三八―一九〇五）。友人のブラム・ストーカーは、彼の風貌から自作のドラキュラのイメージを作ったと言われる。アーヴィング自身、戯曲化された『ドラキュラ』でかの吸血鬼を演じた。彼の像はナショナル・ポートレート・ギャラリーの敷地内にある。

でも売りつづけていられるような作品じゃない」

「あまり良くないってことですか？」

「良すぎるんだよ。現役の芸術家の本当に良い作品を売ろうとするのがどんなものか、きみにもわかるだろう」

「とても難しいんですね」それはそうかもしれなかった。

「それでもローラ・ヘイスティングスの作品をなんとか売ってきたがね、それもいい値段で。実際のところ、ここだけの話だが、うちではこれまでずっといわばベストセラーだったんだ」

「そうなんですか」とサイムズ。

「それもただ、みんなが彼女のことをまだ憶えているからなんだよ。ここにいたときは、個性で売れていた。どんな人間か、きみも知ってるだろ。彼女みたいなのはいない。でも、わたしに言わせれば、それも終わりが近づいてる。わたしの目にはその兆候が見えるんだ。こっちにやってきて少しはアピールしてもらわないと、彼女の収入はもとより、こっちの収入もあがったりになる」

「むこうはどうして断ってるんです？」

「さっぱりわからんし、誰にもわからん。なんとか彼女を釣り上げようとして、もう十八か月になる。知ってのとおり、相手はスロヴェニア*に住んでいてね。電話をかけるわけにもいかないから、手紙を書くしかない。何度も何度も手紙を書いたが、『ノー』という電報が返ってくるだけだ。おまけに、いつもばかばかしいことこの上ない言い訳をしてくる。収穫だなんて！　この前は新しいスタジオを建てるからというが、それも雪が降りだす直前の時期にだぞ。まったく！」

「たしか、スロヴェニアは雪が多いんでしょう？　それに狼とか」

「たわごとだ。まるで答えになってない」

「作品はどうなんです？　売りつづけるとしたら、どうやって送ってくるんです？」

「そこはなんとかしてるさ。ちゃんと梱包ケースで送られてくる。ただ、ときどき頭がなかったりする——取れててね。それでもそんなに悪くはない。荷造りには相当な手間をかけているはずだ」

サイムズはようやくぼんやりと思い出していた。「彼女のことはあまりよく知らないんですが。でも、『諸国の国王とも親しい女彫刻家』という記事を読んだ記憶があります。労働組合会議以前の時期には政治的影響力を持ってたんでしょうか？」

「ありとあらゆる影響力を持っていたさ。まずヘイスティングス夫人にたのんでみないと、何事も進まない。それに四六時中、あの芸術家ぶりときたら！　もし出ていったのはそれが理由だとすると……」ベンソンは言葉を切った。「煙草は？」そして一歩下がって、机から彩色がほどこされた大箱を取り出した。

「じゃいただきます」とサイムズ。「どうして出ていったんですか？」

「おおむね嫌気がさしたんだろう」

「社会主義に？」

スロヴェニア　現在のスロヴェニア共和国。本作が発表された一九五一年当時は、ユーゴスラビアの構成国の一つ。地理的には、オーストリア、ハンガリー、クロアチアと隣接する。

「たぶん。それに結婚のこともある。ヘイスティングスとの結婚は失敗だった。それは秘密でもなんでもない。どだい、なんでまたあんな男を選んだのかは神のみぞ知るだ。ただ、彼女に捨てられてから、あの男はすっかり立ち直れなくなってしまったが」

「たしか、初期の飛行士でしたね？」

「誰よりも先に、海だか砂漠だかバスの駅を越えたとか。まったくどうでもいい話だ。おつむはキャブレター並み。でもハンサムな男だった。ほんとに。それでかわいそうに、不幸な死に方をした。飛行機で山に激突したんだ。十年か十二年前だったな。彼女にはどうでもいい話かもしれないが」

「会いに行こうと思ったことはないんですか？　つまり、イギリスに戻るという件で。それか、誰かを派遣して」

「一度やってみたが、電報の返事はいつもの『ノー』だった。それも、いつもより強い調子で。それに、あそこは出たとこ勝負で訪れてみる場所じゃない。最果ての地だ。ぞっとするような場所だとしか言いようがない」

「どうかなと思ってたずねてみただけですよ。ただの思いつきで」

「結構だな！」

「残りの展示を先に見てまわりたいんですが、まだここにいらっしゃいますか？　もうそろそろ閉める頃でしょ」

「閉館した後も見てくれてかまわないよ。ほんとに興味のある人にはいつでも喜んでそうしてるから」

「新聞記者でして。取材で来ました」

「どこの新聞社？」サイムズは名乗った。「プレス用の内覧会にハリスは来なかったのかな？」

「当日は欠席でした」

「それに今日も？」

「それに今日も」

「ローラ・ヘイスティングスをつかまえる手があるのなら、願ったり叶ったりだ。事務室に来てくれ」

彼は買主用の肘掛け椅子にサイムズを座らせた。生まれつき温厚な性格のベンソンは、見知らぬ人間から貴重な助けを得ることについて、まったく慣れた様子だった。

「ちょうどいま、連載記事をやっているところでして。男に張り合う女たち、という」

「ローラ・ヘイスティングスは赤十字の看護婦でもなければ、バンドのリーダーでもない。実のところ、彼女と比べると男の競争相手はみな顔色なしになってしまうから、たぶんそういうのはきみところの読者が求めているものじゃないんだろ」

「ハンサムな飛行家と結婚した、という話でしたね。うちの連載にぴったりじゃないかと思いますよ。謎めいているという切り口も斬新ですし。このところ、名を成した女性というのはそんなにたくさんいませんので」

「それがおたくの商売だからな。まあそうなんだろう。だったらどうしろと？」

「編集長に提案させてください。もし編集長が気に入ったら、特派員を派遣するという話になります。ちょっと上乗せすれば、あなただけのために報告書を作ることもできますよ。事前に特派員と会って、何を見てくるか、どういう質問をするか言っておくんです」

「ローラのところにはきっとたどり着けないだろう」

「だとしたら、二度と出社できなくなります」

「この案を思いついたジャーナリストが他にいなかったんだろうか？　ローラはたぶん閉じこもっているから」

「いなかったと思いますよ。なにしろ、ホットニュースだとはとても言えませんからね。それこそ問題なんでしょう？」

ベンソンは立ち上がり、オルモル仕上げのキャビネットを開けると、ロングカクテルを二杯取り出した。

その後、会場でもう一、二分過ごしてから、サイムズは厚いカーペットを敷いた部屋を出ていこうとした。「よみがえらせろ！　それがうちのモットーなんです」いかにも記者らしくそう声をはりあげた。そしていかにも記者らしくベンソンの手を握った。ベンソンは瞬時、怪訝《けげん》な顔をした。それからギャラリーに鍵を掛け、その日の取引に目を通す仕事に戻った。


編集長がその任務を命じたのはカストだった。連載記事を前に書いたことがあるから、というわけではない。国外に住む女彫刻家が元内務大臣レオ・カスト卿のとりわけ親しい友人だという事実を、社交界とも多少関わりがある社主と話をしていて知ったからである。カスト卿は教会再統一と宝くじ国営化の唱導者としてよく知られていた。

「伯父さんという切り札を出せばいいんだよ」若い記者のことを指して、社主は編集長にアドバイス

した。

　陽光がのぞいて、馬に乗るつらい一日が始まるのを待ちながら、カストはヘイスティングス夫人宛の親しげな口調の手紙を指示どおりに書いたことを振り返って、自己嫌悪に陥った。予想外にも夫人がすぐ愛想のいい返事を寄こし、来訪を歓迎すると書いてくれたことを考えても、その気持ちには変わりがなかった。どれほど自分の職業を嫌っているかを思うと、不快感が身体中にわきあがってくるのは、これが初めてでもなければそう何度もあるわけではない。ジャーナリズムそのもの、そしてジャーナリズムの奴隷にならざるをえない社会の激変が嫌だった。それに乗馬も嫌だった。それなのにこれから馬に乗って、一日半という長い時を過ごさなければならない。それも退屈な景色で、旅の友は何を言っているのかひとことも理解できない付き人一人きり。夫人は手紙の中で、「トラック」を出せないことを詫びていた。夫人の話では、後部の車軸が折れたのだという。「修理には、（いつものように）前例から判断すると、少なくとも六か月はかかりそうです」そのトラックとやらで、サイムズから聞いた話やその後ベンソンに面会したときに不安をかきたてられた話に出てきた、梱包した彫刻が定期的に運ばれたに違いない、とカストは想像した。この恐ろしい山道を、彫刻の一点でも無事に運べたとはおよそ信じがたい。白い大岩のあいだを数ヤード歩いただけで苦痛だ。カストは自分たちの馬が健脚なのを祈るばかりだった。たのむのは無理だし、明らかに、たのんだところで仕方がない。

　ふるえてじっとしたまま、十分か十五分ほど過ぎてから、ぎらぎらした黄色い光が見えてきた。付き人がまたわけのわからないことを言い、われらが特派員は出発した。

ジャーナリストとは、どういう伝説が喧伝されていようが、安楽を好むものである。カストは、変わったところがあっても、この点にかぎれば例外ではなかった。そういうわけで、目的地が見えてきた翌日の四時頃には、すっかり不機嫌になっていた。秋の終わりで、二十四時間じゅう本当に暖かくなるときがない。景色は思ったとおり陰鬱だった。岩場で、色彩に乏しく、ほとんど荒地のままになっている。付き人は自分がとる食事も粗末だし、カストの分も代わり映えがなかった。カストの馬はリューマチ気味で、もう片方の馬は見たことがない男をどうも嫌っているらしかった。

ハプスブルク帝国*が崩壊してからも、相変わらず便箋のレターヘッドに住所として書かれていたマルカントニオ城は、灰色の風景の中で茶色っぽい黄色の露頭のように見え、おそらくは輸送された石でできているようだった（カストは後になって、それを運んだのが悪魔だという噂を知った）。城の建物は両側が急勾配になった小さな台地に散在していて、ほぼ同心円状に分岐した城壁で取り囲まれ、そのうち最も低いものは城の岩盤全体を囲んでいて、その高低のある平地をはさむように二嶺の崩れかけた山並がそびえている。城壁は、城と同じく、黄色っぽい茶色の、当地では見かけない石でできていた。城は、城壁と同じく、大部分が廃墟になっているらしい。その取り合わせはとても気を奮いたたせるものではなかった。世間から隔絶してはいるが、荘厳というにはほど遠い。

いちばん外の壁二つは、石積みが粗雑ですきまが空いているところから簡単に通り抜けられた。そこからは崖をジグザグに登っていく通路で、主に防御のために作られたらしい。急な曲道のところには必ず堡塁があり、その上下にある堡塁と壁でつながっていた。少し登ったところでカストは馬を降りたが、付き人は気にもかけずに、さも生まれたときからの習慣であるごとく、てっぺんまで登って

いった。カストがおいぼれ馬を引きつれてあくせく登っていくと、付き人はまだ馬に乗ったままカストがやってくるのを待っていた。外壁の閉まっている二重門まで来ると、付き人は重くてがちゃがちゃ音のする呼び鈴の綱を引っぱった。遠くでチリンチリンと音がして、それから木靴か金属底の靴がコツコツと音をたてながら石造りの中庭を進んでくるのが聞こえた。そして重い鉄製の門が二つ同時に開きはじめた。歯車の原始的なシステムをクランクで回す仕掛けだ。門が半分も開かないうちに、付き人は無言のままで中に入っていった。崩れかけのアーチの下を通っていくその姿は、写実的な映画に出てくる山賊に似ていないわけでもなく、屈強ではあるが個性に乏しい。後に続いたカストは、秋の高地の寒さにもかかわらず、クランクを回していた年配の女がほんの短時間の労働の後で汗をかいているのに気づいた。歯車がまたゴトゴト音をたてはじめ、門が突然バタンと閉まった。この仕掛けは門が自動的に閉まるようになっているのだろう、とカストは思った。これもまた、防御手段に違いない。

　中は石畳になった広い庭で、似たような二重門のある壁の列を取り囲んでいる。その二列の城壁のあいだ、中庭のまんなか近くに、いささか珍しいことに大きな建物があって、輸送されたものではなく地元の石でできていた。衛兵所かもしれないが、それにしては窓が大きく数も多い（いまはどれも閉まっていて、どうやらカーテンは引かれていない）。コッツウォルズにあるたいていの荘園屋敷と比

ハプスブルク帝国　ハプスブルク家の支配下にあった諸国、諸領の総称。ここでは、オーストリア・ハンガリー帝国（一八六七—一九一八）を指す。

べてもそれほど小さくはないな、とカストは思ったが、そのてっぺんの胸壁のところに、じっとしたままこちらを見つめている数人の子供たちのぼさぼさ頭が見えた。カストと付き人が現れると、さらに数人の子供たちが建物の入口から飛び出してきた。興味ありげだが、妙に黙っている。付き人は子供たちのあいだを通り抜け、なにも言わず合図もしないまま、ぽつんと建っている建物を過ぎていった。そしてまっすぐ、内壁に沿って入口の左側まで伸びている、細長くて背の高い、木造の掘っ立て小屋の中に入っていった。そこが厩舎なのだろうとカストは思った。中世の砦《とりで》には、こういう厩舎がよくあるのではなかったか？

　こちらにやってきた子供たちがカストの馬の手綱を取って、三人が黙ったまま背中にまたがっている仲間の馬の後に続いた。どうもカストにはあまり興味がないらしい。しかし、子供たちが現れた建物にカストが近づいていくと、別の人影が戸口から出てきてこちらにやってきた。背の高い中年女性で、英国の田舎風の不恰好だが見られなくもない服装をしている。その女性が手を差しのべて言った。

「初めまして、カストさん。今日はよくここまでお越しいただきました。なにしろ、トラックなしだとまる四十八時間はかかると思っているものですから」

　思いがけない人物に出会いながらも、いい加減にしてくれよ、とカストはありきたりのことを考えた。「初めまして。トラックはどこに置いてあるんだろう、と思っていたんですが」

「岩底にある洞穴を改造した小屋に置いています。反対側をまわったところの」女が答えた。「ヘイスティングス夫人は雑音が大嫌いで」

「失礼ですが、あなたがヘイスティングス夫人だとばかり思ってました」

「もちろん違います。わたくしはミス・フランクリンと申します。ヘイスティングス夫人の個人秘書で」

「こんなところで生活するなんて、きっと変わった暮らしなんでしょうね、フランクリンさん。それにきっと、つらいこともときどきあるでしょうし」

「おっしゃるとおりです。つらいと思う人も多いでしょう。でも、わたくしはつらくなんかありません。この仕事が好きですから」英国人女性がそう言うと、その言葉は意味があるようにもないようにも聞こえた。

「常道からはずれたことをするのは、べつに悪いことじゃありません——特に最近はね。それを言うなら、人里離れて暮らすのも」カストは愛想よく言った。「こんなに人里離れたところに来たのは、正直言って初めてです。ヘイスティングス夫人の作品が、あんな道を運んでいっても大丈夫だなんて、想像もつきません。あなたはどうなんです、本当のところは？」

ミス・フランクリンは初めて微笑んだ。「実を申しますとね、わたくしには想像できますよ。荷造りをしているのはわたくしなんですから。トラックで運ぶのもわたくしなんです。もし一点でもひびが入ったりしたら、ヘイスティングス夫人は絶対に許してくれません。絶対に」

それに対してカストは、ベンソンが嘆きながら見せてくれた足のない戦士や首が取れて値打ちがなくなったニンフを思い出して、返す言葉がすぐには見つからなかった。しかし、子供たちがまた姿を現した。カストのわずかばかりの手荷物を持って、木造の小屋から出てきたのだ。それでもまだ子供たちはひとことも発しなかった。

「静かな子供たちですねえ！」とカスト。「特に農家の子にしては」

「誰であれ、城内で話すことをヘイスティングス夫人が禁止しているんです」ミス・フランクリンが答えた。「ヘイスティングス夫人かわたくしが先に話しかけたらまたべつですけどね、もちろん。当然ながら、わたくしにはそのルールは適用されません」

「むこうはそれで我慢できるんですか？」

「しょうがないんですよ。ヘイスティングス夫人が来るまでは、城は何世代にもわたって廃墟になっていました。農民はみな飢えて、文字どおり飢えていて、見るも無残な姿でした。それをヘイスティングス夫人がすっかり変えました。ヘイスティングス夫人が雑音を嫌っているのはみな知っていますから、静かにしていることくらいは安い税金です」

周囲を見まわしてみたカストには、そんなに大きな変化がもたらされたとはとても思えなかった。しかし彼はこう言っただけだった。「ぼくはどうなんですかね。ぼくもトラピスト*修道士にならなくちゃいけませんか？」

「いいえ」ミス・フランクリンが答えた。「その反対。ヘイスティングス夫人は、数少ないお客様がたが自由に話していただくことを当然ながら望んでいらっしゃいます。なにしろ外の世界のニュースはひたすらお客様がたよりなんですから。新聞配達が毎日来るわけではありませんし」

ぼさぼさ頭の子供たちが彼らを取り囲んでいた。

「農民はみなここで寝起きしているんです」ミス・フランクリンは続けた。おそらく、荘園屋敷のような建物を指しているのだろう。「この城で寝るのは、ヘイスティングス夫人とわたくし、そしてもち

ろんときどきいらっしゃるお客様だけです」突然、彼女は当地の言葉で、何か早口で長ったらしいことを口にした。子供たちの群れは黙ったまま解散し、大きな内門に向かって駆け出し、潜り戸を通ったらしく、あっというまに姿を消して、いまでは弱くなった光の中でその門はずっと閉まっているように見えた。カストの手荷物は一緒に持っていかれたらしい。

「こちらの言葉はさっぱりですよ」カストは残念そうに言った。「どうも外国語は苦手で。どれくらいの期間で身につけられたんですか？」

「簡単な命令をするくらいしかできません。それを憶えるのにそんなに長くはかかりませんよ。普通の会話をする必要はないんですから」

「それでも、普通の会話がほしいとときどき思うことはないんですか？」

「一度もありませんわ」その声は静かだが力がこもっていた。「ヘイスティングス夫人が話し上手というだけではありません――評判どおりだということはこれからおわかりになるはず――でもわたくしにすれば、おまけに自然もあるんです。わたくしたちイギリス人にとって、自然はとても大切なもの――そうお思いになりませんか？」カストが心からの同意を示すと、彼女は続けた。「でもお部屋にご案内しないといけませんわね。お荷物は、先に子供たちがお持ちしていますので。それからヘイスティングス夫人のところにご案内します」

トラピスト　カトリック修道会の一派、厳律シトー会の通称。一七世紀後半、フランスのトラップ修道院に始まる。厳格な戒律の中には「沈黙」もある。

「それは楽しみです」薄青いウールの服を着たミス・フランクリンのそばで、中庭の残り半分を歩きながらカストは言った。

「ここのは故障していて」内門に近づくと、ミス・フランクリンが言った。「他の門と同じようには開けられないんです。仕掛けがどうなっているのかわかる人間が誰もいないので、錆びるままで放ったらかしになっているんですよ。もう修理は無理でしょう」大きな鉄の門の間柱や蝶番《ちょうつがい》があるなかに、小さな潜り戸があるのが見えてきた。そいつにミス・フランクリンが思い切り背中で押しをくれた。二人がそこを抜けると、ミス・フランクリンが言った。「入るときはいいんですけどね。出ていくときが面倒なんですよ、押すことができませんから」

その十ヤード先に、最後の防御拠点である天守《キープ》がそびえていた。大部分はやはり廃墟らしく、最近人が住んでいた形跡はどこにもない。

外に付いている急な階段のてっぺんにあるもう一つの扉を抜けると、そこはひんやりした石造りのホールに、クローゼット、そして廊下が寄り集まった場所だった。黄褐色で、風通しが悪くて寒く、群がるこだまの他にはなにもない。二人は長いあいだ無言で歩きつづけた。そろそろ夜の帳《とばり》が下りる頃で、あたりはすっかり暗くなっていた。

ミス・フランクリンは古めかしい木の扉の前で立ち止まり（カストの目には、他にたくさんある似たような扉と見分けがつかなかった）、それを開けると、中へ先に入っていった。ここが彼の寝室で、広くて丸天井になっている。明かり取りは中央に四葉形の開口部を持つ狭間《さま》しかなく、大きな昔風の暖炉に火が燃え盛っていなければ、部屋は真っ暗だっただろう（暖炉が部屋の中央にあるような中世

風の造りではなかったので、カストはほっとした）。石床の大部分は、田舎風の模様が描かれている、派手な色の大きなマットで覆われていた。狭くて黒いベッド、堅くて黒い椅子が数脚、でかくて黒いテーブル、それに黒い扉の付いた戸棚のようなものが少なくとも三台あって、分厚い石床に食いこんでいる。最後のうちの一つのそばにミス・フランクリンが立っていた。彼女が扉を押し開けると、板が石床にきしむ音をたてて、カストの心臓も喉元まで引きずられたような感じになった。「ガードローブ*ですよ」ミス・フランクリンは抑揚のない声で言った。

「なるほど、たしかに。ご丁寧に」カストはすっかりばかにされたような気分で答えた。「照明道具はあるんですか？」

「松明《たいまつ》があります」ミス・フランクリンが暖炉の横にある不思議な、魔女草のような束を指さした。「農民が作っているんです。どの部屋にも束が置いてあります。先を火の中に突っこむと、びっくりするくらい長持ちするんですよ」彼女は言ったとおりにしてみせ、火がついた束を伸ばした手に持って立ち上がった。つのる寒さでつい火の方に引き寄せられたカストは、思わず一歩後じさりした。

「怖がらないで」ミス・フランクリンは相変わらず抑揚のない声で言った。「すぐに慣れますよ。それに、たいていの部屋には燭台がありますから」彼女が松明を頭上にかざすと、煙突の両側に鉄の突起があるのが見えた。そのうちの一つに松明を差しこむと、すばやく円を描くようにもう一本の火のついた松明を別の燭台に差しこんだ。どこといって特徴のない頭、ごく平凡な顔立ち、ありふれた服装

ガードローブ　城にある小さな部屋。

をしたミス・フランクリンの頭上で、二束の炎が薄暗がりになった砦の部屋を照らし出している——ありていに言えば、いままで見たことがないこんな光景に、カストはたまげてしまった。

「きっとすぐに慣れますよ」とミス・フランクリン。「それでは数分お一人にしてさしあげますので、それからヘイスティングス夫人に会っていただきます」

「あなたをどうやって見つければいいんですか？」

「外の通路でぶらぶらしていますから」ミス・フランクリンが答えた。「準備がおすみになったら出てきてください」

ミス・フランクリンが出て行くと、カストは一、二分かけて部屋の中をくわしく調べた。それまで説明のつかなかった残りの扉はどれも、なにもない、埃だらけの小部屋に通じていた。ガードローブは名前以上に中世風らしい。水はくたびれた金属製の水差しにしかない。棚もなければ引き出しもなく、どんなたぐいの装飾品もない。荷ほどきをするのは無駄に思えたし、ミス・フランクリンが亡霊のように外で待機している。カストは扉を開けた。

「松明を持ってきて」ほとんど真っ暗がりの中で待っていたらしいミス・フランクリンが言った。カストはぎくりとしたが、そろそろと言われたとおりにした。通路のかすかな隙間風がその冒険を二重に危険なものにしていた。

「それでは、ヘイスティングス夫人のところにご案内します」とミス・フランクリンが言った。

天守の北側には、大きなホールに小さな裏木戸が開いていた。その扉はかつて中庭に通じていたが、

いまでは夫人のスタジオに通じている。ミス・フランクリンがノックすると、入るようにと命じる声がした。カストが入っていったのは大きな部屋で、三方に長い窓があり、そのうちの一つから入ってくる夕陽はまだ半分も衰えていなかった。このスタジオは、最近になって城に増築した部分だと、カストが気づいた最初のものだった。一方の端にはやはり大きな暖炉が燃えていた。その暖炉の片側から伸びている、広くて湾曲した棚に沿って、彩色されているらしい小像の列が並び、部屋の隅をまわって、扉に行く途中まで続いている。部屋の反対側の端には、黒髪の娘が台座に横になっていた。まとっているものはと言えば、腰にふわりと掛けた、派手な田舎風の毛布だけだ。部屋の中央では、女彫刻家が半分しゃがみ、半分床に横たわるというぎこちない姿勢で、まだ形の整っていない大きな彫刻に精を出していた。ローラ・ヘイスティングスは白髪で、背丈は低くも高くもなく、着飾っているわけでもなければ無頓着というわけでもなかった。骨格が良く、肌もなめらかで青白いところからすると、まだ四十は越えていない。顔立ちは古風で、印象的だが、険しくもなければ輪郭がはっきりしすぎているわけでもない。ばかでかい鼈甲縁《べっこうぶち》の眼鏡を掛けているせいで、大きな目が余計に大きく見える。穿いている濃い茶色のズボンはごくありふれた模様だが、茶色い靴は高価そうだ。濃い茶色の厚手の作業着が首のところで開いていて、袖を肘までまくりあげているので、申し分のない形をした手と腕がいっそう引き立って見えた。

ミス・フランクリンがカストを紹介すると、夫人はそこに座ってと大きな羊毛袋のようなものを指し示し、立ち上がれないのを詫びた。台座の娘はまったく気にする様子もなかった。「フランクリンさん、お茶でも出したら？」と夫人がさりげなく言った。するとミス・フランクリンは、その場がまる

でケンジントン美術学校のモデル実習みたいに、暖炉の隅でのろのろとカップの準備をしはじめた。

「こんな暗いところでどうされているんですか」カストはくだけた調子でたずねた。

「長い経験と、努力と、必要に迫られて——よくあることよ」夫人が答えた。「それから才能も、かな。わたしは、もし必要とあれば、明かりなしで作業することもできるのよ」

「あなたは画家のことを考えてらっしゃるんでしょう」ミス・フランクリンがカストに対してピシャリと言った。

「そんなばかな」と夫人。「お客様がびっくりされるのもまったく当然じゃないの」

「でも、絵も描くんでしょう」とミス・フランクリン。「それは暗がりだと無理じゃありませんか」

「何事も訓練よ。何事も」

それまで自信たっぷりだったミス・フランクリンは、この返事で見るからに動揺したようだった。彼女はくたびれた黒い缶からお茶の葉をすくう手を止め、こう言った。「でも、暗がりで絵を描くのは無理でしょう？」本気でたずねている声だった。

夫人は気にもかけずにこう言った。「カストさん、来ていただいて嬉しいわ。あなたの伯父さんはわたしの親友だったの。ぜひニュースを話してちょうだい。何もかも」

儀礼的な会話がスタジオでの儀礼的なお茶会に溶けこんだ。床から立ち上がった夫人の身体つきは細身というよりは筋肉質で、背もカストより少し高い。ミス・フランクリンは暖炉のそばの、どの部屋にもあるらしい束から何本か松明をともし、それをかざして燭台に差しこんだ。女彫刻家が声をかけて、黙っている娘も暖炉のまわりに加わり、あざやかな色の長い毛布をねじってローブのように裸

身を覆った。

夫人は自作について語りだした。彩色をほどこした彫刻を実験しているのだといって、古代ギリシャの色のついた大理石や、エリザベス朝の墓石に彫られた、粗野だが逞しい彫像を引き合いに出した。そして湾曲した棚の上にある小像の列を指さした。「ご覧になって」と夫人が言った。「意見を聞かせてちょうだい」

カストは言われたとおりに茶菓子を置いて棚に向かった。小像はひどく奇妙だった。黒い衣服に白い顔で、はっきりしないが明らかに女性らしく、どれも微妙に異なる姿勢をとっている。同じ人物を扱いながら、顔や身体の表情、それに感情の多様さは驚くほどで、それもまったく込みいったところのない石膏面で表現しているのだ。カストはこんな作品をこれまでに見たことがなかったので、そう口にした。

「いろんな水性塗料を使うのがコツね」と夫人。「これでもまだ実験段階にすぎないから。完成を楽しみにしていて」

「ええきっと。とても楽しみです」彼は茶菓子に戻った。

「これでまた、ロンドンの批評家たちが再評価してくれるかしら？　またみんながわたしの作品を争って買い求めるようになるかしら？」

カストはしばらくためらった。手紙で嘘を書いたことが心にいっそう重くのしかかっていた。「ロンドンには満足なさってないのですか？」と彼はたずねた。

夫人は彼をじっと見つめた。眼鏡の奥にある、大きな目に浮かんだ表情は、さっぱりわけのわから

ないものだった。

「満足していないことは、よくよくご存じでしょう」夫人が答えた。「あなたは世事に通じているし、美術界につきあいがあるし、カスト家の一員だし。カスト！」夫人は声をはりあげて繰り返した。その奥にはどうやら皮肉がこもっているらしく、まるで名指しされた人物のみならず、言葉そのものが特別な苦々しい意味を持っているかのようだった。

「ぼくはただ、ロンドンがどう考えているかということが、あなたにとってまだ大切なのかどうか、わからないと言いたかっただけなんです」カストはあわてて言った。仲違いを食い止めようと必死になったのだが、それは傷口に血を塗るようなものだった。

「そんな言い逃れをしたところで、ますます正体がばれるだけよ」というのが驚くべき返事だった。

「どうしてここにいらっしゃったの？」

カストは慎重に嘘の説明を始めた。

「噂はお聞きになったでしょう」夫人が口をはさんだ。「なにしろ噂に囲まれてるから。どこにでも伝わってくるの」カストは無口な使用人たちを思い浮かべた。そのうちの一人は彼から四フィートも離れていない。

「噂なんか聞いていませんよ」

「あなたのこと、思い違いをしてたのかしら？」夫人は力をこめてたずねた。「本当のことを教えてちょうだい」

カストがそこでまたためらったのが命取りだった。

「やっぱり」夫人が苦々しく言った。そこで間が空いた。ミス・フランクリンはしばらく前に食べるのをやめて、毒々しい目つきでカストを見つめていた。モデルはただ退屈そうにしていた。モデルというものはどこでも一緒だ。

「気が変わったわ」やっと夫人が、相変わらず苦々しく、だがくたびれたように言った。「出ていってもらうつもりだったけど。でも、ここにいたかったらいてもいいわよ。一週間滞在する予定だったんでしょう。だったら一週間にしましょう」

じっとしたままのミス・フランクリンから音が聞こえたようだった。

「どうしてお湯がないのかしら」夫人がたずねた。ミス・フランクリンは重そうな、彩色されていない大きな水差しから薬罐《やかん》に水を入れた。そして湯を沸かしはじめた。

「ぼくにはさっぱりわからないんです」カストは用心深く言った。「でも、あなたがぼくについて思っていることは正解です。どうしてここに来たのか、その理由をお話ししたいのですが。よろしいですか？　言ってみれば、動機が変わったので。それはたしかです」

夫人はまばたきせずにずっと彼を見据えながら、深刻そうにうなずいた。

「イギリスでは時代が変わりました」と彼は言いはじめた。

夫人はまたうなずいた。

「ぼくはジャーナリストなんです」彼は少し間を置かなければならなかった。それでも、もう一度夫人はうなずいた。驚いた様子はなく、拍子抜けするほどだった。

「あなたにインタビューするために派遣されてきました」

「何を訊くつもりで？」

「あなたの作品や、ここにお住みになっている理由、それから生活全般を」

「ここに住んでいるのは、インタビューされないようにするため。インタビューされたくないのは、一つには作品があるから、もう一つには生活全般があるから」

「でしょうね」

「あらそう。来た理由は他に？」

「他に二つ」

「好奇心？」

「伯父があなたのことを少し教えてくれました。亡くなる前にときどき。亡くなったのはご存じでしたか？　ついこの前のことなんです」

「あなたみたいな客が、知らせを持ってくるわ」

「それなら申し上げますが、ベンソンさんがとても心配していらっしゃいます。作品の売り上げが落ちていることはご存じですよね。ベンソンさんの話では、あなたはもうじき破産すると。ベンソンさんもそうなるとか。とにかくそうおっしゃってます。あの人の意見では、あなたがイギリスにいらっしゃるのが唯一の手だと。それなのに、あなたは不十分な理由で引き延ばしていらっしゃる。とにかくあの人からはそう見えるそうです」

「わかった」と夫人。「いろいろ教えてくれてありがとう」

「これでお話しすることはぜんぶです」

薬罐が沸騰しはじめ、ミス・フランクリンはそれに対処しようとしてうっかり左手を火傷《やけど》してしまった。

それから一時間ほどの会話のあいだ、カストにとって異常に思えることはなにも起こらなかったが（マルカントニオ城に入ってから、カストの正常の基準は変化していた）、外の世界での退屈な出来事について夫人が尋常ならざる知識を持っていることに、カストがまた触れる機会があった。

「そんなことは、夫がぜんぶ教えてくれたわ」夫人が答えた。カストがおそらくかすかな困惑の色を浮かべたせいで、夫人はこう続けた。「亡くなる何年も前に別れていたけど、夫は二度ほどここに会いに来たの」

「そうですか」カストは礼儀からさも興味がありそうな口調で言った。

「飛行機を城の中庭に着陸させて。もちろん、ありえない話。特にあの時代には。でも、夫はありえない男だったから。その後で、夫は同じ場所から離陸に成功したわ。それももっとありえない話」

「二回めはしなかったんですか？」

「二回めはまったくありえない話だった。夫でも」ベンソンがヘイスティングスの死について語ったことを思い出して、夫人が何を言っているのかカストにもわかったのは、しばらくしてからのことだった。

モデルが外の農場《グランジ》（と夫人がそう呼んでいるのをカストは耳にした）にある家に帰され、ミス・フ

ランクリンが滑稽なことに松明を持ってスタジオから出ていった（度を越したリアリズムと言えそうな、村の野外演劇に出てくる女教師みたいだ）、その後で夫人はカストに城壁を一周してみないかと誘った。「日が沈んでからでないとスタジオを出ないの」と夫人が説明もなく言った。「でも、ひどい運動不足なので」馬に乗って延々と時間を過ごしたカストにしてみれば、これは御免こうむりたかったが、夫人と一緒にくねくねとした階段をいくつも上り、狭い戸口をくぐり抜けて欄干《らんかん》が付いた道に出ることになった。

「寒くないんですか」凍えるような風がいきなり吹きつけてきて、彼はたずねた。

「夜風には慣れてるのよ」夫人が答えた。「なんとかあたたかくしてるから」

はるかに厚着をしているカストは、身体じゅうがぶるぶるふるえた。バルカンの冬が近づいているのだ。

道はどこも中世風に不規則で、下の中庭との高さも幅もまちまちだし、ところどころに不揃いな上り段が付いていた。しばらくすると道はごつごつして、石が割れ、危険だった。石段も海辺にある白亜でできた崖のように内側に削れていた。気がつくと、右手には手すりがなく落ちたらまっさかさまに三十フィート、左手には六フィートの城壁で、幅十八インチしかない凸凹した石畳を暗がりの中でそろそろと這っていくはめになったのもしばしばだった。崩れた石が散らばっているのをやっとの思いで越えることもときどきあった。ときおり夫人は、穴が空いてるから気をつけてと、短い言葉を口にした。その夫人自身はと言えば、夜目にも明らかに、軽やかに跳びはねるような、正確で優雅な足どりだった。

一周を終えると、夫人が言った。「もう一周しましょうか、それともファイヴズ*をなさる？　地下室にコートがあるから」ふるえると同時に息を切らしているカストは、服も埃だらけで髪も乱れていて、信じられないくらいに涼しい顔をしている夫人の前で愚かしい姿をさらしているように感じた。「ファイヴズはなさる？」夫人は礼儀正しくたずねた。

カストはかつて、ペアを組んで、学寮選手権の準決勝に進出したことがあり、彼の学寮はファイヴズでは全校で随一の学寮だと思われていた。そういった細々としたことには立ち入らずに、何年もプレーしていないとだけ答え、「それに、服もありませんから」と付け足した。

「もしなさるんだったら、服をお貸しするわよ」夫人が答えた。「だいたい同じくらいのサイズだし」

天守にふたたび入ると、二人はすぐに夫人の寝室のドアにたどり着いた。「お入りになって」と夫人。

その部屋はかなり広いが、彼の部屋に似ていた。同じように燃え盛る暖炉があるし、同じようにわずかばかりの黒い家具があって、大きな四角いベッドはまったく質素で見たところひどく古い。頭上には、くすんだ茶色のカーテン二枚で覆われた絵が掛かっていて、聖像だろうとカストは思った。夫人は、同業者の多くと同じで、おそらく信心のしるしを大切にしているのだろう。芸術家の寝室の唯一の装飾としては、その聖像は粗末なもののように思えた。金箔もなければ刺繍もないし、十字架やその他の紋章もない。茶色の覆いはハンセン病患者の顔に掛けたベールを想わせる。夫人が部屋に入っ

ファイヴズ　インドア・スポーツの一つ。二組のプレイヤーが壁から跳ね返るボールを打つ。ラケットを使わない点を除きスカッシュに類似する。

たとき、すでに燭台に灯されていた数本の松明の明かりで、暖炉の反対側にある長い壁が床から天井まで書物に彩られているのをカストは見た。本棚の列はところどころで途切れて、壁に設けられた三角形の窪みに沿って続いていた。ゆらめく炎の明かりで見た全体の雰囲気には、かすかに邪悪なものがあった。まるで錬金術師が悪魔に借りた書斎を目にしているようだ。「素晴らしいコレクションですねえ！」と彼は言った。

「ごたまぜよ」夫人が答えた。「ここに来たとき、ロンドンの家を家探しして、本をぜんぶ持ってきたの。ここだと読書の時間がたっぷり取れるかと思って」

カストは無作為に一冊取り出し、扉のページをのぞきこんだ。「『鏡の回廊』」と彼は読み上げた。「クリス・マッシー著」

「それは憶えてないわ」と夫人。「思ったほど読書の時間が取れなくて」

しかしカストはあたりを見まわしていた。そして言葉が出そうになるすんでのところで、たぶん愚かなことを言ってしまうのを抑えた。この部屋には鏡がないのだ。思い出してみれば、自分の部屋にも鏡がなかった。

暗い砦の窓に引かれていた、丈があって細長い、寒色のカーテンの一枚を、夫人が開けておいたらしい。暗い窓の下枠にまで達している朝顔口には、引き出し付きの大きな衣装箱が置いてあるのが見えた。引き出しを一つ開けると、そこには夫人が着ているのと同じような服がたくさん入っていた。

「好きなのを取ってちょうだい」と夫人。「ここで着替えてもかまわないわよ」暖炉の脇にある小さな扉を開けると、夫人は松明を持ってそこに入っていった。中は小さなクローゼットになっていた。「主

人が訪ねてきたとき、よくここを着替えの部屋に使っていたわ」と夫人。カストにすると、この部屋はそんな目的に使うには寒すぎた。

　ファイヴズをするのも、これが彼にとっては最後になった。下手なところを見せた原因の一端は間違いなく、効果的に配置されていたものの、松明の明かりでは不十分だった点にある。それに、彼はこれまでもっぱらダブルスをやっていて、それだと困ったときによくパートナーが助けてくれたものだ。とはいえ、たとえ実戦から遠ざかっているわけでもなく、日中にプレーしたとしても、夫人と互角に渡り合うことなどできなかっただろう。それも、夫人が近眼らしく大きな眼鏡を掛けたままプレーしているのに。苦戦を続けているあいだに、恥ずかしい思いが耳虫のように頭の中ではいずりまわっていた。年が経つうちに、まるでかつて全校代表になり、キネアード杯で優勝したこともあるような気分になっていたのは、いかにも自分らしい話ではないか！　十分にトレーニングを積んだ専門家がプレーしても、このゲームにははっきりと危険な要素がひそんでいることを、見落としていたのはまったく愚かだった。この最も活動的なスポーツで、自分の盛りが過ぎたことをカストは思い知った（とはいえ、夫人より十五歳ほど年下で、近視というよりは遠視だし、それに言うまでもなく男だったのだが）。

　自分の服に着替えた後、彼らはスタジオで食事をした。食事は田舎料理だが、ロンドン近郊の芸術家がよく好むものとさして変わらなかった。とにかくも、マルカントニオ城での食事は驚くようなものではなかったとは言える。給仕をしたのはひとこともしゃべらない不細工な農夫で、二人の女性はこの男のことをフィッシャーと呼んでいた。ミス・フランクリンは少し風邪を引きはじめているよう

だった。「日がだんだん短くなってきましたから」と彼女が言った。

食事が終わり、召使が濃いブラックコーヒーと大きな丸いトレイに載せたハルバ*を運んでくると、夫人が話を始めた。身体中が痛くて疲れているカストにとって、終わりなきバルカンの夜のうちに時間が思考から消え去った。彼は生まれてからこの方、こんな達者な話芸を聞いたことがなかった。達者な話芸のみがもたらす、同時的で、対等で、しかも深遠な自己喪失と自意識の至高状態を、これまで一度も経験したことがなかった。達者な話芸はいつ終わったのか誰も憶えていないものだ。というのも、そういう会話は、日常生活を営んでいるときに知性と感情を監視している見張り番を圧倒してしまうからだ。カストの頭の中に残っていたのは文句の切れ端と逸話の一部だけで、その中には、阿片常習者が楽園からときおり持ち帰って、目覚めた瞬間に注意深く書き留めた無意味な一文と同様に、日常的な経験とはまったく無関係なものもあった。

ある時点でミス・フランクリンが、粗末なハンカチで洟《はな》をかむのを詫びながら、退室していた。いったいどれくらい遅くなったのかわからないまま、カストは夫人に案内されて自分の寝室の戸口までたどり着いた（城の地理はまだおぼつかなかった）。夫人の言葉で、すべてが拡大されてはっきりしたような、まるで神になったような気分だった。

彼はベッドの脇に数分間座っていた。男性にはありがちだが、彼も寝室に入るなり服を脱ぎはじめる気にはならなかったのだ。そして、状況を整理し、「スーツケースを置いて暮らす」（とても小さいものだが）という先行きに不快感を覚えながら、かといって所持品を部屋のあちこちに散らばらせて

おく気にもなれず、この見苦しい部屋を以前にもましてじっくりと調べてみることにした。二つある戸棚の片方の扉を開けると、その中の床に黒いかたまりが横たわっているのが見えた。この黒いかたまりは前に調べたときにはなかったものだ。おずおずと調べてみると、それは女物のハンドバッグだった。口が開いていて、スリが財布を捨てるみたいに、戸棚の隅に放りこまれたような雰囲気があった。

戸棚の扉を開けたまま、カストは部屋を横切り、暖炉から最も離れた端の近く、松明がいちばん明るく燃えているところに行った。暖炉に背を向けて、バッグを調べてみる。安くもなければ高くもなく、大きくもなければ小さくもない。中流階級のハンドバッグだろう、とカストは判断した。あまり魅力的ではない今風の文字でFのイニシャルが付いている。中身は空っぽらしい。

暖炉の方に向き直ったカストは、憤慨しながらも、どういうわけか少し怯えていた。ちょうどそのときバッグが石の床に落ち、心臓が引き裂かれるような痛みが走ったかと思うと、暖炉のそばに若い女が片方の腕を高いマントルピースに伸ばして立っているのが目に入った。なめらかな黒髪を肩まで垂らしている。着ているものは黒いイブニングドレスで、襟ぐりが深く、裾は地面に届くほど。松明に照らされた顔は正面を向いて青白く、口元はやわらかくて黒かった。

「ごめんなさい、ごめんなさい」女が言った。やさしいが切迫した口調だった。

ハンドバッグと（おそらく）その持ち主の存在が合わさると、自然に答えが出てきた。

「ぼくが部屋を間違えたんです。ここじゃ迷子になってしまうんで。まだ道順を憶えられないんです

ハルバ　プディングに似た中東の菓子。

よ……」

　しかし、ローラが戸口まで連れていってくれたのだ。それに、床の上には自分のイニシャルが付いたスーツケースがある。彼はしばらく立ち尽くしてそのイニシャルを見ていた。

「あなたを待っていたんです。ごめんなさい」心地のいい低い声だが、たしかにロンドンの中流階級のものだ。訴えるためらいがちな仕草はより個性的で、心動かされるものだった。

　カストは気を取り直した。「何の御用ですか？　お座りになりませんか？」

　女は小さな黒いスツールに腰をかけた。「どれだけご存じなの？」

「この城に着いてから、ますますわからなくなりました」カストは愛想よく答えた。「何を知っていろとおっしゃるんですか？」

「あの人、わたしのことを話してなかった？」

「そうは思いませんね。たぶん、あなたが誰だかによります。あなたはどなたですか？」

「フェリシティのこと、話さなかった？」

「いいえ。あなたはフェリシティなんですか？」

「きっと話すわ。でも、あの人の言うことは信じちゃだめ」

「ヘイスティングス夫人のことをおっしゃってるんですか？」

「ポピーはもっとひどくて」

「ポピーとは？」

「ポピー・フランクリン。あの人は手段を選ばないの。絶対に気が狂ってる」

「そんなばかかな」カストはさらに愛想よく答えた。若くて、魅力的で、着飾った女性とこんな会話をすることから得られる楽しさにもまったく屈しないという点では、彼も他の男性たちと大差がなかった。

「今日来たばかりなんでしょ」

「あなたはいついらっしゃったんですか？」

「本当のことを言っても、きっと信じてもらえないから」

カストは女を見た。女の口調には遠慮がちなところがなかった。彼はしばらく考えた。「どうやってここに入ったんですか？」

「戸棚に隠れていたのかも」

ハンドバッグのイニシャルが彼の顔をじっと見つめた。「これはあなたのものですか？」彼は女にそれを差し出した。

女はそれを受け取ったが、気のないそぶりでスツールの横の床に置いた。「あったと思ったらまたなくなって」と女。礼を言うわけでもない。

「もう一度言いますが」彼はたずねた。「何の御用です？」

「わたしを助けてくださる？」

「何をするのを？」

「逃げるのを。あの二人から。二人は、もちろん、お互いに憎みあってるんだけど、どちらもわたしをここに引き留めようとしてるの。それぞれ、別の理由で」

このとき、実に意外にも、カストは新しいことに気づいた。「スタジオにあったあの小像。あれはあなたなんですね」似ているのは間違いなかった。

「ええ。たしかに、わたしはローラの素材なの」その口調がどういうつもりなのか、カストにはよくわからなかった。「ここしばらくのあいだ、彼女の唯一の素材」

「しかし、そんなはずはありませんよ」カストは答えた。「つい今日の午後、農家の娘がスタジオでモデルをしていたんですから」

「わたしに似てた？」

「まるで違います」その質問をカストはくだらないと思った。

相手が短い笑いを返したので、カストはさらに途方に暮れた。すると女が言った。「金の卵を産むガチョウか」

どういうつもりなのかさっぱりわからず、カストは答えた。「以前に比べると、金の卵も少なくなりましたからねえ。需要も落ち込んでるし。ヘイスティングス夫人にはイギリスに来てもらわないと」

またもや反応は予想外だった。女はぐいっと彼の方に身を乗り出してわめいた。「だめ、だめよ。それはだめ。お願い。たのむから」

女の心配は、カストには強引に感じられた。ミス・フランクリンは気が狂っていると非難するが、フェリシティこそ気が狂っているのか、それとも動機が入り組んでいて、へとへとに疲れた男が早朝のいつなのかわからない時間に解明するのは無理なのか。退屈そうな声で彼はこう言った。「もうおしまいにしませんか。明日にまた続けるのはどうです？」

しかし、女の答えはとても冷静だった。「すみません。ごめんなさいって、最初から謝ってるでしょ。どうしてほしいか、手短に言ったら、話を聞いてくれる？　助けてあげると言ったじゃないの」

カストにはそんなことを言った憶えはない。しかし、疲労感に襲われて、叱るつもりも不思議に思う気持ちもなかった。「じゃあ、いいでしょう」

女は少し身体を起こし、ハイヒールの靴を彼の方に伸ばした。「ここには誘われて来たの。誘ったのはポピー・フランクリン。パーティで会って。あの人は、あれやこれやで、ときどきイギリスに帰ってるの。わたしは生活に困ってた。ロンドンがどういうところか、あなたもご存じでしょ。マルカントニオ城に三週間滞在するのが、あなたにはいちばんいい、そうポピーは言ったわ。ポピーみたいなおばあちゃんが一緒だったら、なにも心配することはない、と思って」言葉がそこで途切れた。

「ということは、まず最初にフランクリンさんの友達だったんですか？」カストは空白を埋めようとした。

「ここにいるのが寂しい、とあの人はあけっぴろげに言ったわ。ときどき寂しさを感じずにはいられないって。まあ、それはたしかに本当。でも、ローラに会った瞬間に、状況が一変したの。あの忌々しい彫刻ったら。言葉が汚くてごめんなさい。まだロンドンの女性はそんな言葉を使ってる？　『そういう時期』っていうだけだと母はよく言ってた。『そういう時期』だって」返事をもらえるものと思っているらしい。

「いまでもロンドンの女性は忌々しいって言いますね」カストは半分訝《いぶか》しい思いで、半分あくびをしながら言った。

「よかった」女はさらに力をこめて繰り返した。「よかった……。まあ、とにかく、わたしはちょうどローラが探し求めていたものだったわけ。ちょうどほしかったモデル、あらゆる点でちょうどぴったりの。話をかいつまんで言うと、それ以来わたしはずっとここにいるの。ここまで来る道がどんなものかご存じでしょ。あの人たちの手助けなしには、ここから逃げられない。どうすることもできないの。それでも結局は逃げ出そうとしたけど」女は興奮しはじめているように見えた。

「何があったんですか？」荒唐無稽な話でも、不気味なほど本当らしく思えてきた。

「ここが大切なところよ。誰にも言わないって、約束してくれる？　あの人たちがわたしのことを話さないのなら、それなりの理由があるはず。約束して。お願い、約束して」この訴えには、気がふれているわけでもない人間の真剣さがかすかにあって、それが突然カストの心を深く動かした。

「約束します」と彼。「約束しますよ、心から」

「ありがとう」と女が言った、そのひとことが嬉しかった。

　女がそれ以上なにも言わないので、「教えてください」とカストはやさしく言った。

「札入れを盗られたの」女はとても低い声で続けた。少しふるえている。「わたしのお金がぜんぶその中に入ってた――もし誰か助けてくれる人を見つけたら、帰れるだけの現地の通貨があったの。パスポートも。何もかも。ポピーがパスポートを暖炉に燃やしてしまって。ここでは暖炉がずっと燃えてるの、一年中。あなたが見つけたハンドバッグ、戸棚に放りこんだのはあの人たちよ」

「ぼくが最初に部屋に入ってきたときにはなかったんですが」カストは口をはさんだ。しかし女は気にもとめなかった。目が輝き、肌が潤んでいた。

「ここはかつてわたしの部屋だったの。来客用にとってある部屋。持ち物を捨ててしまうと、下の部屋に移された。ここから下に降りる道があるの。下の部屋は牢屋なの。昼も夜もこんな恰好をさせられて。それがわたしをここに閉じこめておくのに役立つわけ。他の服はぜんぶ隠されてしまって。マルカントニオ城では物を隠すのは簡単だから。どんなものでもうまい場所に隠されていて、二度と見つからないわ」女は立っていて、激しく身ぶり手ぶりをしていた。どの松明もかすかに燃えているだけで、女の影をずんぐりとした動きの鈍いものにしていた。

「そこが牢屋だとしたら、どうやってここまで上がってきたんですか？」

「出方を憶えたの。あの人たちはそのことを知らないわ。言わないって約束してくれたわね。約束したでしょ」

「約束しましたよ」

「ポピーは毎晩、違う時間に見まわりに来て、のぞきこんでいくの」

カストは無意識のうちに探っていたチャンスをようやく見つけた。「いますぐ帰って、どうするかは明日に話し合うほうが安全じゃないですか？　そのあいだにじっくりと考えてみます。心配しないで。きっと助けてあげますから。大丈夫ですよ」記者としての手腕は他の点ではたいしたことがないカストでも、夜に思いついたアイデアは朝になったら捨てたほうがいいということくらいは学んでいた。

しかしながら、フェリシティは恥ずかしくなるほど悲しんでいるように見えた。影のような姿は、大きなマントルピースの上棚の暗い隅に引きこもってしまったようだった。その態度のすべてが、カストに向かって失望を告げていた。すすり泣いているのはほぼ間違いない。

涙が小さく噴き出し、喘ぎ声をあげるのが聞こえた。それから別の音が聞こえてきた。外の石を敷いた通路を足が駆け抜けていく音。コツコツコツという女性の早足だ。喘ぎ声は暗くなった部屋の中からなのか外からなのか、カストにはわからなくなった。恐ろしいほど胸が痛くなる。このままじっとしてはいられない。

一瞬勇気が出て、扉に向かった。その日の出来事のせいで、他の感情はすべて霧散していたのだ。フェリシティの姿はもうほとんど見えなかった。

外は真っ暗だった。駆ける足音はドアの前を通り過ぎていた。苦しそうな声が走っている人間から出たことはもう間違いなさそうだ。

何秒後かはわからないが、城が立っている岩盤も揺るがしそうな、ガシャンという大きな金属音が一度鳴り響いた。もうそれ以上、音はしなかった。

「夫人は雑音が嫌いなはずなのに！」カストは知らないうちにそんなばかなことを考えていた。

戸口から部屋に戻り、慎重にドアを閉めると、松明がほとんど燭台のところまで燃え尽きて、床に倒れそうになっているのが見えた。フェリシティがいなくなったと知ったのは、よくよく目を凝らして見た後のことだった。ハンドバッグもなくなっていることに気づいたのも後のこと、新しい松明に火をつけてからだった。

疲れているのでもうそれ以上頭を使う気になれずに、戸棚を調べたり、秘密の階段が下から続いているのを探したりはしなかった。扉に錠を掛けると、服を脱ぎ捨てて窓のカーテンを開けた。四葉形の開口部のむこうには朝日が射していた。

　翌日は拍子抜けだった。倦怠と言ってもいいほどだ。

　腕時計が十時を指している時刻に、カストはフィッシャーが鍵の掛かった扉を叩く音で目を覚ました。入ってきたフィッシャーは簡単な朝食を運んできていた。カストはまだ眠そうにしながら、まだ火がついていた暖炉を熾《おこ》しなおしているフィッシャーからちょっと話を聞き出そうとしてみたが、失敗に終わった。しかしその後で、フィッシャーは熱湯が入った大きな真鍮製の罐と、温かいタオル、それに口の広い土製の器を持って戻ってきた。なにも言わずに食事の残りを片付けてからフィッシャーが去って、カストは着替えをすることになった。

　この頃になると、カストは前夜に起こったように思われる出来事の客観性に大きな疑問を持っていた。まだひどい睡眠不足で、どんなに禍々しい幻覚でも信じてしまうような状態だった。しかし、戸棚をのぞきこんでもどれも空だし、壁をぐるっと調べても頑丈だし、気乗りのしない様子で床の何箇所かを踏みつけてみても反応はなかった。次はどうするか、どうすることが予定されているのかさえ、さっぱり見当がつかなかった。フィッシャーがふたたび現れることもなかった。ローラとミス・フランクリンはどこにいてもおかしくはない、と思った。ベッドを整えたほうがいいか？

　ベッドの整え方をよくわかっているわけでもないし、見慣れない模様をした古めかしいベッドなら余計にそうで、彼は持ち物をスーツケースにまとめて鍵を掛け、そんな必要はないのにそれをベッドの下に置いてから、部屋の外の通路をそろそろと進んでいった。誰の姿もない。物音一つしない。ローラのスタジオの外にある大きなホールに着くと、しばらく立ち尽くしてから、ホールを横切ってスタ

ジオの扉をノックした。その音は大きく響いたが、返事がない。どうしたものかとしばらく迷ってから、カストは今風の取っ手を試してみた。鍵が掛かっているようだ。廊下をうろうろしているうちに、ローラの寝室から降りてきた記憶がある、階段にたどり着いた。さらに進んで、これまで通ったことのない通路を通り、角を曲がると、行く手を古風な扉に阻まれていた。鍵が掛かっているらしいが、それだけではなく、まるで何世紀も鍵が掛かっているようだった。カストは鍵穴からのぞいてみようとしたが、たちまち蜘蛛が小走りに現れて、思わずびくっとした。蜘蛛は走るのをやめ、まるで木枠に貼りついたみたいにじっとしていた。

　カストは後ずさりして、曲がりくねった階段を上った。ローラの部屋の扉まで来ると、さらに長いあいだ立ち尽くした。それからノックしてみた。何をすればいいのかぜひ教えてもらいたくて、空虚な音がこだましても、三度ノックした。今度は取っ手を試してみることもせずに、よくわからないままふらっと立ち去って通路を進んでいった。この高い階では、通路は一方向に伸びている。他の方向には石造りのかたまりしかない。すぐにカストは、ローラと一緒にそこを抜けて城壁の道へと出た、小さな戸口にたどり着いた。そのときは気づいていなかったが、いまそこには扉があって、閉まっていることに気づいた。この扉にも鍵が掛かっていた。この部分を照らしている小さな窓から、小さな中庭が見えた。そこは汚くて、廃墟のようで、閑散としていた。中庭の壁のむこうには、使用人たちの農家の屋根が見えている。風の強い、曇り空。荒々しい灰色の美しい雲が視界のむこうにたなびいていた。カストが進んでいくと、通路は突然、いささか危なっかしく下っていって、ローラのスタジオの外にある大きなホールへと続いていた。ホールの反対側、丸天井の高いところに、カストは自分が

立っているのと同じ開口部と思われるものをかろうじて見分けることができた。かつては、ホールの床から高い位置に木の橋か回廊があって、通路の二つの部分をつないでいたのだろう。もう一方の部分には、行けるとすれば、そこの階段でしか行けないはずだ。

　これ以上進むのはどうやら無理らしいので、カストは寝室の方に戻った。途中に扉がいくつかあったが、そのうちの一つは城の厨房のものに違いない。最初にこの建物に入ったときも、ローラと一緒に松明で照らされたファイヴズ用のコートに降りていったときも、この通路を逆方向に通ったことがある。しかし、夢の中で足音はその方向に走っていくようだったし、びっくりするような金属音が聞こえたのもそのあたりからだったような気がする。そういうわけで、カストはしばらくためらった。それから進みつづけて、どうやら大きな地下牢にあるらしいファイヴズ用コートへ降りる階段を無視すると、最初、外の世界からミス・フランクリンに続いて入った扉へとすぐにたどり着いた。その扉に鍵が掛かっているのを知ったとき、フェリシティは夢ではなかったんだと考えざるをえなくなった。彼女は囚われの身だと、およそのところごく静かに、そしてもっともらしく言っていたではないか。だとすれば自分は？

　断固たる決意を持って、もっと調べてみよう。フェリシティは彼の部屋の真下にある部屋のことを言っていた。そんな部屋があるのかどうか、そこにたどり着けるのかどうか、調べてみよう。たどり着いたところが空っぽだったとしたら、あるいはその部屋が存在しなかったとしたら、昨晩ひどく疲れていたせいだということになる。あの騒々しい鉄の音についても原因を突き止めてやろう。

　少し進むと、建物の反対側の、カストが蜘蛛に追い払われた角と対応する角に出た。今回は通路は

大きな窓で終わっていて、左手には幅の広い石の階段が闇の中へと降りていっている。粗末なガラス一枚でできた窓は、縁がパテでへたくそに塗ってあり、ガラスと塗装の技術水準はおそらく当地ではこんなものだろうが、カストが城で見たうちでは飛び抜けて大きな窓だった。そこをのぞきこんでみると（どこも開けられない）、どうして窓がこんなに大きいのかわかったような気がした。その窓からは、崩れかけた城の南側の壁が見える。しかし城の下およびその壁の下は岩の絶壁で、見たところ三〇〇フィートは優にある。城のその正面は、さほど防御の必要がない。防壁はたいして問題ではなかった。下の地面から半分ほど上がったところでは、岩が実際に外に向かって張り出しているいるように見える。その下には窪みがあるのだろうと思ったが、そうすると結局そこをよじ登るのは不可能なことになる。平地は城の岩場から少し離れたところにしか見えない。それでも彼は、砦に空いた大きな裂け目を、以前は何が埋めていたのだろうと考えた。こんな場所に位置してはいても、まったく防御されないままになっていたとは考えにくい。このガラスは、おそらくスタジオを増築したときにはめられたものだろう。そこからのぞいても、目の前に広がる黄色い岩だらけの平地から、さほど遠くない、もっと黄色い岩山の麓にいたるまで、なんの生き物もいなかった。鳥すらいない。

　自分の部屋より下にある部屋は、岩をくり抜いた独房であってもおかしくなさそうだ。横にある階段を下ればそこに行けるかもしれない。しかし、妙な服装をした昨夜の若い女性にそこで出会うというのは、とてもありそうには思えない。おまけに、明かりが要る。思いつくのは城に山ほどある物しかないが、昼近くなのにそれを持って正当な用件もない場所に下りていくのは気が引ける。「フェリシティを救い出す」というのは有効な反論には思えなかった。

そのときふと、フェリシティとの会話が、次の晩に二人でさらに検討すると約束したこと、そして彼女を助ける自信があると表明したことで終わったような気がするのを思い出した。そこで部屋に戻り、松明に火をつけ、もと来た通路をたどって、断固として階段を降りていった。地下には上階にあるのと平行に走るいつもの通路があったが、今度は真っ暗でしかもじめじめしている。その通路を進んでいくと、左手に扉があって、しばらくするとまた扉があった。二つめの扉は一つめの扉よりかなり大きく、横木には何かすりきれた彫刻らしきものがほどこされているようだった。どちらの扉が自分の部屋の真下にある部屋に通じているのか、カストには判断がつかなかったが、どちらもありそうだ。どちらの扉も監禁場所には特に向いているわけでもなかった。というのも、カストが上階で目にした多くの扉に比べれば、明らかに貧弱で、後になって作られたらしいからだ。それでもカストは、夢を最後まで見届け、可能性の最後の灰を踏みつぶそうと心に決めていたから、すぐにそれぞれの扉をノックしてみて、いつもどおりに返事がないので、まず自分の名前を名乗り、それから強引に押し入ろうとした。どちらの扉も鍵が掛かっていたが、その日に開けようとしたどの扉ともまったく違って、ガタガタと前後に動くので、囚人がそこそこ本気を出せば簡単に出られるのではないか。それに鍵穴からは、思いがけないことに、ぼんやりと明かりが見えていた。そこの部屋が貯蔵室であり、城の岩の高いところに穿たれている小さな穴から光が入ってくるのだろう、とカストは思った。こうした部屋に通じるためだけに、わざわざ原始的な道具を使って、自分が立っている岩の長い溝を作るほどのことではないだろう。しかし、こういう地下の個室をもっと作るつもりだったのかもしれないし、特別に安全な貯蔵場所になるのかもしれない。もしかすると、この通路はもっと先のもっと重要なとこ

ろにつながっているのかもしれない……。そうして、二つめの扉の外で考えこんでいるときに、カストは自分が立っているあたりに煙草の吸殻の山ができていることに気づいた。それもただの吸殻ではない。その多くは半分も喫われていないのだ。ローラもミス・フランクリンも前の晩に煙草を吸っていたし、後者は喫煙者にはよくあることで、煙草を喫ってはカタルがどうとか喉の具合がどうとか愚痴をこぼしていた。

　カストがまた扉をガタガタとやってみなくてもすんだのは、すぐむこうに城の井戸があることを発見したからだ。松明に慣れていないのと、扉にばかり気を取られていたせいで、それまで気づかなかったのである。その井戸は、なぜ手間をかけて通路を作ったのかというだけでなく、なぜ煙草が落ちていたのかという理由にもなる。というのは、明らかにいまでも水をそこから汲み上げているからだ。引き上げられたロープの先には、亜鉛メッキをほどこした安物の新しいバケツが見えた。岩床には、かなり新しいバケツがさらに何個かころがっている。つい最近にこぼしたと思われる水とつい最近につけられた足跡のせいで、通路の端に残されているかすかな土が泥になっていた。気を取り直したカストは、一部始終を思い浮かべることができた。バケツがゆっくり下ろされ（どれほど深いのかはわからない）、水が汲まれて、バケツが上げられる。おそらくは使用人だろう。そのあいだに、そいつが煙草に火をつける。しばらくして、地下の暗がりの中で水を運ぶという差し迫った用事のために、その煙草を捨てる。それに、ここにじっとしていると、いつ何時水を汲みに来た人間に見つかる可能性が高い。結局のところ、ばかげた考えかもしれないが、いまは昼食の準備中なのかも。ばつの悪い言い逃れをするのを避けて、カストはすぐに自分の部屋に戻り、無事に松明を消すことができた。

他にすることもなさそうなので、またスーツケースを開けて、一冊の本を手探りした。からまった数枚のシャツの中から引っぱり出したのは、見送りに来てくれた友人からもらった本だった。その週に書店を賑わせていた、ある将軍の戦争回顧録だ。尋常ならざる経験をした後では、カストにとって将軍の人物像は驚くほど慰められるものだった。将軍の人生観はごく普通のものだし、戦時中に平和という大義のために誠実かつひたむきに貢献しようとする姿を見ていると、カストがこれまで思っていたよりもいい奴ではないかという気がした。しばらくすると、扉をノックする音がして、ローラが謝罪の言葉を口にしながら入ってきた。

「昼前には起きられなくてねえ。ミス・フランクリンにはあなたのお世話をするように言っておいたんだけど、けさはあの人も起きてなくて。病気みたい。お世話ができなくて、本当にごめんなさい」

「まったくかまいませんよ。気にしてもらわなくて結構です。ミス・フランクリンはどうなさったんです？」

「風邪の具合が急に悪くなったみたい。汗びっしょりで、熱があるんじゃないかしら。意識が朦朧としてるみたいで。こちらが言うこともわかってないらしいのよ。わたしは病気のことをなにも知らなくて。体温計すら持ってないし。こんな余計な面倒を背負い込むことになるなんてうんざり、あなたもそう思うでしょう。何かあなたに助けてもらえることってないかしら？　こういう場合にどうしたらいいと思う？」

「残念ながら、あまり思いつきませんね」とカスト。「当たり前のことしか。あたたかくして、食事を与えすぎないこと。それから、お通じをよくすること、ですかね」

「それは自分でやってもらわないと。城にいつも下剤をためこんでおくわけにはいかないから。イギリスの郊外じゃあるまいし。でもフィッシャーには、火にくべる量を倍にすることと、それから食事を切りつめるように言っておくわ。いずれにせよ、あの人はそんなに食べないから」

ローラの態度は、将軍が指揮下にある看護婦を絶賛していた点と矛盾していた。

「ここでは医者を呼ぶのはほとんど無理なんですよね？」いろいろあってもミス・フランクリンに少し同情して、カストは言った。

「海岸に一人、開業医がいるけどね。当然ながら、役に立たないわ。もちろん、並みの開業医以下、というわけじゃないけど。ここの人たちは薬をほしがらないのよ。薬はいけないって神父が言うから。ここに医者を呼んだことは何度かあるけど、迎えに行って連れてくるのはいつもミス・フランクリン。それがほら、トラックが故障中でしょ。それにあのおばかさんがちゃんと自分の面倒を見られないせいで、ここと海岸のあいだを四回行ったり来たりするなんて、無理な注文。まだそこまでは来ていないし。あらゆる点で、わたしたちは隔絶してるんです。あなたをここに連れてきた山賊が、五日後にあなたを連れ戻しにやってくるまでは。こんなことで面倒をかけて本当にごめんなさい。お昼にする？」

夕食までの時間は、カストが自分でも退屈だと認めざるをえない状態で過ぎていった。たとえミス・フランクリンが元気いっぱいで、いつもの時間に起きていたとしても、事態を変えるのに何ができたかは難しいところだ。ローラは、来客を集めるだけ集めておいて、その客を手持ち無沙汰にさせるだけでなく、何かをすることさえできないような、あまたの女主人に実によく似ていた。しかしファイヴズをやったことを思い出して、夫人の人となりの他の点を考えてみると、生まれながらにして主催

者で、客には決して勝手にふるまう機会を与えないような、他のあまたの女主人には似ていないことに、カストはほっとした。

昼食のあいだ、ローラは世間話もする気がないほど何かに心を奪われているようだった。おそらくインスピレーションが湧きそうになっていたのかもしれない。というのも、午後に夫人はスタジオで黙ったまま創作に没頭し、昨日の娘がモデルで、カストは将軍の回顧録のページを繰っていたからだ。

お茶の時間までには、ミス・フランクリンの体調不良のせいで、家の切り盛りがむちゃくちゃになっていることが明らかになった。精一杯お茶を入れるのもフィッシャーの仕事になり、ローラのカストに対する態度には、現状だと五日以内に戻れないのを申し訳なく思っている様子がかすかに浮かんでいた。カストの退屈さと憤懣は収まっていく気配を見せず、寝不足になり、不安が次第に募って、闇が集うとともに記憶がはっきりとするようになった。そしてしばらくすると、夜の訪れをひどく恐れるようになった。

お茶と夕食のあいだにローラも本を読んでいだが、題名はカストには見えなかった。「まったく、伯母さんのところに戻ってきたみたいだな」と彼は思った。ちょうどそのとき、カストがそれまで見たことがなかった若い農夫がノックして入ってきた。

「わたしのファイヴズのパートナー」とローラ。「わたしたちがプレーするのを観戦する？」夫人は昨日の下手な試合については一切触れなかった。

他にすることもないし、一人で考えごとをするのも嫌なので、カストはふたたび松明が燃え盛る地下のコートへと足を運んだ。

「相手とひとこともしゃべらずにプレーするなんて、できるんですか？」下りていくときに彼はたずねた。若い農夫はまるではしゃぐ雑種犬みたいに、跳びはねるようにして先に行っていた。ローラのこうした専制君主ぶりは、彼の気に障りだした点だった。負け犬を贔屓《ひいき》する英国人気質が呼びさまされたのである。

「できるだけのことはしてるわ」と夫人。「こっちはむこうの言葉を話せない。どんな言葉でも憶えるのが苦手でね。それでむこうも間違いなくこっちの言葉を憶えられない。いつまでたってもお互いにわけのわからない言葉をわめきあうことほどくだらないことはないでしょ！　わたしは雑音が大嫌い」居眠りしていたカストの恐怖心が急に揺り動かされた。「それに、もしお互いが本当にわかりあえたとしたら、何もかもおしまい」

「それ、普遍的な規則なんですか？」カストの質問は間に合ったが、夫人はもう手袋をはめてゲームに突入していた。

一時間以上も、カストはすっかり夢中になって観戦していた。ローラが彼と二試合めをやろうかと誘わなかった理由は明白だった。この若い農夫のプレーは疲れを知らないアメリカのプロ並みだったのだ。ローラのほうは、神話に出てくる四元素の精霊のように、気品にあふれ、信じられないほどの集中力で、殺気だっている。一時間以上も、松明がパチパチとはじける音や、飛び交うボールがころがったりぶつかったり音以外には、静寂に包まれていた。プレーヤーは集中力を緩めることもなければ、試合の合間に一息入れたりすることもなかった。それから、突然ローラが競技を終わらせた。「水をバケツに六杯汲んできて」と相手に言った。「それからお湯を沸かして。沸いたら教えてちょうだ

い」男はあわてて去っていった。英語での命令を相手が完全に理解したらしいことに、カストは気づいていた。ローラが言っていた言語能力のなさは、はたしてどこまで本当なんだろうかと不思議に思った。これからは言うことに気をつけないと。「熱湯の入ったバケツが」とローラは言っていた。「ここで用意できる、お風呂にいちばん近いものなの。明日の朝はどう？」

「ええ、ぜひ」とカスト。「ありがとうございます。どこから水を手に入れるんですか？　井戸ですか？」

「地下の井戸から。前の持ち主は、そのほうが攻撃されなくて安全だと考えたみたい」

「地下だと水の確保が難しいんじゃありませんか？　たとえば、さきほどおっしゃった量とか。ポンプに文字どおり人手が足りないということは？」

「水を運ぶのは、ぜんぶフィッシャーとさっきの男がするのよ」

その瞬間にカストは、初対面のときに夫人が彼の正体を見抜いた、そのすばやさと勘の鋭さを思い出した。夫人は彼が嗅ぎまわっていることを疑っているようには見えないが、これ以上首を突っこむのはやめておいたほうがいい。落ちていた煙草がふたたび謎のようなものになった。しかしその一方で、これほど巨大な建造物の中で、監禁場所を井戸への通り道にわざわざ選ぶことはありえなさそうだった。

「かわいそうにあの人、昨日より悪くなってるみたい」スタジオでの夕食にカストを待たせていたローラはそう言ってのけた。来るのが遅くなったのは、お湯を使っていたからだと詫びた。暖炉のある部

屋の外に出ると、城は凍えそうなほど寒かったが、熱いお湯を使った後は風邪を引きやすいのに、ローラは余計に着こむ必要を感じていないようだった。「ミス・フランクリンは、真夜中に目覚めてしまって、一睡もできなかったと言ってるわ」

「なんで目が覚めたと言ってるんですか？」

ローラは一瞬カストを見つめた。とはいえ、質問じたいがちょっと変だったのかもしれない。それからこう言った。「熱の出始めなんでしょ。熱がある人は落ちつきがない、とどこにも書いてあるから。わたしはほとんど病気と縁がなくて。これまでいろんな生活をしてきたけれど、病気に手を貸すようなことはなかったわ。さあ食事にしましょ」

「鞄に睡眠薬を持ってます」とカスト。「ミス・フランクリンさえよければ、喜んでさしあげますよ」

ローラはしばらく考えてから言った。「じゃあそれを投与してくださらない？　わたしは薬のことをなにも知らないし、ミス・フランクリンがなにも知らないことは知ってるから、少しでも危険なことは避けたほうがいいと思うのよ。睡眠薬を持ち歩いてるということは、その使い方に慣れているはずでしょ」

「ええ」とカスト。「もちろん、できるかぎりのことはします」ミス・フランクリンが病気なのに冷淡な態度を取るので、彼はこう付け加えた。「あなたは不眠症を患ったことはないんですか？」

「そうならないように、なんとかしてるわ」夫人は体《てい》よく答えた。

夕食後、夫人は手荷物から薬瓶を取ってきたカストを連れて、ミス・フランクリンの寝室に向かった。その寝室は、彼がその朝たどり着けなかった上階のところにあり、想像したとおり、別の階段を

通っていった。
その部屋は備品の点で、これまで城で見たどの部屋ともまったく違っていた。小さな卓上用の鏡まである。家具はよくある、質素で黒い、木製のものだ。しかし部屋はそれで満杯になっていて、まるで建物じゅうの家具を集めてきたようだった。小さなテーブルがごちゃごちゃとあり、話し相手を仕事にする年配女性の持ち物かと思えるような小物がどっさりその上に載っている。壁の戸棚は閉まらずにふくらんだまま。何なのかよくわからない、中途半端な織物細工が、あちこちの椅子に掛かっていたり、床にころがっていたりする。ミス・フランクリンは、服やクッションカバーやベッドカバーを作っているらしい。下手な刺繍をしたり、編み物をしたり、シンガーミシンを使ったり半分嫌々ながら織物もする。生涯の哀れな収穫があちこちに散らばって、戸棚やキャビネットでは収まりきらないというそれだけの理由で、人目にさらされたままになっている。本国だと少しも不思議ではないようなもの、いまいる場所だとおよそそぐわないようなものを、なに一つ持っていないようだった。ローラのきびしい姿は、彼女がすっかりたよりにしていることが明らかな話し相手の寝室には、まったく不似合いに見えた。カストにとって、これは死にかけている独身の伯母を見舞っているようなものだった。

　というのも、少なくともカストの素人目には、ミス・フランクリンが死にかけているように見えたからだ。白髪で、やつれて、ひどい高熱を出して見た目にも取り乱していた。髪はほどけてもつれている。ありきたりの服や下着がなんともげんなりすることにベッドのまわりに散乱していた。ひっつかんでいる布団は半分床にずり落ちて、危険なことに暖炉のすぐそばにあった。ひっきりなしにつぶ

やいている。昔のヨークシャーでの思い出なのだろう、とカストは思った。彼がこの部屋にいるあいだ、ウィットビー*という名前が何度も出てきたからだ。病気になってから、誰もミス・フランクリンの健康にこれっぽっちも気遣っていないのは、痛々しいほど明らかだった。

　この部屋が与える印象で最も強く最も明らかなその思いにすっかり満たされながらも、カストはミス・フランクリンの肩の下に大きな鍵束が半分のぞいているのに気づいた。「こんな状態の患者に睡眠薬を飲ませるのはどうかと思いますけど」とカスト。「どうしても医者に診てもらわないと」

「わたしが行くことになるとしたら」扉のすぐそばにとどまっているローラが、この部屋を汚らわしいと思っているらしいことにカストは気づいた。「わたしが行くことになるとしたら、医者を連れてくるまでに四日はかかるわね。あなたもここまで旅をしてきたから知ってるでしょ。それまでにあの人が快方に向かっていなければ、医者を連れてくる必要はないような気がするけど。そう思わない？」

　ミス・フランクリンを見ていると、医学の知識がほぼ皆無のカストは反論できなかったが、こう言った。「それでも、できるだけの手を打たないと」

「もちろんよ」戸口からローラが答えた。「それから、ちょっと寝かせたほうがよさそうね。一睡もできずにこんな調子で放っておくより、そのほうがきっと安全だから」

　カストはためらった。いまローラに背を向けて、ミス・フランクリンの顔を見下ろしている。病気のせいで、彼女は魔女みたいだった。城に入ってからの一連の出来事が、悪魔たちの行列のように彼の心を引き裂いた。「ポピー」についてフェリシティが言ったことは、その仮装行列の中で重要な位置を占めていた。

ミス・フランクリンの唇は干からびていて、おまけに病気のせいでカラカラになっていたが、そのあいだにむりやり睡眠薬を押し込むという作業には、心底から嫌悪感を覚えた。彼女の顎は熱があるせいで開いたり閉じたりしていた。入れ歯をしていることは間違いない。

一回で飲む睡眠薬の量として、四錠が危険なのはよくよくわかっていた。いつも自分で飲む量は二錠と決めている。飲み始めの人間には一錠で十分だろう。それに、投与するのに一錠だと気が引けない。

彼は瓶を開け、手のひらに三錠載せた。「三錠が最適な量だといつも思ってますので」と肩ごしにローラに言った。幸いにも、ミス・フランクリンはどうしなければいけないかがわからないほど朦朧とはしていなかった。投与はカストが恐れていたほど気が滅入るものではなかった。ミス・フランクリンは小さな錠剤を嫌がることもなくあっさりと飲みこんだ。これで一晩中眠りつづけることになるだろう。

最後の錠剤を飲みこんでいるあいだに、カストは枕を直すふりをして、大きな鍵束をまんまとポケットに入れた。ローラはこのごたごたした小さな部屋の問題にはお手上げだと思っているようだ。暖炉と燃えている二本の松明の音、それにミス・フランクリンの息づかいとつぶやきが、ゆらめくかすかな明かりの中で、彼のふるまいを隠してくれた。誰もミス・フランクリンの持ち物がどうなろうと気

ウィットビー　ノース・ヨークシャーにある港町。ブラム・ストーカーの『ドラキュラ』はこの町を舞台の一つにしている。

にしていないのは明白だった。

病人のもとを去ってスタジオに戻ると、前の夜と同じように、ローラが話しはじめた。めくるめくような物語、聞いたこともない意見、奇妙なコメントが絢爛たる流れとなってあふれだした。マルカントニオ城に足りないものはいろいろあるだろうが、夫人に聴衆がいないことはカストには明らかだった。一年以上にわたっているかもしれない魅力たっぷりの話や楽しい話が、たまりにたまって、それを彼だけが楽しめるのだ。慣れない聞き手にとって、それはまるで催眠術にかかったみたいな、夢を見ているような経験だった。

農家の娘をモデルにして、夫人が取り組んでいる大作は何なのか、たずねてみる機会がカストに訪れた。

『魂』というの」とローラ。「それを壊さずに海岸まで運ぶのは、ミス・フランクリンにとって厄介なことになると思うわ」

「小像も厄介ですよ。かなり壊れやすいはずですから」とカスト。

「そのテクニックを完璧なものにしたから、もうそれ以上作る気はないの」

「人気が出ても、ですか？　きっと人気が出ますよ」

「何か他のことを始めるわ。それを同じくらい人気のあるものにしてみせる。ボナパルト*が言うには、男はおもちゃに支配されているとか。ただ、ボナパルトと言えば――」

芸術家の対象としてコルシカ人には足りないところがあるという、ローラのうってつけの言葉を耳

にしているあいだ、湾曲した棚に並んでいる小像の長い列がじっとカストを見つめていた。「どう見たって民主主義者よね」と夫人は結論した。

同じ人物の像をたくさん目にすると、人間はその人物の夢を見るようになる。カストにはそんな考えがふと浮かんだ。とりわけ、その像に不可思議にも魂が宿っていて、その人間がすっかり疲れ果てている場合がそうだ。

それでも、カストは危険を顧みなかった。服を脱ぐわずかな時間になにも異常なことがなかったのをしっかり気に留めた後、あっというまに前後不覚になって眠ってしまったのは、おそらくその日でいちばんの拍子抜けだったのかもしれない。

「ミス・フランクリンの具合はどう？」翌朝カストはフィッシャーにたずねてみた。

返事がない。フィッシャーはベッドの脇に朝食を置いた。

「ヘイスティングス夫人はいつお越しになるのかな？」

その質問はふさわしくなかった。返事にも値しない。そういうわけで返事はなかった。

カストが髭を剃りながら本を読もうとして、将軍がすっかり苦境に陥っても、事態は好転しなかった。その部屋では、いちばんいいときでさえ、本を読むのに適した明るさだということがない。

すぐに着替えて、補助枕の下からミス・フランクリンの鍵束を取り出し、上着のポケットに入れ、松

ボナパルト　ナポレオンを指す。ナポレオンはコルシカ島で生まれた。

明に火をつけて、井戸への通路に向かってそろそろと進んでいった。鍵にはどれもラベルがなく、二つの扉のうちの最初のを開けるのに時間がかかった。なんとか扉を開けると、そこは風通しが悪い小さな個室で、窓代わりに岩に開けられた不規則な穴に粗雑なガラスがはまっていて、光があまり入ってこない。不快感を催させるこの部屋は、蜘蛛に黴《かび》、そしてトランクだらけだった。どこの家庭の物置部屋であってもおかしくはない。しかし、カストは箱のいくつかに書かれている名前を見て、興味と安心を覚えた。大きな黒い文字で「ブルース・ヘイスティングス」と書かれたものもあれば、色あせた紙の札に古いインクで「ミス・リリアン・フランクリン」と書かれているものもある。カストはその洗礼名をむさぼるように読んだ。それから扉をふたたび閉めた。

　二番目の扉は、最初に試した鍵で開いた。最初のうちはなんだか不思議で、不安になったが、直感的に鍵束の次の鍵を使ったことに気づいた。原始的な彫刻がほどこされた横木の下で、扉が少しきしむ音を立てた。カストはすぐに二つのことに気づいた。吸いさしの煙草が捨てられていた理由と、彼が一人きりではないことだ。その部屋は礼拝堂だった。そしてローラが、さらに想像を絶する事実として、彼の前にいたのだ。

　床の中央には農民の黒い椅子が何列か、身を寄せ合うように並んでいた。ローラはいちばんうしろの列のまんなかに座り、前の椅子の背もたれにかけた腕に頭をあずけていた。その姿勢は、多くの参拝者がひざまずく代わりに好んで取る姿勢を連想させた。カストは少なくとも一分間は夫人を見つめたまま、まったく身動きできなかった。そして足が次第にぶるぶるふるえだし、その苦痛がゆっくりと全身を包んでいった。

それでも、ローラが彼の出現に気づかないか無関心なほど一心不乱に祈っていると想像して（そういうことはあまり知らないが、いろんな教会で人々のふるまいを目にしたことはある）、彼はそろそろとあたりを見まわしはじめた。よく見ると、その部屋は結局のところ、たしかに礼拝堂と呼べるほどではなかった。礼拝堂に似ているところは三つある。ぎっしり詰めこまれた椅子。ローラのベッドの頭上にあったのと同じ黒い布のカーテンで仕切られている、いささか聖具室に似た雰囲気の、ローラの背後にある隅の空間。そしてローラの向かいにある壁に沿ってずっと続いている、幅の広い石の迫持台に沿って並んだ聖像の集まりだ。迫持台はこれまで見たことがある祭壇の高さとほぼ同じだった。しかし、磨いた木製の単純な抽象でできている聖像は、まったく知らない形をしていて、理解の及ぶものではなかった。これまでにカストが出会ったどんな礼拝のキリスト教的儀式にも似ていないし、スイス・コテージの近くにある家で見せられたことがある、悪魔崇拝の道具にも似ていない。前者ほどには型にはまっていないし、後者よりも健全で魅力的だと彼は思った。記憶をすばやくかき集めてみると、かつて東洋の宗教美術を批評するために派遣された展覧会のことを思い出した。そこに出てきたものと、この聖像は少しも似ていない。

　彼が頭を悩ませているあいだ、ローラは微動だにしなかった。カストは当初のぼんやりした考えを修正して、教会のある部分には「個人専用」をほのめかす注意書きがあって、祈り以外のことにかまけている人間は静粛にするか退去しないといけないのを思い出した。もしかすると、ここに入ってきたのは礼儀に反することであり、冒瀆的な侵害行為ではないか。彼は突っ伏しているローラの姿をまじまじと見つめた。その姿勢は極度に窮屈そうだった。ズボンがねじれ、手足が縮こまっている。そ

れからさらに目を凝らしてみた。夫人が眠っているのはほぼ間違いなさそうだ。こっそりと忍び寄ってみる。息づかいや、あらゆる関節の緩みが証拠だ。どことなく、何時間も眠っているらしい様子がある。カストはその微妙な兆候を伯父の体験談で知っていた。伯父は学術書を膝の上に広げた恰好で、家の肘掛け椅子に座ったままうっかり夜を過ごしてしまうことがしばしばだったという。

大丈夫だと思って、カストは後ずさりしながらカーテンで仕切られた隅に忍び寄った。音もなくカーテンを開けると、そこに待ち受けていたのはこれまでで最も恐ろしい体験だった。ピカピカだがまったく無地の、白い大理石でできた大きな墓がその中にあった。その上に載っているものを、カストは最初フェリシティの死体だと思ったが、本物に似すぎている、フェリシティの等身像だとすぐに気づいた。カーテンを下ろすと上の棒に付いている輪がかすかに音を立てた。それからまたカーテンを上げた。像はまるでフェリシティが仰向けに寝ているみたいだが、その姿は生きている女性というよりは死体に近かった。着ているものはあのときと同じ黒いイブニングドレス、襟ぐりが深く、裾は足元に届くほど。黒髪に映える顔立ちの青白さが、死体のような印象を強めている。ふっくらした唇は、まるで死後に赤く塗られたようだった。指の爪も、唇に合わせた深紅色なのにカストは気づいた。ほんのかすかな彩色がみごとなまでに暗示的で、この傑作が誰の手になるものなのか、疑問の余地がなかった。この像が似姿なのを知ると、墓の残りの部分であるピカピカの白い箱がさらに不気味な想像を生んだ。両側がとても薄くて、ほとんど透明で神聖だとすれば。岩の中に埋葬するわけにもいかずただちに棺に横たえることになった人間が、いつ何時その棺を押しのけて出てくるかわからないとすれば。そういう妄想が滝となって流れ出す中で、フェリシティが彼の部屋にやってきたことは一瞬忘れられ

ていた。なぜ彼女のことが彼にとってそれほど重要なものになったのか、その理由を一、二分見失っていたのだ。ただひたすら、彼女があの蝋造りのような石棺の中で見せている姿のまま、彼のところに戻ってくるのではないかと、怖くて仕方がなかった。

そろそろと礼拝堂から退いて、扉に鍵を掛けた。どうやらローラは閉じこめられるのを選んだらしい。おそらく自分の鍵を持っているに違いない。当然ながらそのはずで、夫人がどういう人間か知っていれば、そうではないと仮定するのはばかげている。城の地下室は冷たくてじとじとしていた。ローラは風邪を引くことがないらしい。ミス・フランクリンの具合はどうか見てみて、鍵を返すにはちょうどいいときかもしれない。城の中はもう長いことめちゃくちゃな状態になっていた。

カストがミス・フランクリンの扉をノックすると、「どうぞ」と声がした。これは思いがけないことだった。というのも、それまでに一度も、城にある扉の向こうから声を聞いたことがなかったからだ。

取っ手を探ってみた。今度は前例と変わりがなかった。鍵が掛かっていたのだ。

「そこにいるの誰？」ミス・フランクリンの鋭い声がした。

「ぼくです。カストです。どんな具合でいらっしゃるか、何かお力になれないかと思いまして」

「それはどうも、カストさん。ずっと良くなりました。もしかまわないなら、どうぞ入っていらして。身なりはきちんとしてますから」最後の言葉は哀れなものに聞こえるはずだったが、カストには品のないものにしか聞こえなかった。

「鍵が掛かってるみたいで」

「ちょっと待ってください」その声の調子はミス・フランクリンの本質を表す、ばかげたほどに特徴的なものだった。しかし、カストは彼女がだんだん必死になって探している様子を思い浮かべていた。それから彼女が言った。「ヘイスティングス夫人が鍵を取っていったらしいわね」

「で、あなたを閉じこめてしまったと？　まさかそんな」

「わたくしたちはいつも扉に鍵を掛けておくんです」とミス・フランクリン。「今回は何か間違いがあったのかもしれません」

「ヘイスティングス夫人は自分の鍵を持ってないんですか？」ドアごしにたずねたカストは、持っていた鍵束から目を離した。

「そうですよ。でも、あなたもご存じでしょうけど、わたくしは昨日体調が優れなくて。ヘイスティングス夫人はたぶん、鍵束をその辺に置いておくのは良くないと思ったんでしょう。悪い人の手に渡るかもしれませんからね」この会話は、信頼できる印象を得るのが難しい状況で行われていたが、その口調には夫人の思惑を忠実に受け入れたわけではなく、悪意のこもった当てこすりがあるのをカストは察知した。

「だったら、どうしましょう？」

「わたくしのことなら心配なさらないで、カストさん」扉の向こうから声がした。「出方は憶えましたから」

　カストはすぐさま、誰かがその言葉を使ったことがあるのを思い出した。正確にはどんな言葉だったかは忘れていた。それを思い出して、重い鍵束を落としそうになった。

落としたとしてもたいした問題ではなかっただろう。というのも、突然グイッとこじ開ける音がして、扉が開き、ミス・フランクリンが短い鉄の棒を手にして彼の前に立っていたからだ。

「ここに閉じこめられているつもりはありませんからね」

そのとき彼女の視線がカストの手の中にある鍵束に落ちた。彼がここにやってきたのは鍵を元の場所に戻しておくつもりで、まさかその持ち主が重病かつ無意識の状態から脱しているとは一瞬たりとも思っていなかったのだ。ところがいま、監視役の目でにらまれて、彼は自分がどうしようもないほど愚かに感じた。

しかし、ミス・フランクリンはシーッと黙らせただけだった。「どうやって彼女から奪ってきたの？」

「それはあなたにお話しすることじゃありません」多少正気に返ったカストは答えた。「とにかく、お返ししておきます」ミス・フランクリンはじっと彼を見つめたまま、黙ってそれを受け取った。「良くなられてよかったですね」

「ということは、具合が悪かったときのわたくしの姿をご覧になった？」

結局、逃げ道はなさそうだ。「昨日、あなたの具合を見てきてくれとヘイスティングス夫人にたのまれたんです。お力になれるかもしれないと思って。たしかにあなたはかなり悪そうでした。残念ながら、ぼくはまったくお役に立てませんでした。肺炎にかかっておられるのかもしれないと思ったんです」

「肺炎？」まるで狂犬病と言われたみたいだった。

「この前お会いしたとき、風邪を引いていらっしゃいましたよね」

「あら、そう。あれね」ミス・フランクリンが笑った。「姉のリリアンの治療法に従っただけ」

「お姉さん？」

「大匙二杯の塩をコップ一杯の熱湯に溶かして飲み干すんですよ」

「なるほど。たしかに魔法みたいに効きそうですね」

「それが効くのよ、カストさん。魔法は効かないこともよくあるし、効いたら効いたで、効かなかったらよかったと思うこともよくありますけど」ミス・フランクリンはまだかなり具合が悪そうで、髪もくしゃくしゃになっていた。しかし、不細工な煉瓦色のフロックではあるものの、きちんとした服装をしていた。

「魔法のことをご存じなんですか？」カストは軽い気持ちでたずねたが、このところの出来事を考えると、答えが返ってくるのが怖かった。

「もうどれくらい長いこと眠っていたかわからないくらい。そんなことはめったにないのに。きっとただならぬ空気がただよっていたんだと思いますわ」その感傷的な決まり文句が、滑稽なほど不吉に聞こえた。

「それじゃ、寝つきが悪いんですか？」二人はまだ開いた扉をはさんで立っていた。ミス・フランクリンは鍵束を手にして。

「そうなのよ、カストさん。若かりし頃が過ぎてしまうと、よくあること」

いきなりカストは部屋に入って、後ろ手に扉を閉めた。「フランクリンさん、ここは眠りの浅い人に向いているとはとても思えません。一昨日の夜、とんでもなくやかましい物音でぼくは目を覚ました

んですが、あれは何だったんでしょう？」

　ミス・フランクリンは目をそらしたが、こう言うばかりだった。「鉄の鎧戸ですよ。城の大きな窓には鉄の鎧戸が付いていて。ときどき、風が吹くとパタパタと動くんです。普通の雨戸みたいに」

「崖を見下ろす大きな窓に付いているんですか？　あそこが少し城の弱点になると思ってました」

「城が危険にさらされたときに鎧戸を閉めたんです。それで立てこもって」

「なるほど、とてもうまくできてますね」とカスト。「それでも、あなたもヘイスティングス夫人も、ここを出たいとよく思わないんですか？　ここは荒地だし、今日日《きょうび》でもやはり故郷にはいいところがありますからね」

「ヘイスティングス夫人もわたくしも、決してここを離れるつもりはありません。それは間違いありません。あなたがここにいるのは、まったくの時間の無駄ですよ。できるだけ早く、イギリスにお戻りなさい。これは本心でそう申し上げているんです」

「そこまでヘイスティングス夫人に献身されているんですか？　べつにこの場所に愛着があるわけでもないでしょうに」

　一瞬の沈黙の後、ミス・フランクリンは向き直ってきっぱりと言った。「カストさん、この部屋から出ていってくださらない？　家事の責任者に戻る準備をしないといけませんので」

「出ていく前に一つだけ教えてください。まるで別の話なんですが。そもそも、ヘイスティングス夫人はどうしてここに来たんですか？　どうしてここに？」

　またしばらく沈黙があった。それから彼女が言った。「単に男の世界から逃れるためだったんじゃな

いかしら」

　そこでカストは出ていかざるをえなくなった。

　扉を開けたちょうどそのとき、部屋に散らばっている小さなテーブルの一つに、何かが載っているのに気づいた。いつもの散らかりの中にあるのは、間違いようのない黒い物体で、持ち主のイニシャルを世界に向かって声高々に宣言している。

　カストはそれをまじまじと見つめていたに違いない。というのも、ミス・フランクリンの視線は、彼が質問を初めてからずっとそらされていたが、いまでははっきりと彼に注がれていたからだ。

　どちらも黙ったままで、そのときカストは自分がこの部屋から閉め出されつつあることに気づいた。


　女彫刻家がうつぶせになって眠っている姿を目にしたとき、カストの頭に浮かんだのは間違いなく悲劇的という言葉だった。しかし、誰であろうがそんなに不恰好な姿をさらしていたら、たぶん敗北感や無力感を想起させるだろう。昼食時にいつものように現れたローラは、ふだんの日中の姿で、いつもの自分に戻ったようだった。無口で、退屈で、よそよそしく、堂々としている。ズボンもプレスされ、厚手のシャツは洗濯してこわばっていた。繊細な髪はきっちりと整えられているし、果物を剥く手はしっかりして、力強さが美しかった。

　最初のコースが半分ほど進むと、ミス・フランクリンが入ってきた。いつもの憂鬱な様子だ。

「発作が長引かなくてよかったわねえ」とローラ。「あなたがいないと、何もかもめちゃくちゃ。でも、あなたはいつだって、わりと早く立ち直るのね」

ミス・フランクリンはなにも答えず、食事に手を伸ばして、弱々しい手つきで食べはじめた。

その一日は淡々と過ぎていった。こういうのんびりした日の進み方に向いているのは、天才と決まっている。カストはこれ以上どうしたものかとぼんやり考えるようになった。ジャーナリスト根性が身につきすぎて、話がなさそうなところには好奇心を覚えないので（ローラは話にするのを実際に禁じたわけではないものの、サッカーの試合結果の隣に並んでもおかしくない話がそこにあるかと言われると難しい）、フェリシティについて考えることに落ちつくしかなかった。周囲で起こっているゴタゴタもさっぱりわけがわからなかった。彼は囚人のようなもので、（おそらく）退屈な付き人が戻ってきたらローラが釈放してくれるのだろう。しかし城の秘密が巧みに彼から守られているのと同じように、彼も外の世界から巧みに守られていた（そこに戻れば、おそらく、使命がまったくの失敗に終わったことから考えると、クビは免れない）。とはいえ、フェリシティの問題はたしかに残っている……。何があろうと、あの恐ろしい、カーテンで仕切られた小さな聖具室があろうと、彼女にもう一度会いたいと願うような気持ちになった。時が経ち容貌が変われば男が逃げ出したくなることもあるのだろうが、あの小さな聖具室じたいは必ずしも逃げ出したくなるようなものではなかった。それは不思議な状況だった。

とはいえ、さらに退屈な一日を過ごした後、深夜にフェリシティが夜具を引っぱっているらしい様子で目を覚ましたとき、ふるえあがるほど怖かった。真っ暗な闇の中で、暖炉の赤い光だけに照らさ

れて、彼女の姿がかろうじて見えた。

「本当に、本当にごめんなさい」彼女は小声で言って、彼が目を覚ますと少し退いた。「でも、急いで逃げないと。あの人たちはあなたも狙ってるのよ。あなたは知らないかもしれないけど、本当なの」

カストはふるえていて、それと同時に大きなあくびが出そうになっていた。それで詰まったような変な声になった。「どこから来たんだ？」彼はとても低い声でたずねた。

「あなたはポピーの寝室でバレたのよ」彼女は答えた。「あれほどポピーのことを言っておいたのに」

「きみのハンドバッグのことかい？」

「ポピーはあなたの反応を見るためにそこに置いたの。あの人がどういう人間だか、知ってるから」

「きみはなんでも知ってるみたいだな」

「鍵束でバレたの。あなた、ヘマしたでしょ」

「つまり、ミス・フランクリンは病気じゃなかったってこと？」

フェリシティは短く、静かに笑った。「そうじゃないの、そういうことじゃなくて。たしかに病気だった。こういうときはいつもそう」

「こういうとき？」

「あなたのヘマはね、鍵束をしっかり握っていなかったこと。そうしたらわたしたちは扉を通って出られたはずなのに」

「もうきみは怖くないよ。べつに目が覚めているからじゃなくて。きみは怖くない」

「シーッ」歯擦音は魅力的だった。「ポピーは一晩じゅう城のあちこちをうろついてるのよ。決して眠

らないの。猫みたいに。わたしたちのこと、聞き耳を立てて。ローラも決して眠らないの。ローラは虎みたい」

「眠ることもあるさ！」カストは抑えきれずに小声で叫んだ。そして自分は本当に知っているのかと思うと、またもう一度、一瞬ふるえた。

しかしフェリシティは気にかけなかった。「服を着て。早く。見ないから。とにかく、明かりをつけるのは危険だし」

カストはしばらく考えた。

「早く」

カストはまだ考えていた。

「もう、早く。お願い。たのむから。これはあなたのためでもあるのよ。だけど、わたしのためでもあるし」

いきなり、カストはベッドから起きて彼女に飛びかかっていった。幽霊だったら触れない、突然そう思い出したのだ。彼女は身をかわしたが、口調はごく自然であきれたようだったので、彼は思いとどまった。

「何してるの？　あなたってどうしてそんなに愚かなの？」

それはいかにも彼女なら言いそうなことだったので、彼は半歩下がって詫びた。

「さあ。早く服を着て」

彼はベッドに腰掛けて言った。「どうしてほしいか、はっきり言ってくれ。ぼくが着替えたら」

「言ったでしょ。わたしは城の出方を知ってるの。一緒に逃げられるから。もし一緒に来なかったら、一生ここから逃げられないわよ。ねえ、お願いだから信じて」

「きみの服はどうするんだい？　そんな恰好じゃ遠くまで行けないぞ」

「わたしの他の服は、ぜんぶ盗られたの」やけを起こしたような返事だった。「言ったでしょ」

カストは決断を下した。「じゃ着替える」

彼が服を手探りしているあいだ、彼女は暗闇の中に退いていた。

「もういい？」そうたずねたのは早すぎだった。カストはどこまで行ってもカストで、スリラー小説に出てくる登場人物みたいに見えるのではないかと恐れた。スリラー小説にはいつも魅力的な若い女性が登場する。そういう女性は、愚かな男に向かって、いままさに彼がたのまれているようなことをしてくれと要求するのだ。

「いいよ」かまわず彼は答えた。「次は？」

「いまにわかるから」

消えてしまいそうになりながら、戸口へと音もたてずに向かう彼女の姿は、本当に生霊のようだった。カストはその後を追った。警戒心と好奇心が半分、味わったことのない阿片に酔いしれたような気持ちが半分だった。

「松明はどうする？」

「ばっかじゃないの」

二人は通路をスタジオから離れる方向へ忍び足で進みはじめた。数秒間、カストは真っ暗闇の中を

つまづきながら進んでいた。それから少し暗闇が薄れたような気がした。

「畜生！」カストの前方から、吐いて捨てるようなつぶやきが聞こえた。「ポピーに違いないわ。もう、神様」最後の言葉は、喉が詰まったような、悲痛な叫びだった。

カストが肩ごしに振り返ると、かすかな火の明かりが見えた。城が燃えているのだろうか？ 何が起こっても不思議ではない。そのとき、誰かが松明を持って近づいてきているんだと思った。それにしても音が聞こえない。彼は待った。

「わからないの？」フェリシティが叫んだ。「ポピーよ」彼女の怯えたささやき声の他には、まだなにも聞こえなかった。「信じて。これがわたしたちの最後のチャンスなの」

突然、カストのもとに、天使のように配慮が訪れた。「きみは自分がいちばんいいと思うことをすればいい」と彼。「でも、ぼくは真正面から立ち向かってみる。相手は女二人だから」彼女のかすかな姿が縮んでいくのを見て、彼はどうしようもなくかわいそうに思った。「元気でね」と彼は言った。「いつまでも元気で」

キスをしようとしたが、彼女は去ってしまったので汚れた空気を抱きしめただけだった。黒いドレス姿の彼女がバラ色の石造りのトンネルを走っているのがかすかに見えた。

光が強くなり、カストは勇気をふりしぼって光源の方を向いた。これまでの人生で、これほど忘れがたい記憶はなかった。その人影はミス・フランクリンではなくローラだった。通路の端から端へ狂ったようによろけながら、ほとんど無言で、表情はありとあらゆる暗澹たる苦悩を表すお決まりの彫刻のよう、灰色の丸天井と粗雑に積まれた広大な石組みを背景にして、こわばった左手が大きな燃え盛

る松明を高々と掲げている。

夫人は無言のままで揺れながらそばを通り過ぎた。哀れな夫人からカストは目を離すことができず、憐れみから足もその後をついていくしかなかった。井戸に続く階段のてっぺんに近づくと、カストの目には別のものが映った。大きな窓の中に立っているぼんやりとした人影、巨大な壁龕《へきがん》の中に浮かび上がる等身像だ。揺れる光の中でも、そこに立っているのがフェリシティなのは明らかだった。痛々しく、哀れなほどにためらっている。カストは思わず両手を上げて耳をふさいだ。瞬時に予想どおりのことが起こったのだ。フェリシティは消え去り、ここにやってきてから二回めの、あの恐ろしい大音響が、こだまする幾重ものこだまとなって城中を包んだ。ガラスの割れる音はしなかった。

だが笑い声がした。ローラは動かなくなっていた。通路のまんなかに立って、まだ松明を頭上高く掲げていた。揺れが小さくなった光の中で、カストはそれまで影に隠れていたものを目にすることができた。端正な淑女らしいミス・フランクリンの姿が、階段のてっぺん、窓の脇に立っていたのだ。彼女は笑っていたが、その笑い方は服装やふるまいと同じように淑やかだった。ヒステリックな笑いではなく、おもしろがっている笑い方だった。

ローラはほとんど瞬時に気を取り直した。松明を持つ手はカタレプシーにかかっているようなこわばりから解放されて緩み、顔立ちも同類を前にしたときの男女の相貌に近づいて、声もしっかりするようになった。

「至聖所には行きませんから、フランクリンさん」

ミス・フランクリンはなにも言わずに立っていた。

すると、カストの方を向いて、ローラがさりげなく言った。「わたしたちのことをばかにしてるんでしょ。城に鍵を掛けて出られないようにしているものを、部屋に鍵を掛けて入れないようにしているんです。それはともかく、あなたは質問するためにここに来たけど、その答えは得られたんでしょ？」

「本当に申し訳ありません」カストにはそう返事するしか思いつかなかった。

「フランクリンさんもわたしも、現時点ではロンドンの社交界に受け入れられるとは思いません。わたしたちはしばらくその幸せ《フェリシティ》から遠慮しないと」

夫人はすっかり自分を取り戻して状況を把握したようで、カストを部屋の戸口まで送っていくと、お休みなさいと言った。ミス・フランクリンは黙って後に従った。


残る日々は、何事も起こらないものの、張りつめた、あの単調さという城独特の雰囲気のうちに過ぎていった。ふだんの生活にはなんの変化もないように見えた。城にはまだ鍵が掛かっているし、使用人は相変わらず無口だし、ローラは創作に精を出し、ミス・フランクリンは手際よくとはいかないまでも家事をこなしていた。カストはまだ質問をもう一つだけしたくてうずうずしていた。しかしそれをたずねた相手は、良かれ悪しかれ、ミス・フランクリンだった。

「先日の夜の出来事ですけど」彼女がスタジオの床をカーペットクリーナーで磨いていたとき、彼は本から顔を上げて言った。「先日の夜の出来事ですけど……あれが最後だったんですか？」

彼女の返事の口調には驚かされなかったと言えば嘘になる。「どうしてそうお思いになるのかしら？」それは腹に据えかねた軽蔑の口調だった。

「そうだとすれば、きっとヘイスティングス夫人も嬉しいんじゃないですか?」カストは叫んだ。ローラの顔がずっと彼の想像力の目の前にあった。

「ヘイスティングス夫人にはどうにもならないことです」ミス・フランクリンが答えた。

「あなたにも、ですか?……」カストはどういうわけか愚かにもたずねてみる気になった。

前のときと同じように、ミス・フランクリンはしばらく彼を見つめてから答えた。「ご想像のとおりですよ、カストさん」

しかし今回は、フェリシティが彼女を恐れ憎んでいたこと、いつも女彫刻家より彼女のことを口にしていたことがよみがえってきた。フェリシティに対しては好意を持っていると言ってもよさそうだったが、どんなことがあろうとこの話題を続ける気にはなれなかった。

その時が来て、女たちはまるで異常なことはなにも起こらなかったみたいに型どおりの別れの挨拶をした。最後に見たのは、胸壁の通路に立ち、彼が馬で去っていくのを見守っているローラの高貴な姿だった。夫人は手を振りもしなければ、微笑みもしなかった。ミス・フランクリンはおそらく家事にいそしんでいたのだろう。

ここで記しておくに値することがまだ三つある。

二頭の馬が城の岩盤の角に近づいたとき、カストはやっとのことで自分の馬を少し脇に寄せた。振り返ってみると、すっかり錆びた、大きくてグロテスクな鉄板があった。そこにはすっかり植物が覆い茂っている。長年のあいだに、まったく思いもよらない場所に根を張り、ついにはどんな無機質な

物質でもどこかしら生き物のような繁茂で覆い尽くしてしまうようになったらしい。カストには細かいことはわからないし、鞍に乗っているのが大変だった。とにかく周囲の岩の全般的な色合いは鉄に似ていなくもなかったし、全景がはびこる植物に覆われていたのである。

カストは出かけるときスーツケースを海岸に置いてきていた。城に持っていったのはそれより小さいスーツケースで、馬の脇腹にぶつけながら運んだのだ。戻ってくるとすぐに彼は大きいほうのスーツケースを開けた。するとそこには、入れてある衣服の中に、フェリシティのハンドバッグが埋めこまれていた。今回は手元に残ったので、彼はそれをイギリスに持ち帰った。捨てても仕方がないような気がしたからだ。

思っていたとおり、カストは職を失った。編集者や社主にさえ体験談を語ろうとしないので、ジャーナリストとして成功するための第一条件である、ニュースに対する嗅覚がないと思われた。「育ちが良すぎるんだな」というのが、カストの伯父のことを思い出した社主のコメントだった。

アーヴィング像の近くにあるベンソン・ギャラリーのベンソンも、さほど同情してはくれなかった。

吸血鬼になりたい。

下楠昌哉

「フィクションではなく民間伝承の典型的吸血鬼がこんどのハロウィーンに訪ねてくるとするなら、ドアを開けたときそこにいるのは、肉付きのよいスラヴ人であろう。……どう見てもだらしない恰好をした農夫である」ポール・バーバーの名著『ヴァンパイアと屍体』の序論からの引用である。死体の土中での崩壊をめぐるフォークロア。生まれ故郷である東ヨーロッパの土中から這い出た吸血鬼は、ヨーロッパ中を徘徊して舞踏会で淑女を渉猟する貴族や臥所《ふしど》で獲物を誘惑する貴婦人にその姿を変え、やがて銀幕への登場を経てそのイメージを定着させ、グローバルに拡散していった。

いつの頃からなのだろう。現実に存在しているという確証はどこにもないにもかかわらず、「吸血鬼」という言葉を聞いて、誰もがあやふやでない確実なイメージを心の中で形作れるようになったのは。世界津々浦々に様々な超自然の怪物あれど、吸血鬼のような怪物は、ちょっとない（ただしニュアンスは違えど、ゾンビは近似の存在と言えるかもしれない）。遠い異国の地にいるのではなく、自分のコミュニティにいてほしい。自分の隣人、友人、恋人でいてほしい。できることなら自分がそれになり

たいと、世界中の人々を魅了し続ける、こんなクリーチャーは。
『ドラキュラ』出版から百二十五年目にあたる二〇二二年は、日本吸血鬼文学史においても傑出した年として記憶されることになるだろう。夏来健次・平戸懐古編訳『吸血鬼ラスヴァン　英米古典吸血鬼小説傑作集』、東雅夫編『吸血鬼文学名作選』、そして本書『新編　怪奇幻想の文学2　吸血鬼』と、三つの重要な吸血鬼アンソロジーが刊行されたからである。バイロン、レ・ファニュ、ストーカーの間のミッシングリンクを見事に埋め、ユライア・デリック・ダーシーによる早すぎた名作「黒い吸血鬼――サント・ドミンゴの伝説」を掘り起こして見せた『吸血鬼ラスヴァン』、須永朝彦へのオマージュに溢れ、日本吸血鬼移入史の面持ちもある『吸血鬼文学名作選』。そして、本アンソロジーが抉出してみせてくれるのは、「吸血鬼」という言葉を現代においてとうとう説明不要の単語にしてしまった、吸血鬼を自分の隣人としたい、その存在を確かなものとしたい、あわよくば自らが闇の眷属の一員となりたいという、先人たちの渇くことのない欲望である。

　メアリー・シェリーの名作『フランケンシュタイン』を生んだレマン湖畔ディオダティ荘での怪談談義を経て、バイロンとポリドリが吸血鬼をその材料としてこねくりまわしてから二十年余。フォン・ヴァクスマン「謎の男」とトルストイの「吸血鬼」は、十九世紀半ばにはこの題材がすでに汎ヨーロッパ的に人気を得ていた事実を如実に示す。吸血鬼の怪力が誇示される「謎の男」は読みどころ溢れる大活劇で、吸血鬼が当時のエンタメを支える怪物の一翼をすでに担っていたことがよくわかる。トルストイの「吸血鬼」は、吸血鬼だけでなく当時の怪奇小説を彩った種々の怪異が次々に物語られる。怪しげなイタリアの神父を登場させるなど、英国ゴシック小説の道具立てもふんだんに活用されている。

この作品には、本稿にとって大事な点がもうひとつある。それは作品冒頭で示される、我々のなかに吸血鬼が素知らぬ顔をして暮らしているかもしれない、という妄想あるいは確信である。

ブラム・ストーカーの『ドラキュラ』が吸血鬼文学の転換点であったのは間違いなく、その理由はひとつではない。本稿では、吸血鬼になる者を貴族から庶民に拡大した点に着目しよう。しかも『ドラキュラ』は、いかにして人が吸血鬼になれるのかを明示した。起源は別にあるのかもしれないが、少なくともこの作品を経て人々の認識は、不幸な死に方をした者がたまたま吸血鬼になるのではなく、吸血鬼に襲われた者が適切な手続きを踏んでもらえば誰でも吸血鬼に漏れなくなれるのだ、に変貌した。「ドラキュラの客」は長編『ドラキュラ』からの作者ストーカー自身の手によるスピンオフだが、『ドラキュラ』という作品がいくつもの作品に増殖してゆくメディウムとなりうることを、作者自ら気づいていたのかもしれない。思えばストーカーは、事件後にあっけらかんとドラキュラ城を観光旅行しにゆくエピローグの他に、ドラキュラ城が火山の爆発で崩壊するカタストロフィックなエンディングも構想していたのだった。

エドガー・アラン・ポーは十九世紀に、英国で生まれた文学的伝統であるゴシックをアメリカの地に移入して新たな文学モードとして開花させたが、ウォレル「夜の運河」、ジャコビ「黒の啓示」、クイン「クレア・ド・ルナ──月影──」、ライバー「飢えた目の女」から感得されるのは、なんとしても吸血鬼をヨーロッパ大陸から新大陸アメリカに連れて来るのだ、この怪物にアメリカでの居所を見つけるのだ、というポーにならったかのような飽くなき執念である。「夜の運河」と「飢えた目の女」では、現代アメリカ社会に適応するために吸血鬼は身をやつしたようだ。一方、「黒の啓示」と「クレア・

ド・ルナ」の吸血鬼は、誇り高き身の上を捨てる気はないようである。

また、一九二七年から一九四九年にいたるこのラインナップを通して読むと、「吸血鬼は鏡に映らない」という設定を、テクノロジーが進展してゆくなかどう扱うか苦心している様子がうかがえて興味深い。コナン・ドイルが妖精写真についての書籍『妖精の到来』を出版したのが一九二二年であり、その際にドイルは心霊主義者エドワード・ガードナーの助けを得て、心霊写真と同じく何らかの形で物理的にこの世に存在しているからこそ妖精は写真に写っているのだ、と主張した。ならば吸血鬼はどうなるのか？「黒の啓示」、「クレア・ド・ルナ」、「飢えた目の女」では、それぞれに作品なりの見解が示されている。

英国作家ロバート・エイクマン「不十分な答え」は『ドラキュラ』の冒頭を下敷きにしつつも、「クレア・ド・ルナ」や「飢えた目の女」のように二〇世紀の半ばにふさわしい吸血鬼のあり方を探っている。母方の祖父がストーカーと同時代の作家であったエイクマンの筆致には、アメリカ組の必死さに比べ、ある種の余裕が漂っている。

再びアメリカに戻ってリチャード・マシスン「血の末裔」「白い絹のドレス」には、吸血鬼になりたい！という欲望が横溢している。マシスンの名作『地球最後の男』（あるいは『アイ・アム・レジェンド』一九五四）は、疫病が理由で人間が吸血鬼化し、それに科学的な説明が付されるにもかかわらず、登場する吸血鬼の姿は徹底的に十九世紀の吸血鬼像をなぞる。マシスンがどうしてもそうしたかったその荒唐無稽な設定が許されたのは、それが、ベラ・ルゴシ演じる映像化されたドラキュラ（一九三一年公開）を知る多くの読者の希望にかなっていたからだろう。物語の終幕で吸血鬼に囲まれて怪

物として注視される主人公の姿は、鏡に映っていなかった怪物の姿が鏡に映った瞬間に他ならない。彼の存在は、吸血鬼の社会の中に永遠にそのあるべき場所を得たのである。

マシスンの願いがかなったか、一九五八年のクリストファー・リー主演のハマーフィルム『吸血鬼ドラキュラ』の公開以降、吸血鬼あるいはドラキュラ映画は陸続と製作され続け、十字架を恐れ鏡に映らぬ古風な吸血鬼像はグローバルに「世の常識」となった。どのぐらい世に膾炙《かいしゃ》したかは、一九六五年に藤子不二雄Ⓐ作『怪物くん』においてドラキュラが怪物王子の下僕となり、一九七二年にはドラキュラのそっくりさんのカウントが『セサミストリート』で数をかぞえるようになった二点を事例とするだけで事足りよう。俗化し茶化される対象となってしまった吸血鬼。しかしこの状況は同時に、吸血鬼がどのようなものか余計な説明をせずに各種メディアで活用できることを意味していた。七〇年代、「吸血鬼がいるのは当たり前」を前提にした名作が相次いだ。管見に入った日本とアメリカの作品だけでも、半村良『石の血脈』（一九七一、この作品の吸血鬼には独自性がある）、萩尾望都『ポーの一族』（一九七二〜　）、須永朝彦『就眠儀式』（一九七四）、スティーヴン・キング『呪われた町』（一九七五）、アン・ライス『インタビュー・ウィズ・ヴァンパイア』（あるいは『夜明けのヴァンパイア』一九七六）……。キングやライスの作品は、アメリカに吸血鬼を根づかせるという本アンソロジー収録作品の精神を見事に受け継いでいる。さらに両作品ともベストセラーになったうえ映像化され、アメリカにおける吸血鬼文化のメインストリームの一部を構成することになっていった。以後、二〇世紀後半から二一世紀にかけて、各種メディアでそれこそ無数の作品が、トラディショナルな吸血鬼の存在を前提として生み出され続けているのは、論を俟《ま》たない（もちろん大原まり子『吸血鬼エフェメ

ラ』（一九九三）のように、既存の吸血鬼像に挑戦する試みも、後発の吸血鬼作品が生み出される重要な契機であるのだが）。

いないはずだと確信しつつ、なぜ我々は吸血鬼をこれほど遍《あまね》く受容しているのだろうか。繰り返しになるが、おそらく我々は、吸血鬼を我らが隣人として迎えたいのだ。そして願いかなうことなら、死と性と法を越えたあの存在に、自分もなりたいのである。どうしても満たされぬその欲望は、満たされることのない飢えとなって、我々を駆り立てる。闇夜に屹立する、あの黒衣の人に向かって。

参考文献

『クリス・ボルディック選　ゴシック短編小説集』石塚則子・大沼由布・金谷益道・下楠昌哉・藤井光編訳、春風社、二〇一二年。

ドイル、アーサー・コナン『妖精の到来　コティングリー村の事件』井村君江訳、アトリエサード、二〇二一年。

バイロン、G・C、J・W・ポリドリほか『吸血鬼ラスヴァン　英米古典吸血鬼小説傑作集』夏来健次・平戸懐古編訳、東京創元社、二〇二二年。

バーバー、ポール『ヴァンパイアと屍体　死と埋葬のフォークロア』野村美紀子訳、工作舎、一九九一年。

東雅夫編『吸血鬼文学名作選』創元推理文庫、二〇二二年。

解題

牧原勝志

『真紅の法悦』と『吸血鬼』

紀田順一郎・荒俣宏編《怪奇幻想の文学》全七巻（新人物往来社　一九七七完結）の企画を踏襲し、再構築する《新編　怪奇幻想の文学》の第二巻『吸血鬼』をお届けする。オリジナルの復刊や新訳でなく、古典、準古典と呼ぶべき作品から、特に現在の読者に届けたいものを新たに収録するという、監修者（オリジナルの編者）と本シリーズの編者とで決めた基本姿勢が、第一巻『怪物』で読者諸賢からの御理解をいただけたことに、まずは御礼を申し上げる。

本巻は、第一巻『真紅の法悦』（一九六九）に基づいて編纂した。同書の収録作品を左に挙げる。

「吸血鬼」The Vampire ジョン・ポリドリ　平井呈一訳

「吸血鬼カーミラ」Carmilla J・シェリダン・レ＝ファニュ　平井呈一訳

「塔のなかの部屋」The Room in the Tower E・F・ベンスン　平井呈一訳
「サラの墓」The Tomb of Sarah F・G・ローリング　平井呈一訳
「血こそ命なれば」For the Blood Is the Life F・マリオン・クロフォード　平井呈一訳
「黒の告白」Revelations in Black カール・ジャコビ　仁賀克雄訳
「月のさやけき夜」When It Was Moonlight M・W・ウェルマン　紀田順一郎訳
「血の末裔」Blood Son リチャード・マシスン　仁賀克雄訳
「月を描く人」The Moon Artist D・H・ケラー　荒俣宏訳
「死者の饗宴」The Feasting Dead ジョン・メトカーフ　桂千穂訳

加えて、巻頭に種村季弘の解説「吸血鬼小説考」、巻末に荒俣宏の「解題」が収録されている。種村の解説は、ブラム・ストーカー『吸血鬼ドラキュラ』に論を始め、ゲーテ「コリントの花嫁」やメリメ「ラ・グヅラ」から、バイロン、ポリドリを経て「吸血鬼カーミラ」へ、さらにはボードレールからバタイユへとつないで、吸血鬼を軸にした「タナトス」（死）と「エロス」（愛）の文学史を展開している。このアンソロジーを自身の著書『吸血鬼幻想』とつなぎ、アンソロジー『ドラキュラ・ドラキュラ』へと導く一文でもある。

初刊時は他では読めなかった『真紅の法悦』の収録作品も、現在では他の短編集やアンソロジーなどに収録され、同書を探さなくても読むことができる。さらに序文にも記したように、海外の吸血鬼小説はさかんに邦訳されており、私たちは伝説の大長編『吸血鬼ヴァーニー』の邦訳をも、遠からず手に取ることだろう。かくて、日本の読者にとって、吸血鬼文学史の年表からは空白はなくなりつつ

ある。

本書は、残り少ない年表の空白を埋める一冊である。ただ、作品の個々によって埋めるのではない。年表に一つの「流れ」を——『真紅の法悦』が示したものとはまた別の流れを——書き加えるものである。

本書に収録した作品は、その流れの上にある。一編一編を楽しみつつ、それを読み取ってもらえれば、編者としては光栄である。なお、特記ないかぎり、収録作品はすべて本書のために訳したものであることを、ここに明記しておく。

収録作品解題

「謎の男」"Der Fremde"

カール・アドルフ・フォン・ヴァクスマン（一七八七—一八六二）は、プロイセン領シレジア出身の小説家。若くして軍務につき、除隊後に小説を書きはじめた。一八二四年より新聞や雑誌を自作の発表の場とし、晩年まで多作を誇った。三十七巻におよぶ膨大な作品集 *Erzählungen und Novellen* が刊行されているが、怪奇小説に属するものは、一八四四年版に収録された本作のみと言われている。

古城に棲まい乙女を狙う吸血鬼と、彼女を救わんとする隻腕の騎士との闘争を描いた本作は、ストーカーの『吸血鬼ドラキュラ』より半世紀以上も先んじるが、トッド・ブラウニング監督の映画『魔人

ドラキュラ』（一九三一）にも似たサスペンスがある。ストーカー『吸血鬼ドラキュラ』との相似点も興味深いところだが、今の読者の目には、騎士ヴォイスワフの義腕は「スチームパンク」のギミックのように映るかもしれない。なお、本作はマイケル・パリー編『ドラキュラのライヴァルたち』（小倉多加志訳　早川書房　一九八〇）収録のさいは、なぜか「作者不詳」とされていた。

「吸血鬼《ウプイリ》」**"Упырь"**

アレクセイ・コンスタンチノヴィッチ・トルストイ（一八一七―七五）は、ロシアの詩人、劇作家、小説家、翻訳家であり、歴史小説『白銀公爵』（一八六三）の邦訳がある。なお、『戦争と平和』などで有名なレフ・トルストイとは遠縁にあたり、ＳＦ『技師ガーリン』や児童文学『おおきなかぶ』のアレクセイ・ニコラエヴィッチ・トルストイとも家系を同じくする。

本作は一八四〇～四一年、「吸血鬼《ヴルダラク》の家族」とほぼ同時期に書かれた初期の作品である。一人の少女とその家系にまつわる怪を物語る中編で、語りの中にさらに語りを入れ子にした「枠物語」は読む者を幻惑するが、最後には見事に収まるあたり、若い作者の才気を感じさせる。スラヴの吸血鬼伝説を踏まえた、『吸血鬼ドラキュラ』以前の一作例としてお楽しみいただきたい。なお、翻訳にあたっては、マリア・Ｋによる英訳 *Ghoul*（TSK Group LLC, 2019）と原文を照合しつつ、栗原成郎訳（『ロシア神秘小説集』所収　国書刊行会　一九八四）を参考にした。

「ドラキュラの客」**"Dracula's Guest"**

『吸血鬼ドラキュラ』の作者として有名なブラム・ストーカー（一八四七―一九一二）は、アイルランドはダブリンに生まれた。演劇評論家として「ハムレット」の演技を称賛したことから名優ヘンリー・アーヴィングとの親交が始まる。ロンドンに移住し、一八七八年から彼の劇場の支配人を長年にわたり勤めた。小説は一八七〇年代から書いていたが、注目されたのはやはり『ドラキュラ』が発表された一八九七年以降となる。

本作は『ドラキュラ』の一部となる予定だったもので、ストーカー歿後の一九一四年にこれを表題作とした短編集が出版された（邦訳『ドラキュラの客』桂千穂訳　国書刊行会　一九七六）。序盤を想定してか、自殺者は四つ辻に埋める風習や、埋葬された死者の顔色など、伝承に則した記述をしている。また「カーミラ」との関連付けと思われる要素もあるのも興味深い。

「夜の運河」"The Canal"

ここからはアメリカの作家となる。イヴリル・ウォレル（一八九三―一九六九）は一九二六年に《ウィアード・テールズ》に初登場して以来、終刊の一九五四年までに二十作ほどの短編小説を発表している。教育者の家に生まれ、ジョージ・ワシントン大学とカリフォルニア大学バークレー校で学んだのち、政府の秘書兼速記者の職を一九五七年まで勤めあげた。アメリカ政府とパルプマガジンという、二つのかけ離れた世界に身を置いていたことになる。

本作は《ウィアード・テールズ》一九二七年一二月号に掲載された。同年一月号掲載の「レオノーラ」同様、夜を好む孤独な若者を主人公にした、ポーへの憧憬を感じさせる作品である。なお、アン

ソロジー『ウィアード・テールズ2』(那智史郎・宮壁定雄編　国書刊行会　一九八四)に収録された既訳は、後年に四分の三ほどに短縮された、後半の展開が異なるものをテキストにしているため、初出の形での邦訳は本書が初となる。ポーまねびを自称する書き出しから、暗いロマンスの雰囲気を醸して進んでいく物語の、パルプ・ホラーならではのクライマックスをお楽しみいただけますよう。なお、本作はロッド・サーリングのTVシリーズ『四次元への招待』で映像化された(第三シーズン、第九二回"Death on a Barge"一九七三年三月四日放送)。監督は《スター・トレック》のミスター・スポック役で有名なレナード・ニモイ。

「黒の啓示」**"Revelations in Black"**(『真紅の法悦』所収「黒の告白」新訳)

カール・ジャコビ(一九〇八―一九九七)は、パルプマガジンを中心に、一九三〇年代初頭から八〇年代末にかけて、怪奇、SF、冒険、探偵などさまざまなジャンルの短編小説を書き続けた。怪奇幻想小説の出版社アーカム・ハウスの創設者の一人、ドナルド・ワンドレイとは大学時代からの友人で、彼の紹介を機にオーガスト・ダーレスとも親交を長く持った。アーカム・ハウスはジャコビの短編集を三点刊行しており、最初の『黒い黙示録』は邦訳されている(矢野浩三郎訳　国書刊行会　一九八七)。

　本作は《ウィアード・テールズ》一九三三年四月号に掲載され、その後『黒い黙示録』に収録された。ジャコビの代表作であると同時に、吸血鬼小説のアンソロジー・ピースとしても知られる。『ドラキュラ』以降、吸血鬼に抗する武器として時代ごとの最新のテクノロジーが使われてきたが、本作で

は写真機が登場。「鏡に映らない」という吸血鬼の特性が写真に敷衍され、一九三〇年代の撮影術やコンテストへの言及に時代色が感じられる。

「クレア・ド・ルナ——月影——」"Clair de Lune"

日本ではクリスマス・ファンタシーの傑作「道」の作者として知られるシーベリー・クイン（一八八九—一九六九）だが、本領はむしろオカルト探偵「ジュール・ド・グランダン」シリーズにあると言えるだろう。オカルティズムに通暁しフェンシングの名手でもある、このフランス人医師の怪奇な冒険は九十三編（長編一を含む）におよび、《ウィアード・テールズ》に一九二五年から五一年まで四半世紀にわたり掲載された。長編『悪魔の花嫁』と、いくつかの中短編が邦訳されている。

本作は《ウィアード・テールズ》一九四七年一一月号に掲載された。謎めいた女優をめぐる怪事件と探偵の若き日の思い出がつながる物語。「カーミラ」を連想させる同性愛的な要素がある一方、吸血鬼に伝承とは異なる解釈をしているのが興味深い。

「飢えた目の女」"The Girl With the Hungry Eyes"

フリッツ・ライバー（一九一〇—九二）は、ＳＦ、ファンタシー、怪奇幻想それぞれの分野で優れた作品を数多く遺している。ＳＦでは『ビッグ・タイム』『放浪惑星』『跳躍者の時空』、ヒロイック・ファンタシーでは《ファファード&グレイ・マウザー》、怪奇幻想では『闇の聖母』など、枚挙に暇がない。

本作は一九四九年にアメリカで出版されたアンソロジー（本には無記名だが、編者はドナルド・A・ウォルハイム）の表題作となった一編。まぎれもない吸血鬼譚だが、これまでの作品にはない新たな吸血鬼像が描かれている。なお、文明批評家マーシャル・マクルーハンは、メディア論『機械の花嫁』（一九五一）で、広告上の女性像を論じるさい本作に言及している。

「血の末裔」"Blood Son"（『真紅の法悦』所収　同題『幻想と怪奇4』収録のものを改訳）
「白い絹のドレス」"Dress of White Silk"

リチャード・マシスン（一九二六―二〇一三）については、もはや多言は必要としないだろう。怪奇小説では『縮みゆく男』『地獄の家』をはじめとする長編、『13のショック』や『激突！』などの短編集が長く読み継がれている。

「血の末裔」はＳＦ雑誌 *Imagination* 一九五一年四月号に"Drink My Red Blood..."の題で掲載され、短編集 *The Shores of Space*（1957）収録時に改題された。「白い絹のドレス」は *The Magazine of Fantasy and Science Fiction* 一九五一年一〇月号に掲載された。前者の主人公、十二歳の少年はドラキュラに憧れる。後者の語り手はより幼い少女で、別の世界に行ってしまったらしい母親を恋いつづける。二十世紀も半ば、吸血鬼はもはや子供の夢にしかいないのか？　いや、私たちがゆるぎない現実と信じている世界の隙間から、忍びこむときをうかがっているのだ。子供たちはそれに気づいて、かれらの侵入を待っている。

マシスンの長編『吸血鬼』（一九五四　別題『地球最後の男』『アイ・アム・レジェンド』）は、吸血

鬼小説の終焉を告げるかのごとき物語だった。そして実際にこの作以降、かの伝説《レジェンド》の存在がひとときの眠りについたかのように、吸血鬼の物語はしばし影をひそめる。スティーヴン・キングの『呪われた町』（一九七五）で、セイラムズ・ロットの町を恐怖が訪れるまで。

「不十分な答え」"The Insufficient Answer"

最後の一編はイギリスの作家による。ロバート・エイクマン（一九一九—八一）は、イングランドの運河を保存・復元する「内陸水路協会（ＩＷＡ）」を創立、従事する一方で、みずから「奇妙な物語」と呼んだ幻想と怪奇の中短編を、一九五一年から三十年にわたって書き続けた。邦訳書に中短編集『奥の部屋』がある。なお、エイクマンの祖父リチャード・マーシュも小説家で、一八九七年の怪奇スリラー『黄金虫』は、同年に上梓された『ドラキュラ』と並ぶベストセラーとなった。

　本作は、エリザベス・ジェーン・ハワードとの共著の怪奇小説集 *We Are for the Dark*（1951）に、「列車」「眺望」とともに収録された。本書が初の邦訳となる。スロヴェニアの古城に隠棲する彫刻家の身辺で、何が起きているのか。謎めいた展開は読み解きを求めるが、作者が冒頭のヘンリー・アーヴィング像をはじめ、吸血鬼の存在を示す手掛かりをいたるところにちりばめているのに、読者はすぐ気づくことだろう。吸血鬼の物語の（いったんの、ではあるが）閉幕をうかがわせる中編である。

　解説は、幻想文学に造詣が深く、ボブ・カラン『アイリッシュ・ヴァンパイア』やカレン・エリザベス・ゴードン『吸血鬼の英文法』など吸血鬼関連書の翻訳も手がけた下楠昌哉氏による。吸血鬼像

の変遷を的確にとらえ、はからずも編者が隠した「仕掛け」の一つを解く手がかりにもなっている。本書の通読後にはぜひ、解説を参照しつつの再読をお楽しみいただきたい。

怪奇小説においては例外といえるほどに、吸血鬼小説の邦訳は多く、今や古典のほとんどを日本語で読むことができるほどだ。が、『呪われた町』以降のかれらの物語には、まだ日本の読者には知られていない傑作が潜んでいる。時をあらためて、それらを紹介する機会を作りたい。われらが夜の輩《ともがら》との再会のためにも。

今日の人権意識に照らして不適切と思われる表現や語句につきましては、発表時の時代的背景を考慮し、作品を尊重する立場から、原文を逸脱することなく翻訳・収録しておりますことを、ご了承下さい。（編集部）

新編 怪奇幻想の文学 2　吸血鬼

2022年12月12日　初版発行

【監修】紀田順一郎・荒俣 宏
【 編 】牧原勝志（『幻想と怪奇』編集室）

【発行人】福本皇祐
【発行所】株式会社新紀元社
〒101-0054
東京都千代田区神田錦町 1-7 錦町一丁目ビル 2F
Tel.03-3219-0921　Fax.03-3219-0922
http://www.shinkigensha.co.jp/
郵便振替　00110-4-27618

【装幀・装画】YOUCHAN（トゴルアートワークス）
【印刷・製本】中央精版印刷株式会社

ISBN978-4-7753-2040-2
Printed in Japan　定価はカバーに表示してあります